M000020252

@

Planet@ 2
Libro del alumno

Matilde Cerrolaza - Óscar Cerrolaza - Begoña Llovet

Versión Mercosur
Claudia Jacobi
Enrique Melone

edelsa
GRUPO DIDASCALIA, S.A.
Plaza Ciudad de Salta, 3 - 28043 MADRID - (ESPAÑA)
TEL.: (34) 914.165.511 - FAX: (34) 914.165.411

Primera edición: 1999
Primera reimpresión: 1999

Dirección y coordinación editorial: Departamento de Edición de Edelsa.
Diseño de cubierta, maquetación y fotocomposición: Departamento de Imagen de Edelsa.

Fotomecánica: Alba.
Imprenta: Peñalara, S.A.
Encuadernación: Goméz Aparicio, S.A.

ISBN: 84.7711.229.0
Depósito legal: M- 40196- 1999
Impreso en España
Printed in Spain

Fuentes, créditos y agradecimientos

Documentos e imágenes

Fotografías:
• Agencia EFE: págs. 49 (1.Torero Joselito), 103 (Premios Príncipe de Asturias 1998: Premios de Cooperación Internacional), 104 (Madre Teresa de Calcuta, Michael Jordan, Marylin Monroe, Mario Moreno "Cantinflas"), 125 (Gloria Estefan).
• Autores de Planet@: págs. 21, 30 (2), 31 (1), 46, 53 (1), 56, 57, 60 (3), 66 (Puno, Perú), 68 (1), 71, 77 (1), 84 (1), 87, 89 (1), 124, 128, 131, 134, 135 (2, 4), 140 (1, 2), 141, 143 (1), 146, 153.
• Brotons: págs. 16, 17, 30 (1), 32, 33, 37 (2), 39, 41, 49 (4), 58, 62, 67, 77 (2), 84 (3, 4), 112 (1), 142 (3).
• Carolina García: págs. 49 (3), 65.
• Círculo de Lectores: pág. 118 (3. Isabel Allende) • Eberhard Hirsch / Círculo de Lectores: pág. 118 (4. Mario Vargas Llosa).
• Contifoto / Carrusan: pág. 78 (2. Luis Rojas Marcos) • Contifoto / Farabola: pág. 118 (5. Gabriel García Márquez).
• DYC: pág. 99 (Campaña publicitaria "Gente sin complejos").
• El País: pág. 118 (1. Laura Esquivel -fotografía de Cristóbal Manuel-; 2. Julio Cortázar -fotografía de Chema Conesa-).
• Fábrica Nacional de Moneda y Timbre: pág. 7 (III Serie Iberoamericana. Monedas conmemorativas 1997: Encuentro de dos mundos. Danzas y trajes típicos: anverso monedas de Argentina, Cuba, España y México).
• Federica Toro: pág. 19 (1. Juan López; 2. Charline López).
• Ilga Stoeppler: pág. 140 (3).
• Imágenes vídeo Planet@: págs. 18, 26, 42, 47, 51, 53 (2), 69, 74, 79, 112 (2), 113, 130, 133, 135 (1), 139.
• Laura Madera: pág. 98 (Itziar Mendizábal).
• María Luisa Martín: pág. 154 (1).
• María Sodore: págs. 19 (3), 31 (3), 60 (1), 68 (2), 83, 84 (5), 140 (4), 144, 155.
• Miguel Ángel Calle: pág. 49 (2. Carmen Olivier).
• Patricia Jahncke: págs. 31 (2), 89 (2).
• Plaza y Janés: pág. 119 (1. Cubierta de *La casa de los espíritus*).
• Rafael García-Gil y Fabiola Díaz: págs. 60 (2. Jaime García Díaz), 78 (1. Julio Iglesias).
• VEGAP: págs. 10 (1. Autorretrato de Diego Velázquez, detalle de *Las Meninas;* 2. *Retrato de Goya*, Vicente López), 11 (2. *Las Meninas*, D. Velázquez), 109 (*Niñas bañándose*, Joaquín Sorolla), 138 (*Muchacha en la ventana*, Salvador Dalí).

Ilustraciones:
• Antonio Martín: págs. 8, 22, 24, 32, 33, 34, 45 (ej. 3), 48, 59, 72, 75, 76, 78, 80, 82, 85, 87, 89, 90, 91, 93, 94, 95, 96, 97, 100, 101, 107 (ej. 6), 108, 110, 112, 113, 114, 117, 119 (rayuela), 120, 123, 126, 127, 129, 130, 137, 145.
• Victoria Gutiérrez: págs. 6, 20, 25, 27, 28, 30, 40, 41, 44, 45 (ej. 4), 58, 107 (ej. 7), 111, 132.

Reproducción de documentos:
Pág. 11: Esquema de *Las Meninas* (*El mundo de los grandes genios.* Cap.1: *Velázquez. El Mundo* / Ediciones Orbis).
Págs. 32 y 33: Extractos de artículo de *El País Semanal* (2 de marzo de 1997) sobre ciudades españolas.
Pág. 39: Texto adaptado y gráfico de *Cocina Mía* nº 24.
Pág. 41: Extracto de artículo de *Cuerpomente* nº 57.

Glosarios:
Agradecemos la colaboración prestada en la realización de los glosarios a: Internexus Language Center Madrid y Yázigi International Bauru por el portugués; a la profesora Enrica Cova por el inglés; a los profesores Enrica Cova y Alessandro Forforelli por el italiano; y a la germanista Angelika Fritsche por la revisión del alemán, que ha sido realizado, junto con el francés, por el Equipo Edelsa.

Notas:
- La Editorial Edelsa ha solicitado los permisos de reproducción correspondientes y da las gracias a los particulares, empresas privadas y organismos públicos que han prestado su colaboración.
- Las imágenes y documentos no consignados más arriba pertenecen al Archivo y al Departamento de Imagen de Edelsa.

Para los habitantes de nuestro Planet@

Actualmente se va instalando un nuevo concepto pedagógico en el ámbito de la enseñanza de idiomas: tomando como base el enfoque comunicativo, acoge nuevos impulsos procedentes de la revalorización del sujeto-aprendiz, y por otra parte, del reconocimiento de la dimensión psicológica y emocional del aprendizaje y de la pedagogía de lo positivo.

En este marco ecléctico nace **Planet@**, un nuevo manual de Español como Lengua extranjera dirigido a adultos y adolescentes, que es el resultado de numerosos años de experiencia docente en distintas instituciones y escuelas, tanto oficiales como privadas, tanto en cursos de inmersión en España, como en cursos extensivos en el extranjero. Y desde luego es el resultado de un afán continuo por aprender, por experimentar y por contribuir a una enseñanza profundamente humanística y efectiva.

Planet@ es un curso articulado en 4 niveles, cada uno de los cuales gira en torno a 5 unidades temáticas. Los temas elegidos permiten la adquisición de una comunicación auténtica y motivadora, estimulan y potencian el compromiso social y vital de l@s estudiantes, y dan como resultado no sólo la realización de actividades significativas en el aula sino también la adquisición de una verdadera competencia intercultural.

Esta es la organización de cada unidad temática de **Planet@ 2:**

INTRODUCCIÓN AL TEMA
Dos páginas de sensibilización al tema con un documento auténtico de arranque, una actividad de aprendizaje y un mapa mental con los exponentes funcionales de la unidad.

ÓRBITA 1 (color azul)
1 a: primera situación, muestra de lengua y explotación de exponentes funcionales.
1 b: explotación de otros exponentes funcionales.
1 c: sistematización y práctica de la gramática.
Práctica global: actividad significativa en la que se movilizan los recursos adquiridos en esta órbita y se activan las destrezas.

Estrell@ fug@z
Intermedio en el itinerario temático y en la progresión lingüística del tema, que propone un acercamiento lúdico y diferente a aspectos culturales y artísticos relacionados con el tema.

ÓRBITA 2 (color rojo)
2 a: segunda situación, muestra de lengua y explotación de exponentes funcionales.
2 b: sistematización activa de la gramática y práctica.
Práctica global

TAREA FINAL
El estudiante debe realizar una gran tarea que integra todos los contenidos léxicos, funcionales y gramaticales de las dos órbitas en una actividad significativa. Esta tarea final permite una gran autonomía y una toma de decisiones por parte del aprendiz.

[350 MILLONES]
Dos páginas de acercamiento al ámbito cultural hispano. Siempre fomenta la conciencia intercultural y tiene en cuenta los conocimientos previos del alumno.

RECUERDA (con el corazón y con la cabeza)
Dos páginas de recapitulación de la unidad, teniendo en cuenta los modos fundamentales de procesamiento de nuestro cerebro.

EN AUTONOMÍA
Cuatro páginas de práctica controlada de todos los contenidos de la unidad para los estudiantes que precisan un refuerzo en su aprendizaje.

¡Bienvenid@s a nuestro Planet@!
Los autores

La **Versión Mercosur** (págs. 157-174) atiende a variantes iberoamericanas, ya que trata no sólo diferencias del español hablado en España y en Hispanoamérica, sino también aspectos contrastivos entre el español y el portugués.
Los autores de la **Versión Mercosur**, siguiendo cada uno de los temas de **Planet@** 2, presentan las cuestiones que consideran de mayor interés mediante adaptaciones de diálogos y teoría y práctica de la lengua, sobre todo en el campo de la morfología y el léxico y, principalmente, en referencia a Argentina y Brasil.

Dossier puente : Bienvenid@ a nuestro planet@ -2

tema:	1 LA ECOLOGÍA: salvemos el planet@	2 LA JUSTICIA: trabajo (y ocio) para tod@s
órbita 1	**1 a Funciones** Hablar de los acontecimientos pasados y describir las situaciones. **1 b Funciones** Hablar de los momentos y de las épocas en que se produjeron los acontecimientos. Marcadores temporales de periodos, momentos repentinos y tiempo. **1 c Gramática activa** El imperfecto de indicativo: morfología y usos. Contraste imperfecto / indefinido: situación / acontecimiento. Contraste ANTES / AHORA. **Práctica global** Describir la vida y los cambios de una pareja. Escribir un texto sobre cómo conoció a su mejor amig@.	**1 a Funciones** Hablar del paro, de las causas y de las soluciones. Expresar la obligación y la necesidad, la posibilidad, el permiso y la prohibición. Pedir permiso. **1 b Funciones** Expresar la obligación y la necesidad general y la individual. **1 c Gramática activa** Uso de los pasados: hablar de actividades pasadas y hablar de periodos (imperfecto / indefinido). La perífrasis ESTAR + infinitivo en pasado. CUANDO + expresión de tiempo. **Práctica global** Hablar del trabajo ideal, escribir un anuncio y hacer una entrevista de trabajo.
Estrell@ fug@z	***Canción sobre los cambios en la vida de una pareja.***	***Canción sobre el trabajo y el ocio.***
órbita 2	**2 a Funciones** Explicar las causas y las consecuencias de algo. Expresar la finalidad de una acción. **2 b Gramática activa** Morfología de algunos verbos irregulares en el indefinido. Perífrasis DEJAR DE, VOLVER A + infinitivo y SEGUIR + gerundio. **Práctica global** Hablar de las intenciones de cambios en la vida.	**2 a Funciones** Quejarse y lamentarse. Proponer soluciones a los problemas. Aconsejar. **2 b Gramática activa** Los adjetivos y pronombres posesivos: morfología y usos. **Práctica global** Debatir sobre el reparto de presupuestos de una empresa. Justificar las necesidades propias.
tarea final	Escribir un cuento utilizando los conectores apropiados.	Simulación desde el futuro: Describir periodos históricos pasados y debatir las soluciones a los problemas.
[350 millones]	Textos sobre las ciudades españolas más humanas y urbanas.	Carteles de promoción turística de España, Argentina y México y datos de la actividad económica.
Recuerda	Canción infantil con los usos de los pasados. Recapitulación de los contenidos léxicos, gramaticales y funcionales.	Escribir el currículum interior. Recapitulación de los contenidos léxicos, gramaticales y funcionales.
En autonomía	Ejercicios individuales de repaso y profundización	

Versión Mercosur: **variantes**

3 LA TOLERANCIA: viajar para comprender	4 EL EQUILIBRIO: cuerpo y alma	5 LA CONVIVENCIA: nuevas familias, nuevos amores
1 a Funciones Léxico básico para hablar de viajes. Mostrar sorpresa por la actividad que otro/a ha realizado. Interesarse por lo que otro/a ha hecho. Valorar positiva o negativamente algo. **1 b Funciones** Relatar una historia. Recursos para ordenar un relato. Organizar el discurso. **1 c Gramática activa** Usos del imperfecto para describir las situaciones en las que ocurren las acciones: describir las situaciones y hablar de las acciones en desarrollo. La perífrasis ESTAR + gerundio en imperfecto. Perífrasis ESTAR A PUNTO DE, PONERSE A + infinitivo y LLEVAR + cantidad de tiempo + gerundio. **Práctica global** Contar anécdotas. Definir el concepto de hospitalidad.	**1 a Funciones** Léxico básico para hablar del aspecto físico y del carácter. Describir y describir a otros/as. Hablar del aspecto físico y del carácter. Decir un piropo. **1 b Funciones** Léxico básico para hablar de la ropa. Identificar a una persona por sus rasgos físicos, por la ropa o por una actividad. **1 c Gramática activa** El imperativo: formas regulares e irregulares más frecuentes. Uso del imperativo. Los pronombres y el imperativo: sintaxis. **Práctica global** Hacer un decálogo de cambios que puede hacer el/la compañero/a para esconderse.	**1 a Funciones** Hablar de otras personas y de la relación con ellas: simpatías y antipatías. Hablar de los sentimientos. Explicar las impresiones sobre otros/as. **1 b Funciones** Hablar de los sentimientos y las reacciones que nos provocan las cosas y otras personas. Hablar de uno/a mismo/a y de los/las demás. **1 c Gramática activa** El presente de subjuntivo, formas regulares e irregulares. Usos del presente de subjuntivo en oraciones subordinadas sustantivas para expresar influencia y reacciones. **Práctica global** Hacer un retrato robot del carácter de uno/a mismo/a.
Poema de Sergio Elizondo.	***Cuadro de Sorolla y poema de Alberti sobre el mar.***	***Cuadro de Dalí y poema de Neruda.***
2 a Funciones Vocabulario sobre el equipaje. Pedir prestadas cosas. Negarse o acceder a una petición. Justificar una respuesta negativa. Contraste DAR/DEJAR. **2 b Gramática activa** Los pronombres objeto directo. El doble pronombre. Usos del doble pronombre en la frase. **Práctica global** Hablar de los objetos importantes que uno/a tiene y no necesita. Compartir objetos. Aceptar o rechazar propuestas.	**2 a Funciones** Léxico básico para hablar del cuerpo. Expresar dolor físico, hablar de los síntomas de una enfermedad y de enfermedades. Hablar de remedios médicos. **2 b Gramática activa** Forma regular e irregular del imperativo negativo y usos. Los pronombres en la fase imperativa negativa. **Práctica global** Hablar de los malos hábitos de los/as estudiantes. Crear un decálogo para mejorar la salud.	**2 a Funciones** Hablar de los parecidos y de las diferencias entre las personas. Hablar de las relaciones amorosas. **2 b Gramática activa** Usos del subjuntivo en oraciones subordinadas sustantivas para expresar deseos e influencias. QUERER + sustantivos / infinitivos. QUERER + QUE + subjuntivo. **Práctica global** Informarse del carácter de los/as otros/as estudiantes para elegir el/la compañero/a ideal de piso.
Informar e informarse del viaje que ha hecho uno/a.	Hablar de las ventajas de la medicina tradicional y de la medicina homeopática. Lectura de un texto y discusión según roles.	Describir el núcleo familiar actual y hablar del núcleo de convivencia ideal.
• Ruta turística azteca y maya: México, Guatemala. • Ruta turística inca: Ecuador, Perú.	Información sobre la literatura en español más actual. Datos sobre los autores más célebres y su obra más conocida.	Poemas y canciones de amor en español.
Viaje fantástico por los dos mundos: los dos hemisferios del cerebro. Recapitulación de los contenidos léxicos, gramaticales y funcionales.	Relajación. Recapitulación de los contenidos léxicos, gramaticales y funcionales.	Viaje de fantasía y escribir un poema con las impresiones. Recapitulación de los contenidos léxicos, gramaticales y funcionales.

sobre los contenidos de cada tema.

i b e r o a m e r i c a n a s .

Dossier

1. EL MUNDO DEL ESPAÑOL: Diferentes acentos y saludos

Dossier

audio

vídeo

Bueno. ¿Cómo te va?

Hola. ¿Qué tal?

Hola. ¿Cómo tú estás?

Y vos, ¿cómo estás?

Dossier

2. TÚ Y EL ESPAÑOL: Dar información personal e informarse sobre otros/as

1. Ahora tienes la oportunidad de elegir una identidad hispana en tus clases de español.

• Elige un nombre:

Begoña
Matilde
Federica
Pilar
Ana
Natalia
Estrella
María del Mar
Óscar
Rafael
Juan
Pepe
Paco
Moncho
Jesús
Ángel

• Ahora tienes que escoger dos apellidos, porque, como ya sabes, en el mundo hispano tenemos dos apellidos; normalmente primero el del padre y, después, el de la madre.

Aragón
Del Río
Fernández
Toro
Aguirre
García
Jiménez
Del Amo
Poch
Galindo
Martín
Barquero

• Elige una profesión.

Cantante de rock
Agricultor/-a
Guía turístico/a
Espía
Panadero/a
Amo/a de casa
Torero/a
Camarero/a
Jardinero/a
Bailarín/-a de tangos
Funcionario/a
Director/-a de banco
Fotógrafo/a
Mariachi
Profesor/-a

• Elige de dónde eres.

Managua
Sevilla
Córdoba
Tegucigalpa
La Habana
La Paz
Lima
Antigua
Montevideo
Granada
Cuzco
Madrid
Santiago de Compostela
San Juan de Puerto Rico
San Cristóbal de las Casas

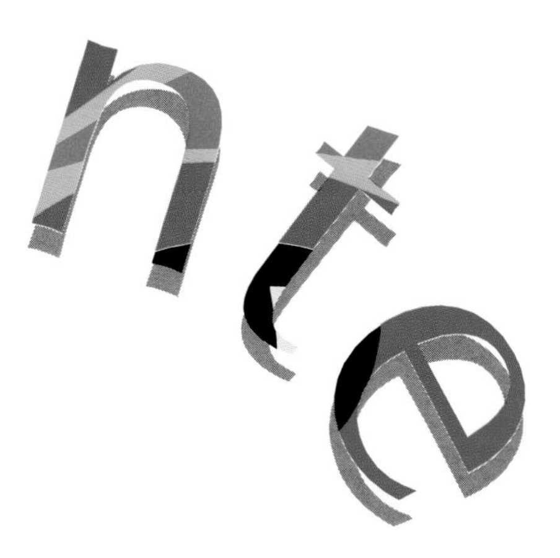

2. Elige ahora cinco adjetivos positivos sobre tu carácter.

agradable	*simpático/a*	*extrovertido/a*
sociable	*comunicativo/a*	*cariñoso/a*
paciente	*trabajador/-a*	*abierto/a*
activo/a	*sensible*	*inteligente*
alegre	*aventurero/a*	*generoso/a*

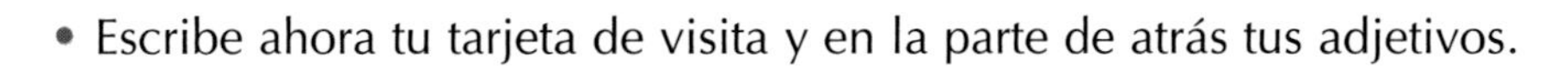

• Escribe ahora tu tarjeta de visita y en la parte de atrás tus adjetivos.

3. Haz una entrevista a tu compañero/a e infórmate de su nombre, profesión, ciudad y sus cinco cualidades positivas. Infórmate también de sus aficiones y de su color favorito.

¿Qué te gusta hacer en tu tiempo libre?
¿Te gusta el deporte/arte...?
¿Qué color te gusta más?

A mí me gusta mucho...
Me encanta...

4. Presenta a tu compañero/a a toda la clase.

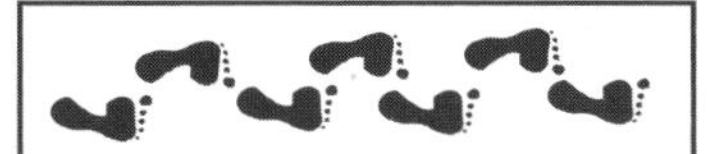

Os presento a...
Mi compañero/a es...
Este/a es...

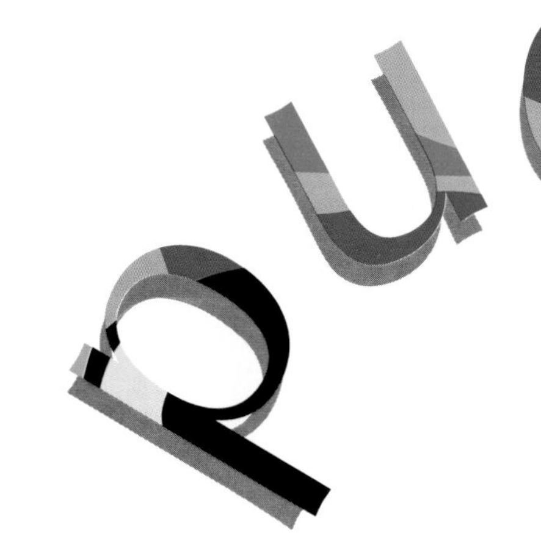

3. LA CULTURA DEL ESPAÑOL

Vamos a conocer uno de los grandes museos del mundo, el Museo del Prado.

1. Relaciona estos verbos con las frases de la derecha:

ES

ESTÁ/N

HAY

- uno de los mejores museos de pintura del mundo.
- en el centro de Madrid.
- muchos cuadros de los mejores pintores europeos.
- grande y espacioso.
- cerrado los domingos por la tarde.
- los cuadros más famosos de Velázquez, como, por ejemplo, "Las Meninas".
- obras de pintores españoles como Goya, Velázquez, Murillo, El Greco, etc.
- abierto de 9.00 a 7.00 todos los días excepto los lunes.
- en un edificio del siglo XVIII, el edificio Villanueva.

2. Lee este texto y rellena los huecos con ES, HAY, ESTÁ, ESTÁN:

El Museo del Prado .... una de las pinacotecas más importantes del mundo por la calidad y por la cantidad de sus cuadros. El museo .... en el centro de la ciudad, en un edificio histórico, el Palacio Villanueva, que .... un edificio del siglo XVIII, construido para ser, en origen, Museo de Ciencias Naturales.

En él .... una representación de los mejores pintores y las mejores escuelas de pintura: Tiziano, Rubens, Van Dick, El Bosco, etc. Por supuesto, también .... cuadros de los mejores pintores españoles, como Goya, Velázquez, Murillo, El Greco, etc. Allí .... los cuadros más famosos de Velázquez, como "Las Meninas", "La fragua de Vulcano" o "Las hilanderas".
El museo .... abierto todos los días, excepto los lunes. El horario .... de 9 de la mañana a 7 de la tarde, excepto los domingos por la tarde, que .... cerrado.

3. Aquí tienes los retratos de dos de los más famosos pintores del Museo del Prado: Goya y Velázquez. Haz una lista de 6 comparaciones:

1

Velázquez: 1599-1660

2

Goya: 1746-1828

4. Este es uno de los cuadros más famosos de Velázquez, "Las Meninas". Hemos identificado a todos los personajes. ¿Puedes escribir qué están haciendo?

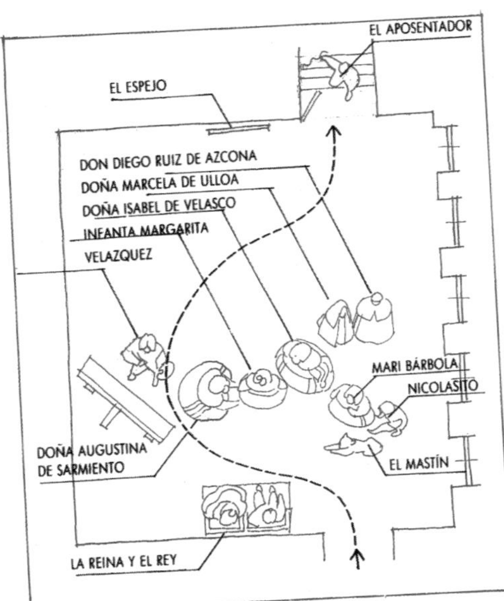

1

2

pintar al Rey y a la Reina
jugar con el perro
subir las escaleras
mirar al frente
dar una bebida a la Infanta
charlar
inclinarse

Ejemplo: *La infanta Margarita está mirando al frente.*

....

....

5. Primero mira detenidamente el esquema 1; fíjate en que el aposentador -servidor de palacio- estaba en la posición que tú -el/la espectador/-a- tienes ahora. Después lee este texto, en el que te contamos algunas cosas sobre este famoso cuadro:

"El cuadro representa una escena cotidiana en la vida del pintor. Velázquez está retratando al Rey y a la Reina, que se ven reflejados en el espejo del fondo. Mientras pinta, entra en la sala la Infanta con otras personas, que se ponen a observar a los Reyes mientras estos posan. Entonces Velázquez decide cambiar la perspectiva y pinta a los espectadores, que a su vez se convierten en espectadores de la persona que está mirando el cuadro en el Museo. Lo que Velázquez quiere transmitirnos es el efecto que produce la grandeza en los espectadores".

6. ¿Puedes ahora pensar en el museo más importante para ti de tu ciudad o de tu país? Cuéntanos cómo es, dónde está, de qué tipo de museo se trata, cuáles son las obras más importantes que hay en él. Coméntanos también la obra más significativa para ti de ese museo. Escribe un texto con todo ello.

Dossier

4. EL ESPAÑOL: Los tiempos y la forma de los verbos en español

Esta mañana hemos hecho un esquema muy ordenado de diferentes tiempos del español, pero se nos han caído al suelo las fichas y se nos han desordenado. Incluso alguna forma se ha perdido. ¿Podrías ayudarnos a colocarlas y completarlas?

	Presente	Estar + gerundio	Perfecto	Indefinido
HABLAR		ESTOY ESTÁS ESTÁ ESTAMOS + ESTÁIS ESTÁN		
COMER		ESTOY ESTÁS ESTÁ ESTAMOS + ESTÁIS ESTÁN		
ESCRIBIR		ESTOY ESTÁS ESTÁ ESTAMOS + ESTÁIS ESTÁN		
LEVANTARSE		ESTOY ESTÁS ESTÁ ESTAMOS + ESTÁIS ESTÁN		
SOÑAR		ESTOY ESTÁS ESTÁ ESTAMOS + ESTÁIS ESTÁN		
IR		ESTOY ESTÁS ESTÁ ESTAMOS + ESTÁIS ESTÁN		
HACER		ESTOY ESTÁS ESTÁ ESTAMOS + ESTÁIS ESTÁN		

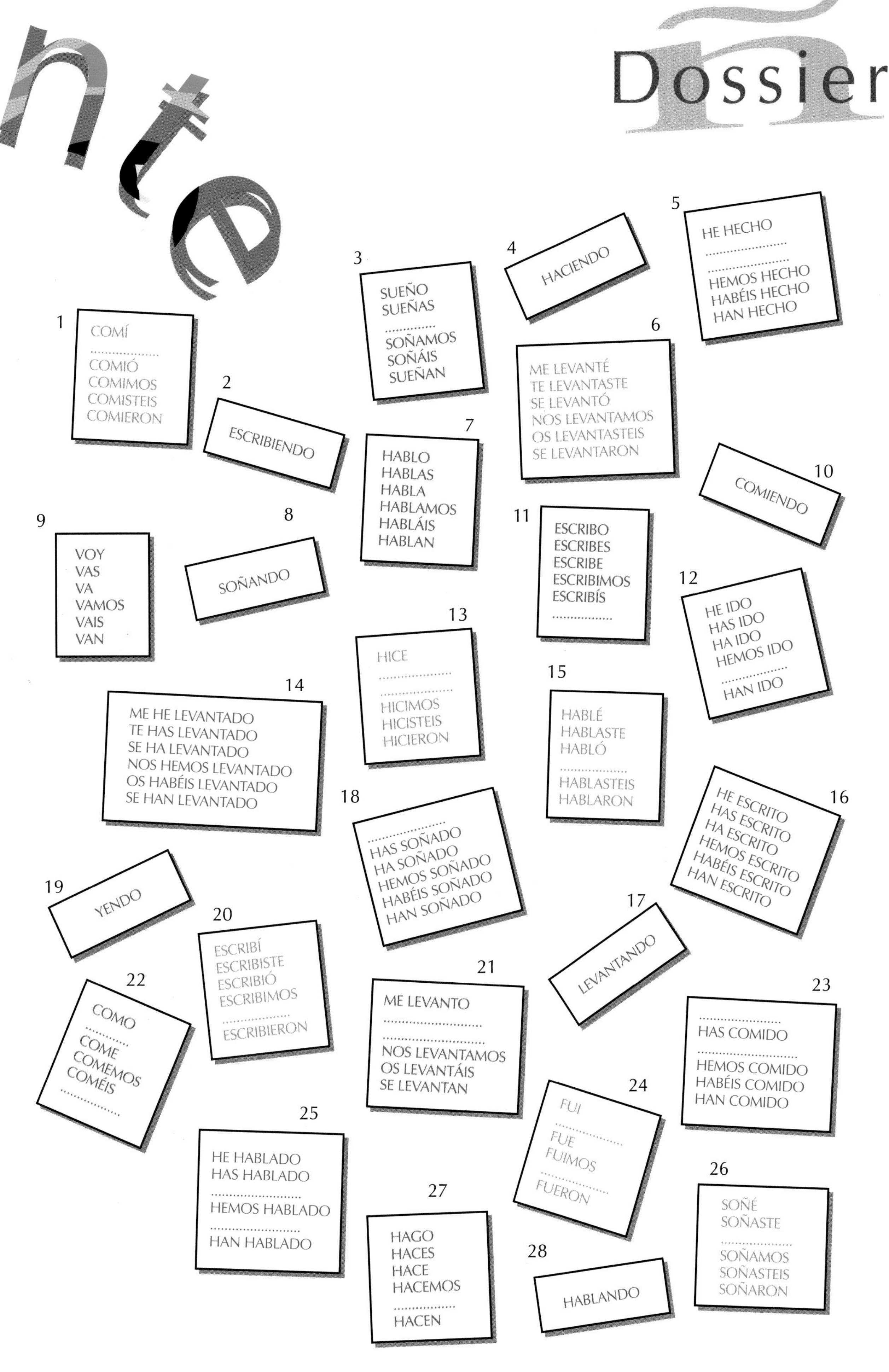
Dossier
1
COMÍ
....
COMIÓ
COMIMOS
COMISTEIS
COMIERON
2
ESCRIBIENDO
3
SUEÑO
SUEÑAS
....
SOÑAMOS
SOÑÁIS
SUEÑAN
4
HACIENDO
5
HE HECHO
....
....
HEMOS HECHO
HABÉIS HECHO
HAN HECHO
6
ME LEVANTÉ
TE LEVANTASTE
SE LEVANTÓ
NOS LEVANTAMOS
OS LEVANTASTEIS
SE LEVANTARON
7
HABLO
HABLAS
HABLA
HABLAMOS
HABLÁIS
HABLAN
8
SOÑANDO
9
VOY
VAS
VA
VAMOS
VAIS
VAN
10
COMIENDO
11
ESCRIBO
ESCRIBES
ESCRIBE
ESCRIBIMOS
ESCRIBÍS
....
12
HE IDO
HAS IDO
HA IDO
HEMOS IDO
....
HAN IDO
13
HICE
....
....
HICIMOS
HICISTEIS
HICIERON
14
ME HE LEVANTADO
TE HAS LEVANTADO
SE HA LEVANTADO
NOS HEMOS LEVANTADO
OS HABÉIS LEVANTADO
SE HAN LEVANTADO
15
HABLÉ
HABLASTE
HABLÓ
....
HABLASTEIS
HABLARON
16
HE ESCRITO
HAS ESCRITO
HA ESCRITO
HEMOS ESCRITO
HABÉIS ESCRITO
HAN ESCRITO
17
LEVANTANDO
18
....
HAS SOÑADO
HA SOÑADO
HEMOS SOÑADO
HABÉIS SOÑADO
HAN SOÑADO
19
YENDO
20
ESCRIBÍ
ESCRIBISTE
ESCRIBIÓ
ESCRIBIMOS
....
ESCRIBIERON
21
ME LEVANTO
....
....
NOS LEVANTAMOS
OS LEVANTÁIS
SE LEVANTAN
22
COMO
....
COME
COMEMOS
COMÉIS
....
23
....
HAS COMIDO
....
HEMOS COMIDO
HABÉIS COMIDO
HAN COMIDO
24
FUI
....
FUE
FUIMOS
....
FUERON
25
HE HABLADO
HAS HABLADO
....
HEMOS HABLADO
....
HAN HABLADO
26
SOÑÉ
SOÑASTE
....
SOÑAMOS
SOÑASTEIS
SOÑARON
27
HAGO
HACES
HACE
HACEMOS
....
HACEN
28
HABLANDO

5. LA CLASE DE ESPAÑOL: Opiniones sobre formas de aprender

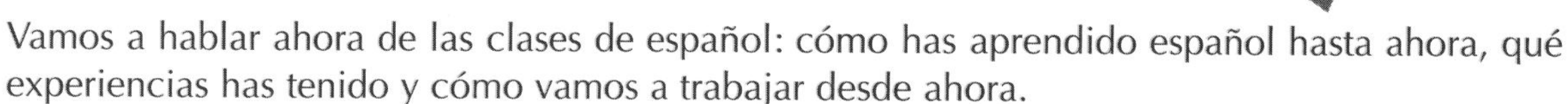

Vamos a hablar ahora de las clases de español: cómo has aprendido español hasta ahora, qué experiencias has tenido y cómo vamos a trabajar desde ahora.

* Primero piensa individualmente sobre las siguientes cuestiones:

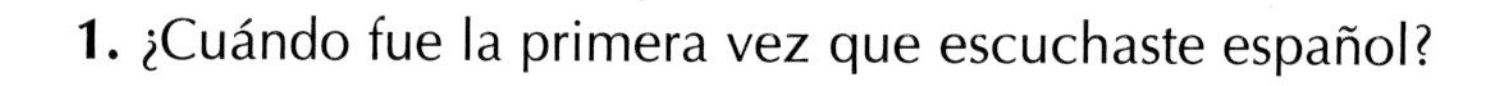

1. ¿Cuándo fue la primera vez que escuchaste español?

2. ¿Qué impresión tuviste del idioma?

3. ¿Por qué estudias español?

4. ¿Dónde has estudiado?

5. ¿Qué es lo que más te ha gustado de la clase?

6. ¿Has tenido alguna dificultad?

7. ¿Qué planes tienes para el futuro: vas a continuar estudiando español, vas a ir a un país de habla hispana, vas a tener contactos con hispanohablantes?

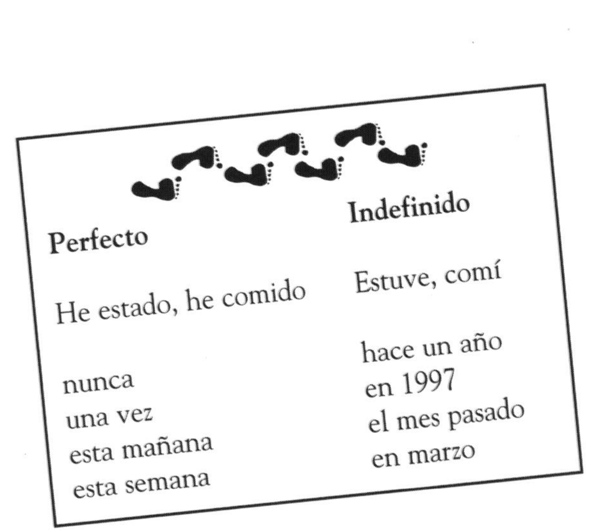

* Ahora vamos a ver diferentes formas de aprender. Marca con un corazón lo que te gusta.

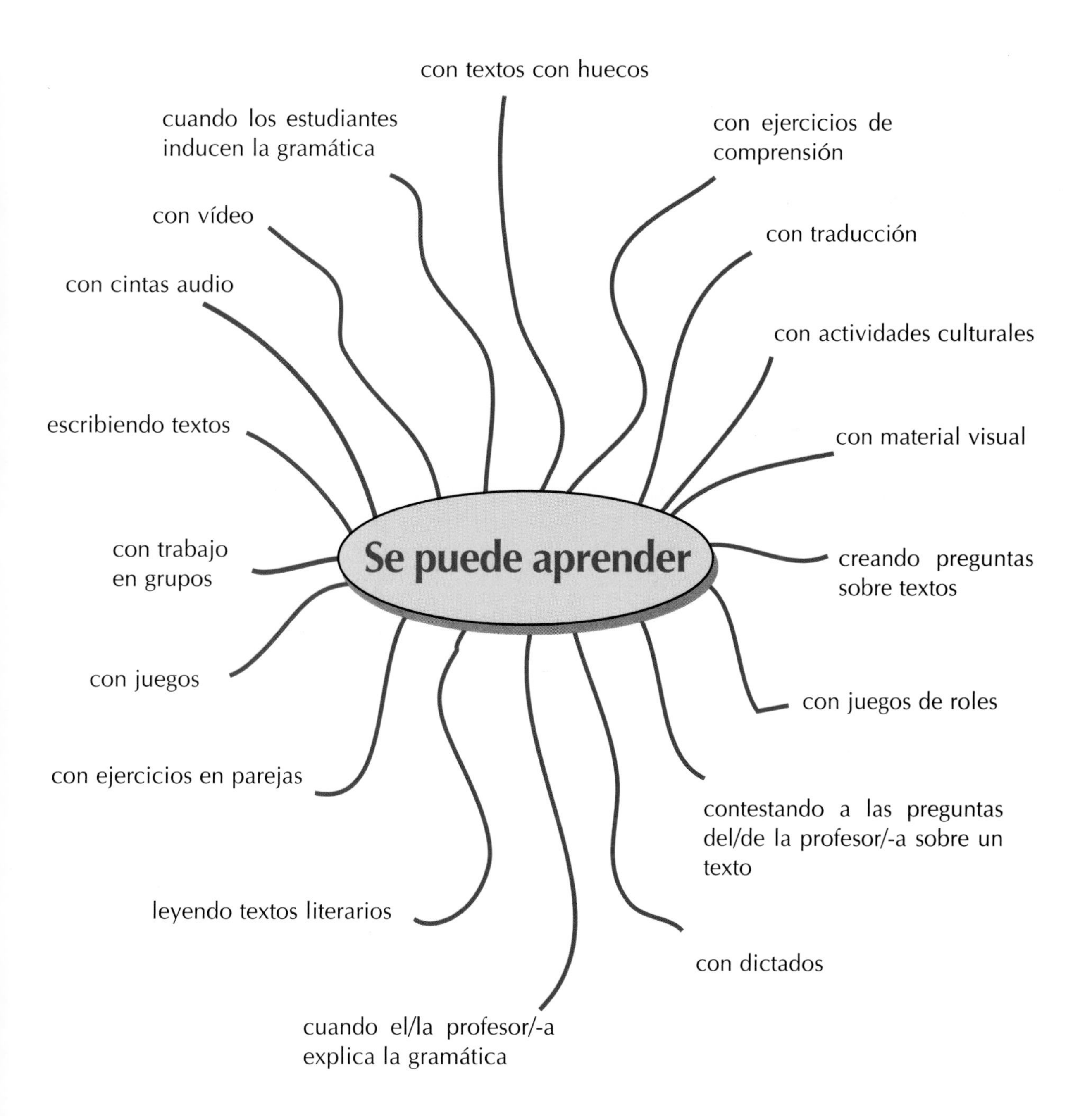

1 tema LA ECOLOGÍA: *salvemos el planet@*

Versión Mercosur, págs. 158-160

¿Qué asocias con ECOLOGÍA y SOLUCIONES ECOLÓGICAS? Escribe las palabras. Después lo comentamos todos juntos.

¿Qué es para ti ser ecológico/a?

1. Ser ecológico/a significa *vivir en armonía con la naturaleza.*
2. Ser ecológico/a es *reciclar.*
3. Ser ecológico/a es *consumir menos.*
4. Ser ecológico/a es *tomar medicinas naturales.*
5. Ser ecológico/a significa *consumir sólo alimentos biológicos.*
6. Ser ecológico/a significa *gastar poca agua.*
7. ...

Pregunta a tus compañeros/as qué opinan. Después se discuten los resultados.

Órbita 1a

TEMA 1. LA ECOLOGÍA

1   **Escucha las historias que cuentan Jordi, Nekane y un miembro de la Comuna Alegría. Toma notas.**

2 **Ahora escucha otra vez y completa.**

	¿Qué hicieron?	**¿En qué situación estaban?**
Jordi	Terminó la carrera. Se fue a China con Joan. Aprendió chino. Aprendió acupuntura.	
Nekane	Decidió abrir una tienda de alimentos naturales.	
Miembro C. A.	Decidieron montar una comuna.	

1. (Jordi): Terminé la carrera en 1980. Entonces yo aún vivía con mis padres y dependía económicamente de ellos, pero me interesaba mucho la medicina alternativa y estaba cansado de la vida de aquí. Así que en 1982 me fui a China con mi amigo Joan. Viajamos por el país, aprendimos chino y también medicina alternativa. Ahora me dedico a la acupuntura.

2. (Nekane): Hace 20 años yo estaba en el paro, no encontraba trabajo, no sabía qué hacer y, como era vegetariana y me gustaban las formas de vida alternativas, decidí abrir una tienda de alimentos naturales. Y me va muy bien.

3. (Comuna Alegría): Nosotros éramos un grupo de gente (objetores de conciencia, antinucleares, feministas...) que queríamos vivir de otra manera. Bueno, por ejemplo, no queríamos vivir en la ciudad. Por eso decidimos montar una comuna y venirnos aquí...

(Sonido de móvil) Comuna Alegría. ¿Dígame?

@

Observa

CUANDO HABLAMOS DEL PASADO

DESCRIBIMOS SITUACIONES	CONTAMOS UN ACONTECIMIENTO
No me gustaba la vida de aquí. Estaba en paro. Vivía con mis padres.	Me fui a China. Decidí abrir una tienda.

3 **Tres personas realizaron tres acciones. Relaciona las siguientes situaciones con esas acciones.**

- Estaba enamorado.
- Tenía 37 años.
- Quería conocer otra cultura.
- Estaba cansado de estar en mi país.
- Era feliz.
- Quería tener familia.
- No tenía trabajo.
- Tenía suficiente dinero.
- Quería vivir con...

3

Estaba cansado de estar en mi país,

me fui a Katmandú.

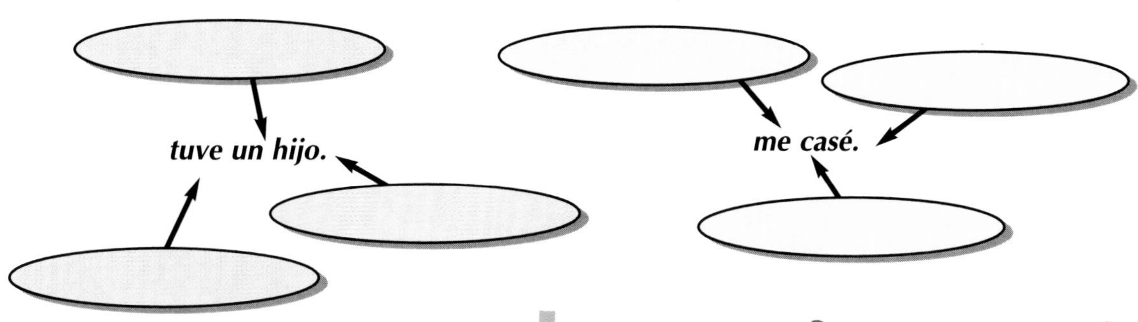

Relaciona

4 **Une las frases.**

- Cuando tenía 18 años
- Cuando estaba en la universidad
- El año pasado estaba en paro
- Yo fumaba 20 cigarrillos al día
- Ayer, como no tenía dinero,
- Yo consumía agua mineral embotellada en PVC
- Yo tiraba las pilas a la basura

- ... empecé a estudiar español.
- ... pero un día me enteré de que eso contamina mucho.
- ... conocí a mi primera novia.
- ... y, de repente, encontré trabajo en un circo.
- ... y un día decidí dejarlo y hoy me siento mucho mejor.
- ... tuve que quedarme en casa.
- ... hasta que me enteré de que es un material contaminante.

Órbita 1b

Tema 1. La ecología

1 **Lee lo que dicen estas personas.**

Cuando tenía 18 años **empecé** a ir a la universidad.

En aquella época no **sabía** mucho de ecología **y**, por eso, **tiraba** las pilas a la basura.

Estaba desesperada porque no encontraba trabajo y, de repente, **me llamaron** de mi antigua empresa para decirme que me necesitaban.

Ayer estaba en la ducha **y** justo **en ese momento cortaron** el agua. **Me quedé** con el pelo lleno de champú.

Observa

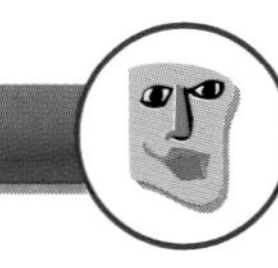

CUANDO HABLAMOS DEL PASADO

PARA HABLAR DE UN PERIODO EN EL QUE SUCEDIÓ ALGO	PARA HABLAR DE UN SUCESO REPENTINO
Cuando tenía 18 años... En aquella época... Entonces...	En ese momento... De repente... De pronto... Un día...

@

2 ¿Cuándo hiciste estas cosas?

Empecé la escuela.
Tuve mi primer trabajo.
Viajé por primera vez al extranjero.
Conocí a mi mejor amigo/a.
...

Tenía 15 años
Era pequeño/a
Estaba en la universidad
...

3 Indica qué pasó y utiliza los marcadores temporales.

Miguel
1

Miguel
Trabajaba en el restaurante de su padre y quería modernizar el negocio... *Entonces decidió estudiar en la escuela de hostelería.*

Pepe
4

Pepe
Era agricultor, cultivaba verduras en su pueblo y también tenía animales. En su pueblo querían construir una central nuclear.............................
....
....

Rosa
3

Rosa
Trabajaba en un banco internacional; controlaba toda la inversión extranjera en Hispanoamérica y se sentía muy sola.....
....
....

Margarita y Juan
Tenían dos coches sin catalizador, uno lo usaba ella; el otro, su marido. Usaban gasolina con plomo.............................
....
....

2
Carlos

Carlos
Fumaba un paquete de cigarrillos al día, trabajaba mucho y dormía poco. Viajaba frecuentemente en avión. Estaba gordo, tenía el colesterol alto y mucho estrés.
....
....

Margarita y Juan
5

TEMA 1. LA ECOLOGÍA

GRAMÁTICA ACTIVA

1 **Lee estas frases.**

Era feliz con Manolo y, por eso, me casé.

Cuando tenía 18 años, conocí a mi primera novia.

Cuando iba a casa, me encontré con Pedro.

Se durmió mientras veía la película.

2 **Haz la forma del imperfecto.**

			VERBOS ESPECIALES		
	ESTAR	TENER	SER	IR	VER
(Yo)	estaba				
(Tú)					
(Usted/él/ella)					
(Nosotros/as)					
(Vosotros/as)					
(Ustedes/ellos/ellas)					

Observa

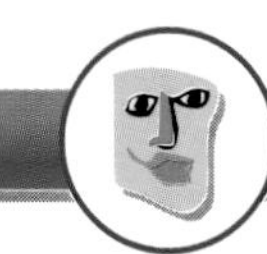

El imperfecto se utiliza para explicar la situación. Es el escenario en el que ocurren los acontecimientos, que son los indefinidos.

El escenario es el imperfecto.

Las acciones y los actores son el indefinido.

3 Cuéntale a tu compañero/a tres cosas que hiciste ayer y dile cómo te sentías y cómo era la situación.

Ej.: Ayer estaba muy alegre, así que cuando llegué a casa llamé a mi amiga Elena y fuimos a un bar. Estaba lleno y la música era buena. Allí conocimos a dos chicos guapísimos.

4 Lee este texto.

Desde un satélite, España se ve de color marrón, desde más cerca se ve más verde: los movimientos ecologistas crecen más rápido que las quemas y talas de bosques.

España es un país que está cambiando rápidamente, tanto en su forma de vivir como en su preocupación por temas ecológicos. Aquí tenemos algunos datos que nos pueden servir de ejemplo: Greenpeace antes sólo tenía 1.448 socios y actualmente tiene más de 60.000. Hace 20 años la agricultura biológica era sólo un cultivo experimental y ahora ocupa 17.000 hectáreas. Antes casi nadie consumía gasolina sin plomo. Hoy en día, sí se consume. En la actualidad se recupera alrededor del 40% del papel utilizado, el 5% de la energía es alternativa y existen 36 parques eólicos.

La calidad de vida de los españoles también ha cambiado, en algunos casos para bien y en otros para mal. Por ejemplo, los españoles tardaban 60 minutos en comer, ahora sólo 13 minutos; antes las familias españolas tardaban horas en cocinar, ahora se venden millones de kilos de comida precocinada. En España en 1976 había 8.000.000 de carnés de conducir y ahora hay más de 20.000.000. Todas estas cosas tienen su lado positivo y su lado negativo.

5 ¿Cómo ha cambiado España?

Cómo era España	Cómo es España
....	....
....	....
....	....

CUANDO COMPARAMOS EL PASADO CON LA ACTUALIDAD UTILIZAMOS:

ANTES + imperfecto, AHORA + presente

¿Cómo han cambiado las cosas en tu país?

....

....

Práctica Global

1. Mira estas imágenes de la vida de Lisa y Manuel.

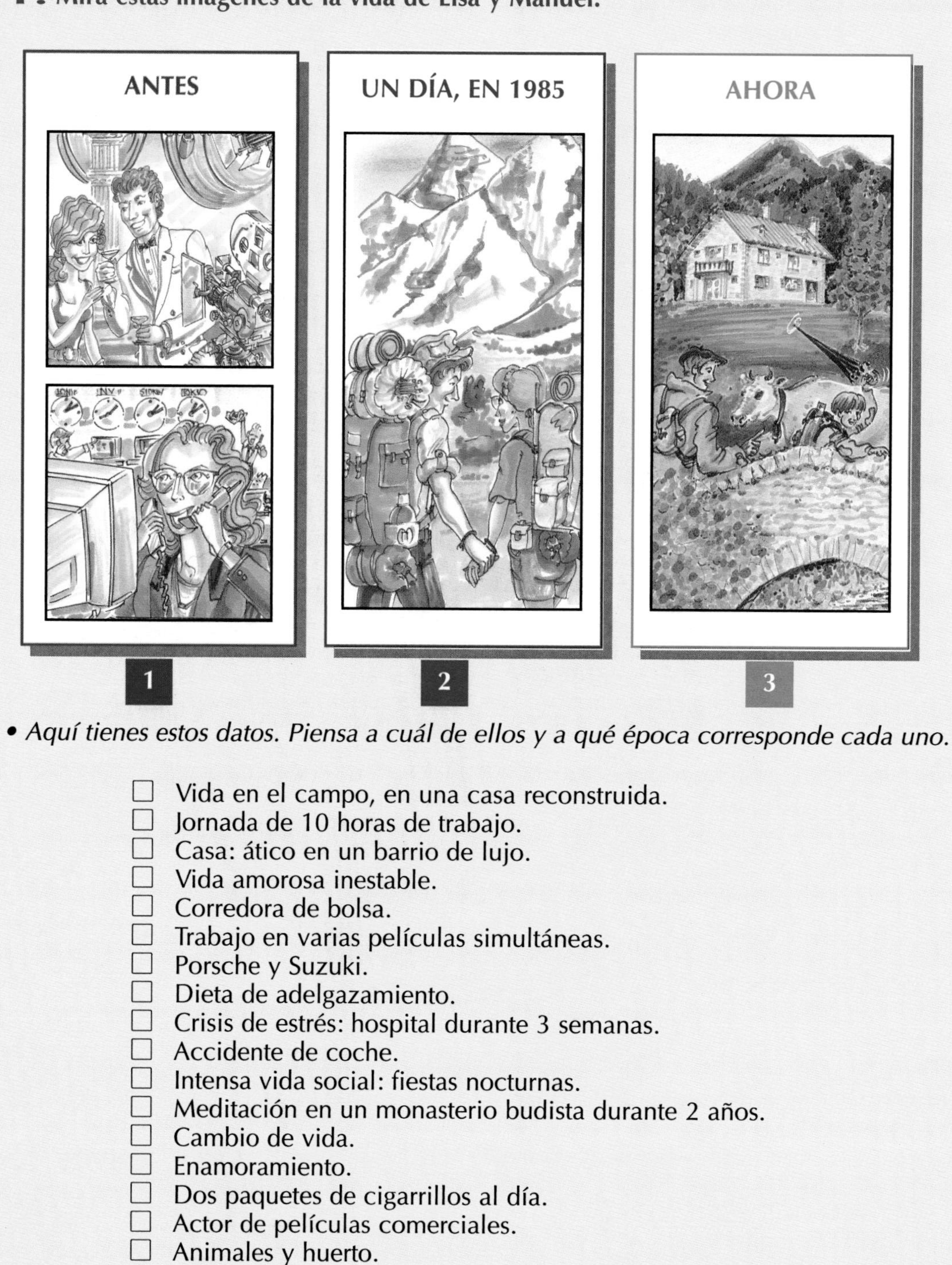

- *Aquí tienes estos datos. Piensa a cuál de ellos y a qué época corresponde cada uno.*

☐ Vida en el campo, en una casa reconstruida.
☐ Jornada de 10 horas de trabajo.
☐ Casa: ático en un barrio de lujo.
☐ Vida amorosa inestable.
☐ Corredora de bolsa.
☐ Trabajo en varias películas simultáneas.
☐ Porsche y Suzuki.
☐ Dieta de adelgazamiento.
☐ Crisis de estrés: hospital durante 3 semanas.
☐ Accidente de coche.
☐ Intensa vida social: fiestas nocturnas.
☐ Meditación en un monasterio budista durante 2 años.
☐ Cambio de vida.
☐ Enamoramiento.
☐ Dos paquetes de cigarrillos al día.
☐ Actor de películas comerciales.
☐ Animales y huerto.
☐ Hijo.
☐ Viaje a la India.
☐ Vida natural y sencilla.
☐ Profesores de cursos de meditación algunos meses.
☐ Viajes de trabajo constantes.

- *Escribe con tu compañero/a la historia de Lisa y Manuel.*

....

2. Cuenta cómo conociste a tu mejor amigo/a o a tu novio/a.

....

....

....

Estrell@ fug@z.

Primero lee las frases. Después escucha la canción y ve colocando las frases en su lugar correspondiente.

- ☐ Y cuando grabaron aquel primer disco
- ☐ Él era mi novio y yo le quería
- ☐ Y una chica guapa y rica, rubia de peluquería.
- ☐ Se olvidó de todo el cariño que yo le tenía.
- ☐ y le quería comprar una batería.
- ☐ Sus amigos me querían y mi novio me quería.
- ☐ Yo tenía un novio que tocaba en un conjunto *beat*,
- ☐ Y le acompañaba a ir a ensayar.
- ☐ era el primer día que iban a actuar.
- ☐ todo era alegría, iban a triunfar.

1 Yo le acompañaba en aquellos días
☐
☐
4 y también quería a su batería.
☐
6 ¡Cómo me gustaba oírle tocar tan bien!

☐
8 le llevaba las baquetas en un bolso gris, sí, sí, sí.
☐
10 Le ayudaba a cargar en el furgón la batería.

11 Yo puse mis pelas para sus caprichos,
☐
☐
☐
15 Y desde ese día me fuiste olvidando.
16 No vengas, decías, tu imagen me hace mal.

17 Yo tenía un novio que tocaba en un conjunto *beat*.
18 Ahora tiene un regio coche y casa con jardín.
☐
☐

Yo tenía un novio. RUBÍ

Ahora contesta a estas preguntas.

1. ¿Cómo era la chica de la canción?
2. ¿Cómo era su novio?
3. ¿Por qué el novio la olvidó?

TEMA 1. LA ECOLOGÍA

1 **¿Te gusta el chocolate? ¿Qué ingredientes tiene este chocolate en polvo, además del cacao?¿Dónde se cultiva el cacao?**

Preparado alimenticio al cacao

Ingredientes: Azúcar. Cacao desgrasado en polvo. Crema de cereal kola-malteado (Harina de trigo. Extracto de malta. Aroma natural: Extracto de nuez de cola). Fosfato bicálcico. Aromas. Sal.

2 **Escucha esta noticia o mira el vídeo y contesta con verdadero o falso.**

vídeo

	V	F
1. La Comisión Europea va a permitir el uso de grasas diferentes al cacao en la elaboración del chocolate.	☐	☐
2. Europa produce cacao.	☐	☐
3. La exportación de cacao era fundamental para la economía de algunos países.	☐	☐
4. Costa de Marfil, Ghana y Camerún, por ejemplo, se endeudaron con el FMI y el BM.	☐	☐
5. El precio del cacao ha subido desde 1986.	☐	☐
6. El chocolate será cada vez mejor.	☐	☐

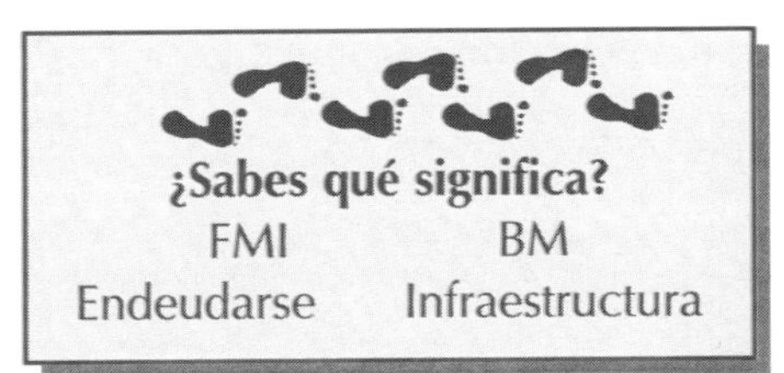

La Comisión Europea ha decidido recientemente permitir el uso de grasas diferentes al cacao en la elaboración del chocolate. El precio del cacao ha bajado, desde 1986, de 2.500 a 1.000$ por tonelada y, a causa de esta ley, todavía va a bajar más. Otra consecuencia es que la calidad del chocolate va a ser peor.

Y una consecuencia muy importante es que la industria europea puede bajar las importaciones de cacao, que eran la base de la economía de países como Costa de Marfil, Ghana, Camerún y Brasil. Algunos de estos países se endeudaron con el Fondo Monetario Internacional (FMI) y el Banco Mundial (BM) para crear infraestructuras para la producción del cacao.

Observa

Costa de Marfil, Ghana y Camerún se endeudaron con el FMI y el BM	• **para** crear infraestructuras para la producción del cacao.
La Comisión Europea ha permitido la elaboración de chocolate con otras grasas vegetales	• **porque** abarata los costes para la industria europea. • **por** la presión de la industria. • **por eso** el chocolate va a ser de peor calidad.
Como el precio del cacao sigue bajando	• se va a producir un empobrecimiento de los países productores de este fruto.

PARA HABLAR DE LAS CAUSAS	**Como*** **Por** **Porque**
PARA HABLAR DE LAS CONSECUENCIAS	**Por eso** **Por lo tanto**
PARA HABLAR DE LA FINALIDAD	**Para**

* Va siempre al principio de la frase.

3

Une las frases con COMO, PORQUE, POR ESO y PARA y explícalas.

JUAN

En Madrid el tráfico es horrible.
Quiere disfrutar del transporte público.
No quiere contribuir a la contaminación atmosférica.
Ha vendido su coche.

MARUJA

Ha oído en la radio que 80.000 personas pueden morir por el síndrome de las vacas locas.
Tiene miedo de contraer la enfermedad.
Se ha hecho vegetariana.

FROILÁN

El agua Fuentefría está envasada en PVC.
El PVC es altamente contaminante.
No compra agua mineral de la marca Fuentefría.

TEMA 1. LA ECOLOGÍA

GRAMÁTICA ACTIVA

1 

Escucha este diálogo y di de qué hablan.

2 audio **Ahora lee estas frases, escucha otra vez la cinta y marca la respuesta correcta.**

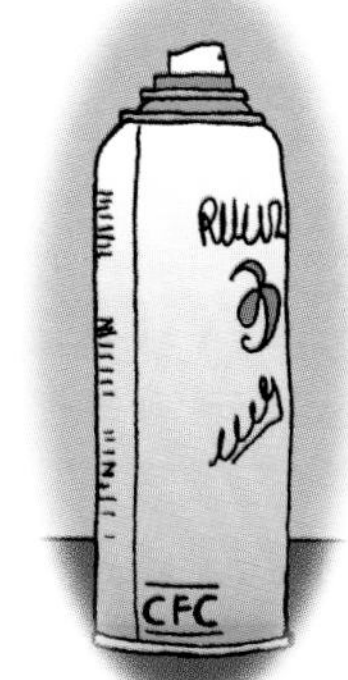

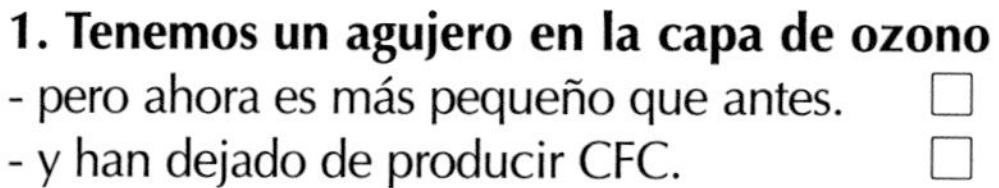

1. Tenemos un agujero en la capa de ozono
- pero ahora es más pequeño que antes. ☐
- y han dejado de producir CFC. ☐
- y siguen produciendo CFC. ☐

2. Las pruebas nucleares son una auténtica barbaridad
- y no están permitidas, pero las siguen haciendo. ☐
- pero los ecologistas han protestado y ya no se hacen. ☐
- y todos los países han dejado de hacerlas. ☐

3. La contaminación en Madrid es altísima
- y, por eso, el Ayuntamiento ya no construye aparcamientos. ☐
- y el Ayuntamiento sigue construyendo aparcamientos. ☐
- y el Ayuntamiento ha prohibido el tráfico en el centro. ☐

4. Algunas ciudades tienen más cuidado con la ecología:
- en algunas ciudades han puesto tranvías. ☐
- los coches llevan catalizadores. ☐
- sólo hay bicicletas. ☐

• (Pepito Pérez): Desde luego, es que no aprendemos nunca. Tenemos un agujero en la capa de ozono de 10 millones de kilómetros cuadrados y se sigue produciendo CFC.

• (Teresa): Sí, sí, y no sólo eso: sabemos desde hace muchísimo tiempo que las pruebas nucleares son una auténtica barbaridad, y ahora vuelven a hacerlas aunque dijeron que no estaba permitido. Los ecologistas han intentado evitarlo, pero no han podido. ¡Esto es un desastre!

• (Pepito Pérez): Es que no les interesa nada el medio ambiente. Fíjate, Madrid tiene una contaminación altísima y el Ayuntamiento sigue construyendo aparcamientos.

• (Teresa): Bueno, en algunas ciudades tienen más cuidado. En no sé qué ciudad pusieron otra vez tranvías. Pero la verdad es que sí, que todo está muy mal.

Observa

Aquí tienes algunos verbos especiales en el indefinido:

	DECIR	PODER	PONER	QUERER
(Yo)	dije	pude	puse	quise
(Tú)	dijiste	pudiste	pusiste	quisiste
(Usted/él/ella)	dijo	pudo	puso	quiso
(Nosotros/as)	dijimos	pudimos	pusimos	quisimos
(Vosotros/as)	dijisteis	pudisteis	pusisteis	quisisteis
(Ustedes/ellos/ellas)	dijeron	pudieron	pusieron	quisieron

En español, para hablar de continuar, repetir o interrumpir una acción utilizamos dos formas:

Todavía... = **SEGUIR + gerundio** Continuidad
Todavía vivo en Buenos Aires. = Sigo viviendo en Buenos Aires.

Otra vez... = **VOLVER A + infinitivo** Repetición
Otra vez vamos a la Costa Blanca. = Volvemos a ir a la Costa Blanca.

Ya no... = **DEJAR DE + infinitivo** Interrupción
Ya no estudio música. = He dejado de estudiar música.

3 **Vamos a jugar con unas fichas y unos dados. Tira el dado, mueve la ficha y di la forma del verbo en indefinido.**

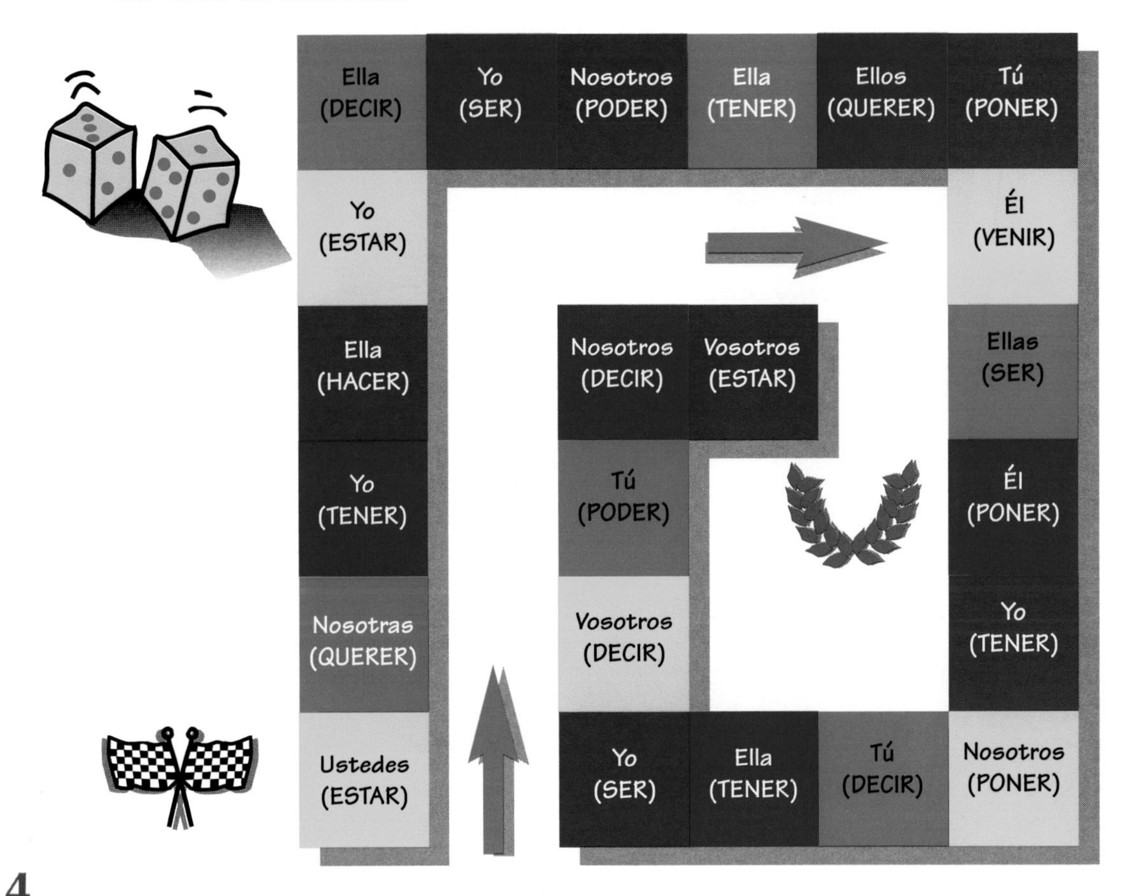

4 **Habla de los cambios que ha habido en tu vida, qué cosas sigues haciendo, qué has dejado de hacer, qué has vuelto a hacer.**

Práctica Global 2

Aquí tienes algunos objetos que pueden hacer tu vida más ecológica. Piensa cuáles de estas cosas pueden mejorar tu vida y plantéate un cambio ("Voy a dejar de", "No pienso volver a"). Piensa también qué vas a seguir haciendo ("Voy a seguir...").

tarea final

Vamos a escribir una historia que sucedió en el pasado.

1

- **La situación:**

1. Elige un lugar y descríbelo:
   una isla paradisíaca
   una ciudad
   una montaña

2. Elige una época del año:
   primavera
   verano
   otoño
   invierno

2

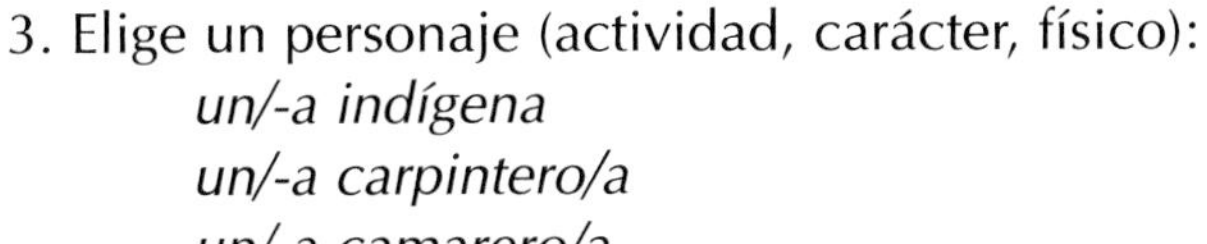

3. Elige un personaje (actividad, carácter, físico):
   un/-a indígena
   un/-a carpintero/a
   un/-a camarero/a
   un/-a aventurero/a

- **Crea un acontecimiento. Elige una de estas posibilidades:**

1. Conoce a alguien:
   un hombre misterioso/una mujer misteriosa
   un chamán
   un/-a extraterrestre
   una bruja

3

2. Tiene que ir a otro lugar, di cuál y por qué:
   Cuba
   Tierra de Fuego
   Palenque
   Islas Canarias

3. Se enamora de:
   un príncipe/una princesa
   un/-a pescador/-a
   un soldado
   un hombre misterioso/una mujer misteriosa

- **Y entonces...**

Ahora empezamos a escribir la historia:

Hace mucho tiempo existía una isla...

[350 m

Lee este texto con tus compañeros/as. Infórmate de por qué las ciudades españolas de Pamplona, Córdoba, Soria u Oviedo se consideran como modelos de urbanidad en España. Si alguien tiene más información sobre ellas puede compartirla con el resto del grupo.

Oviedo
Pamplona
Soria
Córdoba

1 Córdoba. Patio.

2 Pamplona. Plaza del Castillo.

Vivir bien en España
VIRTUDES CAPITALES
Urbanidad

En Pamplona no se ve ni una bolsa de basura fuera de su lugar. Navarra es un modelo de política medioambiental, donde cada tipo de basura va a uno de los diferentes contenedores verdes o azules que están por las calles. Sus habitantes participan en la recogida selectiva, que empieza en sus propios hogares y termina con la recuperación de miles de papeles, cartones, vidrio, metales y otros materiales en un moderno centro de tratamiento. Como recompensa, los habitantes de Pamplona tienen más parques y jardines, un aire muy poco contaminado y un sistema de depuración de aguas que garantiza una calidad de agua en las casas y en las empresas como en muy pocas ciudades. Pamplona tiene también un parque eólico (El Perdón) con 40 molinos pensados para el autoabastecimiento de energía eléctrica en el siglo XXI.

Como Pamplona, otras ciudades han iniciado programas de recogida selectiva: por ejemplo, Córdoba (gasta 80 millones al año en sensibilización al ciudadano), Soria (con un contenedor de papel por cada 255 habitantes) y Oviedo (que ha recibido el título "Escoba de Oro" a la ciudad más limpia).

El grupo A informa al resto de la clase.

illones]

Lee este texto. Infórmate de por qué las ciudades españolas de Logroño, San Sebastián, Santander, Oviedo, Cuenca o Huesca se consideran modelos de humanidad. Si alguien tiene más información sobre ellas puede compartirla con el resto del grupo.

Vivir bien en España
VIRTUDES CAPITALES
Humanidad

La vida en Logroño es tranquila. No hay prisas. En ella, el tamaño y la distribución han creado un espacio a la medida del ser humano. Uno puede moverse en 20 minutos de un extremo al otro de la ciudad sin problemas. La ciudad, con 126.000 habitantes, concentra a la mayor parte de la población de La Rioja. Además, como no hay industria, hay muy poca contaminación y sus habitantes la quieren más. A esto ayuda la desaparición de los coches en el centro de la ciudad y la limpieza de los lados del río Ebro. Logroño se ha convertido en una ciudad de peatones con sus 416 metros cuadrados por cada mil habitantes; como ya lo son los centros de San Sebastián, Santander, Oviedo, Cuenca o Huesca.

Las ciudades que han optado por expulsar a los coches del casco histórico de sus ciudades han superado el agobio y el estrés ciudadano. En ellas las relaciones sociales son más fáciles porque hay espacios libres para la convivencia humana.

1

2

Oviedo. Calle peatonal.

El grupo B informa al resto de la clase.

Santander. Jardines de la Reina Victoria.

Con el ♥

♥ Escucha esta canción y memorízala. Después vamos a cantarla todos juntos.

Había una vez un barquito chiquitito.

Había una vez un barquito chiquitito,

que no podía, que no podía, que no podía navegar.

Pasaron un, dos, tres, cuatro, cinco, seis semanas,

pasaron un, dos, tres, cuatro, cinco, seis semanas

y aquel barquito, y aquel barquito, y aquel barquito navegó.

Y si esta historia parece corta, volveremos, volveremos a empezar.

♥ Ahora escribe tú tu canción:

Había una vez un/-a ....
Había una vez un/-a ....
que no podía, que no podía, que no podía ....
Pasaron un, dos, tres, cuatro, cinco, seis semanas,
pasaron un, dos, tres, cuatro, cinco, seis semanas
y aquel/lla ...., y aquel/lla .... y aquel/lla ....
Y si esta historia parece corta, volveremos, volveremos a empezar.

Con la

En esta unidad has aprendido:

• **VOCABULARIO.** Haz una lista de las palabras para hablar de:

la ecología	

• **GRAMÁTICA.** Recuerda la forma del imperfecto:

	-AR: hablar	-ER: leer	-IR: venir
(Yo)			
(Tú)			
(Usted/él/ella)			
(Nosotros/as)			
(Vosotros/as)			
(Ustedes/ellos/ellas)			

- Y del imperfecto especial:

- Y del indefinido especial:

SER	IR	VER	DECIR	PONER	QUERER

- Los usos de los tiempos del pasado:

El IMPERFECTO se usa para:	El INDEFINIDO se usa para:

- La expresión de:

		Ejemplos
CONTINUIDAD	SEGUIR + gerundio	
INTERRUPCIÓN	DEJAR DE + infinitivo	
REPETICIÓN	VOLVER A + infinitivo	

• **¿CÓMO SE DICE?** Recuerda cómo dices para:

expresar causa	
expresar consecuencia	
expresar finalidad	

Tema 1 En autonomía

1. Contesta a estas preguntas.

¿Cuándo naciste?
¿Cuándo empezaste a ir al colegio?
¿Cuándo hiciste tu primer viaje solo/a?

2. Ahora escucha y completa la información.

- Nació en .... En aquella época ....
....
- Empezó a ir al colegio en .... El colegio ....
....
- Su primer viaje fue a .... El pueblo era ....
....

3. Escribe la forma del imperfecto de tres verbos.

	-AR	-ER	-IR

4. ¿Recuerdas la información que has dado en el ejercicio 1? Explica la información narrando la situación.

- Nací en .... En aquella época ....
- Empecé a ir al colegio en .... El colegio ....
.... Mi primer viaje solo/a fue a.....................................

5. Relaciona

- Estar cansado/a.
- Estar enfermo/a.
- Tener hambre.
- Tener sueño.
- Querer conocer la Patagonia.
- Tener estrés en el trabajo.
- Estar harto/a de la ciudad.

- Irse a vivir al campo.
- Irse a Argentina.
- Comer un bocadillo.
- Ir al médico.
- Tomarse un café.
- Irse de vacaciones.
- Acostarse pronto.

Escribe las frases:

Estaba cansado y me acosté pronto.

....

....

....

....

....

....

6. Describe los cambios que ha habido en esta plaza.

1 Puerta del Sol a principios del siglo XX. (Madrid).

2 Puerta del Sol a finales del siglo XX. (Madrid).

Antes había un .... *pero ahora* ....

....

....

7. Ahora describe 5 cambios que ha habido en tu ciudad.

8. Has recibido estos telegramas. Míralos y reconstruye las frases. Utiliza COMO, POR ESO, PORQUE.

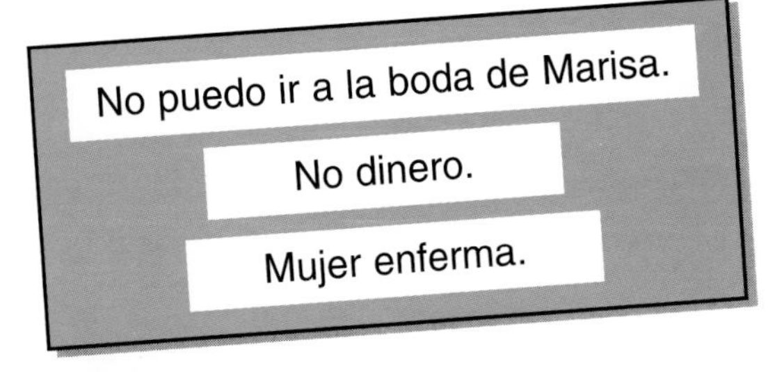

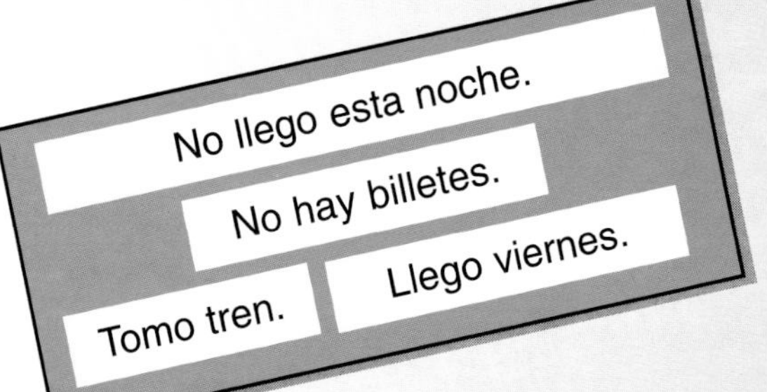

9. Rellena la tabla.

	DECIR	PODER	PONER	QUERER
(Yo)		pude		quise
(Tú)	dijiste		pusiste	
(Usted/él/ella)				quiso
(Nosotros/as)	dijimos			
(Vosotros/as)		pudisteis		quisisteis
(Ustedes/ellos/ellas)	dijeron		pusieron	

10. Transforma las frases. Utiliza SEGUIR + gerundio, DEJAR DE + infinitivo y VOLVER A + infinitivo.

1. Todavía pienso que la vida es bella.
2. Ya no bebo alcohol.
3. Otra vez me he enamorado de la misma mujer.
4. Ya no voy tanto al cine.
5. Otra vez me he equivocado en la misma cosa.
6. Todavía quiero encontrar a mi príncipe azul.
7. Ya no creo en la política.
8. He leído el *Quijote* otra vez.

11. Lee este texto.

Más que una moda, la dieta mediterránea empieza a considerarse como un sinónimo de salud. La pirámide de la dieta mediterránea recoge los hábitos alimentarios de estos pueblos, que cuentan con una esperanza de vida alta y uno de los porcentajes más bajos de enfermedades coronarias, determinados tipos de cáncer, de obesidad y de diabetes. Los mediterráneos se han alimentado tradicionalmente con aceite de oliva, legumbres, frutas y hortalizas, cereales, frutos secos, lácteos, pescado y vino.

12. Existen ocho clases de alimentos que son claves en la dieta mediterránea. Intenta relacionarlos con sus ventajas para la salud.

Relaciona

Legumbres 1	a Cuidan la salud cardiovascular.
Aceite de oliva 2	b Son positivos contra la diabetes.
Frutas y verduras 3	c Reduce el riesgo de infarto.
Frutos secos 4	d Controla el colesterol.
Yogures y quesos 5	e Mejoran nuestras defensas.
Pescado azul 6	f Es la grasa más sana.
Cereales 7	g Son una excelente proteína.
Vino 8	h Son el mejor antioxidante y proporcionan vitaminas y sales minerales.

13. Aquí tienes la pirámide de la dieta mediterránea. ¿Puedes describir los hábitos alimentarios de los pueblos mediterráneos?

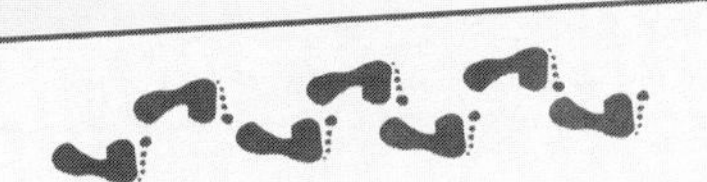

Recuerda que para hablar en general utilizamos el pronombre SE y el verbo en la forma él/ella/usted. Por ejemplo, "En la dieta mediterránea se come mucha fruta".

14. Escribe un texto comparando la dieta mediterránea con las costumbres alimenticias de tu país.

....

....

....

tema
2
LA JUSTICIA:
trabajo (y ocio)
para tod@s
Versión Mercosur, págs. 161-162
Mapa mental
Vas a aprender a...
En mi trabajo
Hablar de la pertenencia
Expresar posibilidad y permiso
Se puede
Expresar obligación y necesidad
Para
Tengo que...
Expresar prohibición e imposibilidad
No se puede
Hablar del currículum y de la experiencia
Yo trabajé en Argentina, estaba en una empresa

Piensa en un día normal de tu vida en tu país y lee estos datos.

TEST

¿Escoges lo que deseas hacer en tus ratos libres?

A continuación enumeramos cada una de las 24 horas del día divididas en dos columnas: en la primera escribe la actividad que realizas normalmente a aquella hora y en la segunda la que en realidad desearías llevar a cabo. Al finalizar el día verás si haces realmente lo que deseas...

	Lo que haces	Lo que desearías hacer
8h.		
9h.		
10h.		
11h.		
12h.		
13h.		
14h.		
15h.		
16h.		
17h.		
18h.		
19h.		
20h.		
21h.		
22h.		
23h.		
24h.		
1h.		
2h.		
3h.		
4h.		
5h.		
6h.		
7h.		
8h.		

¿Cuántas actividades coinciden en lo que haces y lo que desearías hacer? Para hacerte una idea más clara, colorea de azul en este gráfico las horas en las que haces lo que quieres y de rojo aquellas en las que haces cosas que preferirías no hacer.

TEMA 2. LA JUSTICIA

1 **¿Sabes qué significa "el paro"? ¿Qué asocias con el paro?**

¿Hay mucho paro en tu país? Según tú, ¿cuáles son las soluciones?

2 

Escucha en la cinta o mira en el vídeo lo que opina sobre el paro el sociólogo Tomás Utópico y las soluciones que propone. Ve tomando notas.

3 **Escucha de nuevo y marca entre las siguientes posibilidades las que escuches.**

Situación

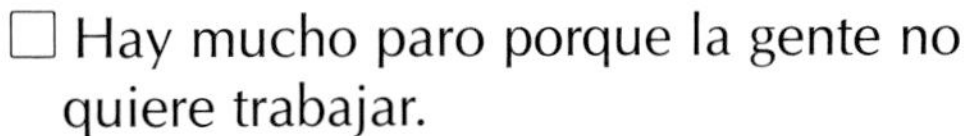

- ☐ Hay mucho paro porque la gente no quiere trabajar.
- ☐ Cada vez hay menos paro.
- ☐ La gente que trabaja, trabaja demasiado.
- ☐ El empleo no es un problema.
- ☐ Cada vez hay más paro.
- ☐ Poca gente trabaja.

Propuestas

- ☐ Hay que contratar a más gente.
- ☐ Hay que trabajar más.
- ☐ Hay que cambiar la mentalidad de las personas.
- ☐ Hay que reducir las vacaciones.
- ☐ Se puede compartir el trabajo.
- ☐ Se puede producir más.
- ☐ Hay que intentar tener una jornada de 4 días o de 30 horas a la semana.

(Locutora) Y ahora vamos a escuchar sobre este tema al sociólogo Tomás Utópico.

(Sociólogo) ¿Cuál es la situación del mundo del trabajo? Pues que la gente que trabaja, trabaja demasiado, muchas horas y muy duramente. ¿Por qué? Porque trabaja menos gente de la necesaria. Y, ¿qué pasa con el paro? Pues que cada vez hay más. Hay dos posibles soluciones: una, los empresarios tienen que contratar a más gente y hacerla trabajar menos. Pero hay otra muy importante: hay que cambiar la mentalidad de las personas; se pueden buscar otras formas de vida para consumir menos y trabajar menos:
- se puede compartir el trabajo, es decir, trabajar menos y ganar menos;
- se pueden hacer cooperativas, buscar trabajo autónomo;
- se pueden pedir años sabáticos;
- hay que intentar tener una jornada de trabajo de 4 días o 30 horas a la semana.

Y desde un punto de vista político, yo creo que hay que invertir más en empleo, gastos sociales, etc.

Observa

EXPRESAR POSIBILIDAD	SE PUEDE + infinitivo
EXPRESAR IMPOSIBILIDAD	NO SE PUEDE + infinitivo
EXPRESAR OBLIGACIÓN	HAY QUE + infinitivo

4

¿Qué se puede hacer en Madrid con:

0 pesetas
500 pesetas
1.000 pesetas
5.000 pesetas
10.000 pesetas?

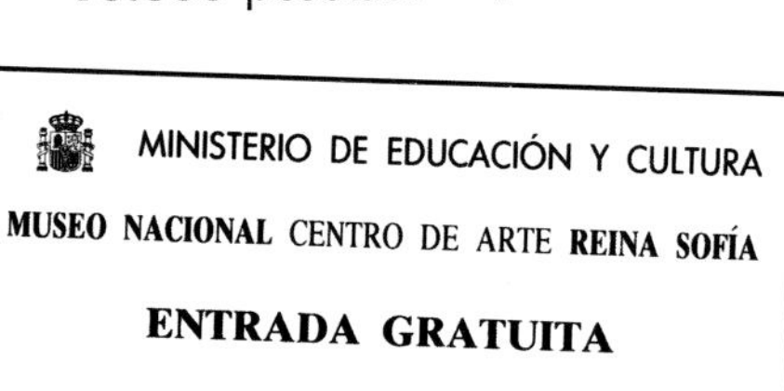

¿Qué se puede hacer gratis en tu país?

Observa

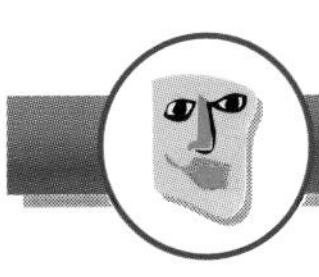

En español, SE PUEDE + infinitivo se utiliza para expresar posibilidad, pero también se utiliza para expresar permiso.

Ejemplos: *En algunas ciudades **se puede** ir en bicicleta. (Posibilidad)*
*En un hospital no **se puede** fumar, pero en un bar sí se puede. (Permiso)*

5

Di qué se puede y qué no se puede (permiso) hacer en:

un hospital
un avión
una iglesia
una clase de español
un coche
un restaurante vegetariano

TEMA 2. LA JUSTICIA

1 

Escucha o lee el diálogo entre esta secretaria y su jefe.

Observa

PARA EXPRESAR NECESIDAD U OBLIGACIÓN

IMPERSONAL	HAY QUE...	**TENER** tengo tienes tiene tenemos tenéis tienen
PERSONAL	TENER QUE...	

2 **Vamos a hablar de qué tienes que hacer tú para aprender bien español. De las siguientes, marca las cinco cosas más importantes para ti.**

- Comprar un diccionario.
- Tener un/-a novio/a mexicano/a.
- Ir de vacaciones a la costa.
- Leer libros en español.
- Viajar por Hispanoamérica.
- Venir todos los días a clase.
- Hacer los deberes.
- Comprar música española.
- Leer periódicos en español.
- Trabajar de *au-pair* en España.
- Aprender a bailar tangos.
- Hacer un cuaderno de vocabulario.
- Crear canciones con verbos.

Ej.: Yo tengo que aprender a bailar tangos.

@

Habla con toda la clase y al final se hace una lista de las cinco cosas más importantes para todos/as.

3 ¿Qué hay que hacer en estas situaciones?

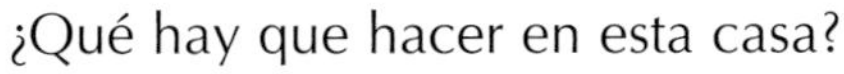

¿Qué hay que hacer en esta casa?

¿Qué hay que hacer para estar en forma?

¿Qué hay que hacer cuando se está en paro?

4

Juan y José son hermanos gemelos, pero sus trabajos, sus personalidades y sus formas de vestir son muy diferentes. Juan trabaja como director de un banco y José es camarero en una discoteca.

Ellos están cansados de hacer siempre lo mismo y han decidido intercambiarse. Juan le hace una lista a José de lo que hay que hacer en su trabajo y José le hace otra a Juan. Imagina las listas:

Querido José:

En mi trabajo hay que llegar antes de las 8 de la mañana.
Hay que...

Querido Juan:

En mi trabajo hay que...

Después de esto, cada uno/a hace una lista de las cosas que tiene que hacer para no olvidarse de nada.

Desde ahora tengo que...

TEMA 2. LA JUSTICIA

GRAMÁTICA ACTIVA

1 **Aquí tienes algunas acciones; discute con tus compañeros/as qué hay que hacer, qué se puede hacer y qué no se puede hacer en una entrevista de trabajo.**

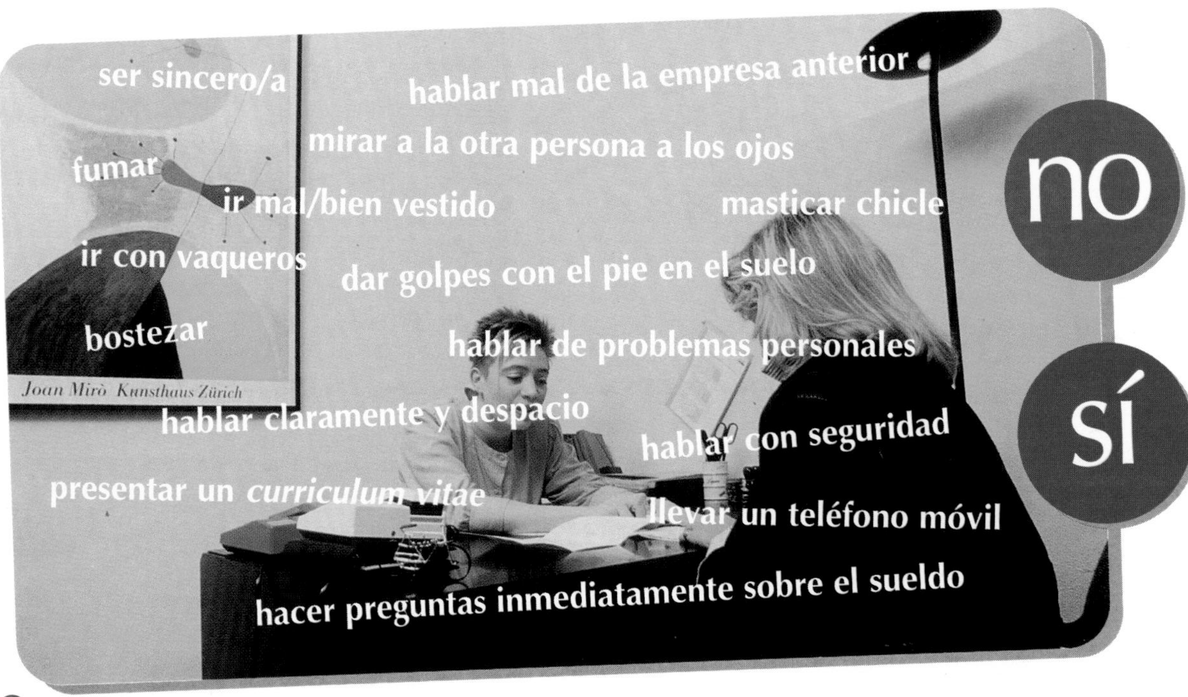

2 **Ahora piensa de qué se habla en una entrevista de trabajo.**

3   **Escucha en la cinta o mira en el vídeo esta entrevista de trabajo.**

4 **Escucha de nuevo la entrevista y responde a estas preguntas.**

¿Dónde ha trabajado?	¿Qué hacía allí?
¿Qué idiomas habla?	¿Dónde los ha aprendido?

¿Qué programas informáticos conoce?

¿Por qué le interesa el trabajo?

- A ver... aquí veo en su currículum que ha trabajado en un laboratorio municipal...
- Sí, allí estuve durante 5 años, hacía de todo: análisis clínicos, trabajos de ordenador...
- Sí, ya, pero...
- Además hice unas prácticas en una empresa de los EEUU y allí aprendí inglés..., en realidad también tengo conocimientos de alemán.
- ¿A qué se dedicaba esa empresa?
- Era una empresa de productos farmacéuticos. Yo trabajaba en la administración: recibía pedidos, los contestaba y hacía facturas...
- Pero...
- Manejo perfectamente el ordenador: hace 3 años hice varios cursos de informática, ahora conozco el entorno Windows, uso el *e-mail*... precisamente en Internet encontré su anuncio.
- Sí, sí, sí, todo eso está muy bien, pero lo que estamos buscando es un conductor de ambulancias. ¿Cómo es que se presenta usted a este puesto?
- Pues verá, a mí me gusta mucho conducir: tengo moto, coche y carnet para conducir camionetas. La cuestión es que tengo tres hijos, estoy terminando la carrera de medicina y por eso me interesa el horario de este trabajo: con 3 días libres entre semana, puedo ir a clase... Además me parece un trabajo emocionante.

Observa

CUANDO HABLAMOS SOBRE NUESTRO CURRÍCULUM PODEMOS DECIR:

Estuve 5 años en un laboratorio municipal.
Hice varios cursos de informática.
Hice unas prácticas en una empresa de EEUU.
Allí **aprendí** inglés.

Cuando queremos informar sobre acontecimientos del pasado usamos el **indefinido**.
Pero también podemos decir:

Estuve *5 años en un laboratorio municipal.*	*En el laboratorio* ***hacía*** *de todo: hacía análisis, los* ***pasaba*** *al ordenador...*
Hice *unas prácticas en una empresa de EEUU.* *Allí* ***aprendí*** *inglés.*	*La empresa de los EEUU* ***era*** *una empresa de productos farmacéuticos. Yo* ***trabajaba*** *en la administración,* ***recibía*** *pedidos, los contestaba...*
Informamos sobre acontecimientos del pasado con el **indefinido** y...	cuando queremos describir o evocar el pasado utilizamos el **imperfecto**.

5 **Mira este currículum y explícalo:**

1960	Escuela Infantil
1962	Escuela Primaria
1966	Escuela Secundaria
1974	Universidad
1983	Profesora

En 1960 fui a la escuela infantil. Estuve allí hasta el 62...
....
....
....
....

@

6 Mira ahora cómo a partir de su currículum Matilde evoca su pasado. Sigue tú.

1960	Escuela Infantil
1962	Escuela Primaria
1966	Escuela Secundaria
1974	Universidad
1983	Profesora

En 1960 fui a la escuela infantil. Estuve allí hasta el 62. Me acuerdo de que no me gustaba, lloraba todos los días, pero también hacía cosas divertidas.

1

2

3

4

5

7 Ahora cuéntanos tu *curriculum vitae.*

Observa

DOS FORMAS DE DAR INFORMACIÓN

Joaquín González estudió en la Universidad de Buenos Aires. Trabajó en una empresa de exportaciones y estuvo en paro.

Pues yo estuve cinco años estudiando en la Universidad de Buenos Aires y durante 15 años estuve trabajando en una empresa de exportaciones; después estuve buscando trabajo...

¿Qué diferencia hay entre las dos informaciones?

	Trabajé	Estuve trabajando
¿Quién quiere dar sólo información?	☐	☐
¿Quién quiere dar una información más amplia?	☐	☐
¿Quién da la información más esquemática?	☐	☐
¿Quién da la información de una forma más personal?	☐	☐

Las máquinas perciben el tiempo de forma objetiva y las personas de forma subjetiva.

8 Cuéntanos dos cosas de tu vida; primero cuéntalas de una forma esquemática, luego de una forma más amplia (indica la duración, el periodo, etc.).

1. Piensa cuál es tu trabajo ideal y explica por qué.

1 2 3 4

2. Escribe el anuncio (oferta de trabajo) que te gustaría leer.

Residencia geriátrica
necesita

MÉDICO/A

Para ejercer en la localidad de Villa del Prado (Madrid)

Interesad@s concertar entrevista a través del teléfono 915435608

GON ESPAÑA SELECCIONA

PERSONAS

- De más de 35 años.
- Buen nivel cultural.
- Con capacidad para aprender una profesión de futuro, con vistas a la integración en Europa.

Ofrece

-Formación continuada.
-Tutelaje durante el periodo de formación.
-Horario flexible.
-Remuneración según valía.

Apartado de correos 1432
28080 Madrid

3. Intercambia tu anuncio con tu compañero/a y hazle una entrevista. Él/ella te hace otra a ti.

Estrell@ fug@z

¿Conoces esta popular frase: "yo trabajo para vivir, no vivo para trabajar"? ¿Qué crees que quiere decir? ¿Estás de acuerdo o no con la idea?

¿Qué es para ti el trabajo? ¿Puedes crear una definición? ¿Cuánto tiempo ocupa el trabajo en tu vida?

Escucha esta canción:

Nos ocupamos del mar
y tenemos dividida la tarea,
ella cuida de las olas,
yo vigilo la marea.

Es cansado,
por eso al llegar la noche
él descansa a mi lado,
mis ojos en su costado.

También cuidamos la tierra
y también con el trabajo dividido
yo troncos, frutos y flores,
él riega lo escondido.

Es cansado,
por eso al llegar la noche
ella descansa a mi lado,
mis manos en su costado.

Todas las cosas tratamos
cada uno según es nuestro talante,
yo lo que tiene importancia,
ella todo lo importante.

Es cansado,
por eso al llegar la noche
él descansa a mi lado,
y mi voz en su costado.

Según Javier Krahe / Marilina Ross

¿Qué concepto del trabajo se ve en esta canción? ¿Qué crees que ocupa un lugar más destacado, el amor o el trabajo?

¿Puedes poner un título?

TEMA 2. LA JUSTICIA

1 **A ver, haz un poco de memoria: ¿cómo es una jornada normal en tu país? ¿A qué hora se empieza a trabajar?, ¿a qué hora se termina?, ¿cuánto tiempo tienes para comer?**

2 **Mira ahora los datos de María Angustias Currante Segura y de Plácido Económico Sinfondos, dos personas muy distintas entre sí, como vas a ver.**

María Angustias Currante Segura
33 años
Soltera
Economista
Empresa de seguros
Jornada: 50 horas a la semana
Vive sola en el centro de la ciudad.

Plácido Económico Sinfondos
35 años
Soltero
Licenciado en Ciencias Empresariales
Ha tenido trabajos temporales.
Está en paro y busca trabajo.
Vive con sus padres.

¿Cómo crees que son sus jornadas?

3 **Vas a escuchar a María Angustias. Mientras que oyes la cinta o miras el vídeo toma notas. Después contesta con verdadero o falso.**

	V	F
1. María Angustias está contenta con su situación.	☐	☐
2. No tiene tiempo de nada.	☐	☐
3. Todos los días vuelve a casa del trabajo a las 7.	☐	☐
4. Tiene tiempo de hacer ejercicio y relajarse.	☐	☐
5. Los médicos dicen que hay que hacer ejercicio y que tenemos que cuidar las dietas.	☐	☐
6. Cree que hay que repartir el trabajo: trabajar menos.	☐	☐
7. No hay gente que esté como ella.	☐	☐

No puedo más, estoy cansadísima.
Me levanto a las 7 de la mañana, desayuno en un minuto; luego, ¡hala!, al metro, que vamos ahí como sardinas en lata.
Trabajo de 8.30 a 2; luego tengo una hora para comer, y la mayoría de las veces como sólo un bocadillo porque no me da tiempo a más.
Después vuelvo al trabajo, de 3 a 7, o a 8, o a 9, y llego a casa destrozada. Y, ¿quién tiene tiempo de limpiar, cocinar, ir a la compra? ¿Y de ver a los amigos?
Después te dicen que hay que hacer ejercicio, que tenemos que cuidar más nuestra dieta, que es mejor vivir relajado, que hay que tomarse las cosas con calma. ¿Y cuándo? Lo que hay que hacer es trabajar menos y repartir el trabajo.
Bueno, tampoco me puedo quejar; hay gente que está peor, que no tiene trabajo...

@

4 Escribe lo que piensas que quizás dice Plácido.

....
....
....
....
....
....
....
....

Estoy hecho polvo.
Estoy harto.
No puedo más.
Me paso el día…

5 ¿Qué soluciones crees que hay para María Angustias y Plácido?

....
....
....
....

Observa

PROPONER SOLUCIONES

ES MEJOR	trabajar menos. repartir el trabajo.
HABRÍA QUE	tomarse las cosas con calma. consumir menos.
DEBERÍAMOS	cuidarnos más. tener más tiempo libre.
TENEMOS QUE	intentar tener más calidad de vida. cuidar nuestra salud.

6 Da soluciones a estos problemas.

1. Las ciudades están muy contaminadas.
2. No sabemos qué hacer en nuestro tiempo libre.
3. El estrés es una de las enfermedades más generales hoy en día.
4. Hay gente que trabaja demasiado y otra que está en paro.
5. Se consume demasiado.
6. Hay pocas posibilidades de formación continua.
7. Las mujeres están peor pagadas que los hombres.
8. El paro juvenil en España es del 40%.
9. España es el país de Europa con mayor número de universitarios y la formación profesional está poco desarrollada.
10. El salario mínimo en España es de 64.000 pesetas al mes.

TEMA 2. LA JUSTICIA

GRAMÁTICA ACTIVA

1 **Piensa en una gran empresa (por ejemplo, una multinacional) y en una pequeña empresa. ¿Qué diferencias hay? Piensa en las ventajas y en los inconvenientes.**

1

Gran empresa

Ventajas	Inconvenientes
....	....
....	....

Pequeña empresa

Ventajas	Inconvenientes
....	....
....	....

2 

Escucha este diálogo entre esta pareja de amigos.

3 **Escúchalo de nuevo y completa.**

ÉL

.... es una multinacional. En ella .... salarios son altos y .... trabajo es muy interesante, pero, a veces, los jefes están en .... mundo y no comprenden .... problemas. .... trabajo es así, y .... es totalmente diferente, ¿no?

ELLA

Sí, ... tiene ventajas, pero en comparación con .... tiene menos posibilidades de promoción. Pero el ambiente es muy bueno, ... jefas son como .... colegas.

• Oye, por cierto, ¿qué tal tu trabajo?
• Hombre, pues mi empresa es una multinacional y, ya sabes, tenemos muchas posibilidades de promoción, nuestros salarios son altos y, en concreto, mi trabajo es muy interesante. Pero el ambiente es muy formal, trabajo muchas horas y, a veces, los jefes no comprenden nuestros problemas... En fin, ya sabes lo que es mi trabajo. El tuyo es totalmente diferente, ¿no?
• Pues, sí. El mío tiene muchas ventajas, pero en comparación con el tuyo tiene menos posibilidades de promoción y nuestros salarios son más bien bajos. Eso sí, mis jefas son como mis colegas, el ambiente es fenomenal y nuestro departamento tiene muchísima autonomía.
Además, puedo ir en vaqueros al trabajo.
• ¡Qué suerte!
• Sí, pero haz el favor de invitarme, que estamos a final de mes y...

2

Observa

DESCUBRE LA REGLA Y COMPLETA EL ESQUEMA

(Yo)	*Mi libro/mis libros / mi mesa/mis mesas*	**El mío/los míos / la mía/las mías**
(Tú)	*Tu...*	
(Usted)		
(Él/ella)		**El suyo/los suyos / la suya/...**
(Nosotros/as)		
(Vosotros/as)	*Vuestro...*	
(Ustedes)		
(Ellos/ellas)		**El suyo/los suyos / la suya/...**

4 **Haz una tabla con las cosas positivas y negativas de tu trabajo, universidad, escuela, etc. Compara ahora con tu compañero/a.**

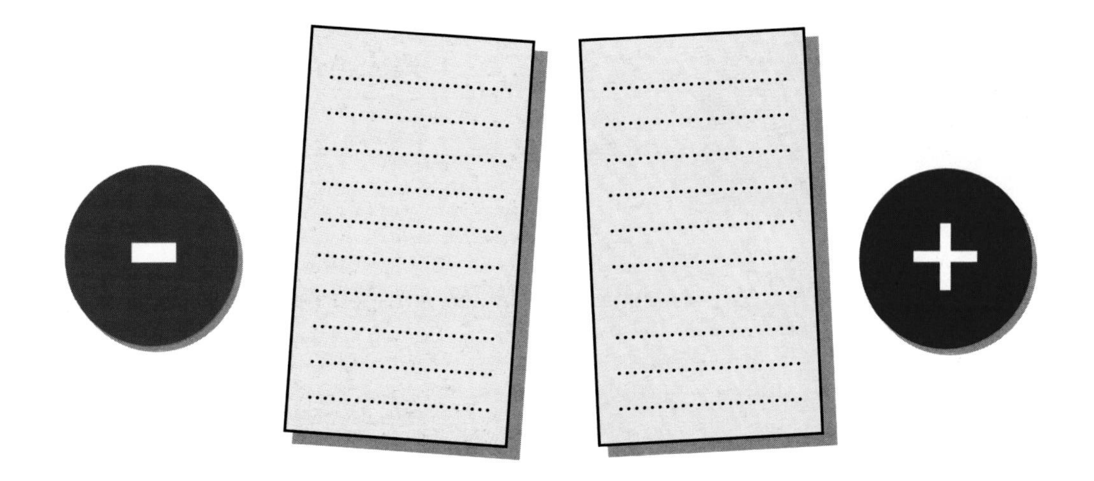

- *En **mi trabajo** se trabaja mucho más de 40 horas a la semana.*
- *Ah, pues en **el mío** sólo 7 horas al día.*

5 **Con la información que has conseguido escribe un pequeño texto en el que comparas tu trabajo/tus estudios con los de tu compañero/a.**

En mi trabajo se trabaja más, porque en el suyo sólo se trabaja 7 horas y en el mío más de 40 horas a la semana ....

6 **Reacciona según el modelo a lo que dice este español.**

1. *En **mi país** se cocina mucho con aceite de oliva.*
   *En **el mío** no; en **el mío** se cocina con mantequilla.*

2. En mi casa se cena a las 11.
3. En mi país hay casi un 20% de paro.
4. Mis amigos practican muy poco deporte.
5. Nuestro deporte nacional es el fútbol.
6. En mi ciudad hay más árboles que en toda la Unión Europea.

Práctica Global 2

La Empresa Cola-Loca produjo el año pasado 1.000 millones de beneficios. Estamos en la reunión de presupuestos para el próximo año para decidir en qué se gasta el dinero. En la reunión están:

1. El Departamento de Investigación y Desarrollo
2. El Departamento de Publicidad
3. El Departamento de Formación
4. El Departamento de Producción
5. El Departamento de Informática

1. Se reparten los roles.
2. Discute con tu compañero/a las soluciones y los argumentos.
3. Discute con todo el grupo.

DEPARTAMENTO DE INVESTIGACIÓN Y DESARROLLO

Creen que es necesario buscar una nueva línea de productos más moderna y una nueva línea de envases reciclables.

DEPARTAMENTO DE INFORMÁTICA

Disponen de un buen equipamiento, aunque no todos los ordenadores están en red y sólo los jefes de los departamentos tienen acceso al correo electrónico. Quieren crear un nuevo programa de gestión adaptado.

DEPARTAMENTO DE PUBLICIDAD

Hay mucha competencia y piensan que es necesario meter más publicidad en Internet y que se tendrían que hacer nuevos anuncios para la televisión. Creen que la inversión en publicidad es más rentable.

DEPARTAMENTO DE FORMACIÓN

Sólo trabajan dos personas. Tienen poco poder de decisión. Normalmente la empresa les da poco presupuesto. Ellos consideran que el personal necesita formación en idiomas e informática.

DEPARTAMENTO DE PRODUCCIÓN

Necesitan más personal y máquinas nuevas, porque las que tienen están anticuadas. Hay que crear más medidas de protección para los trabajadores y un programa de tratamiento de residuos.

tarea

Estamos en el año 2200. Estamos en un mundo perfecto y feliz de verdad.

1. ¿Cómo es este mundo perfecto y feliz?

Se trabaja cuatro horas al día. No hay coches.

1

2. Por grupos vamos a hacer una investigación de cómo era la vida a finales del siglo XX / principios del XXI. Descríbela:

2

GRUPO 1

La vida laboral

La gente trabajaba 8 horas.

....

....

....

....

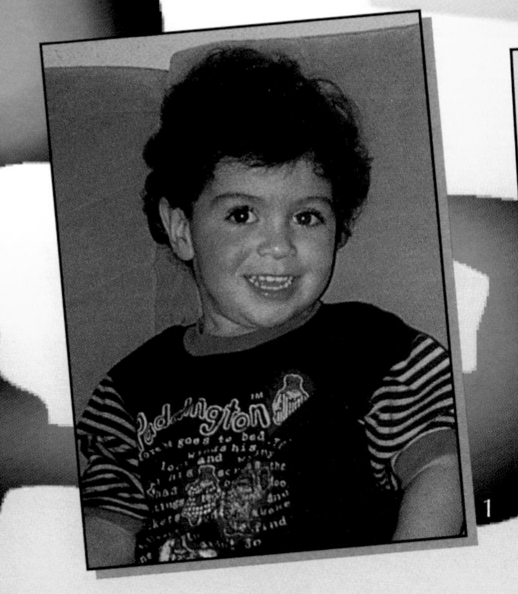

1

GRUPO 2

La vida de la universidad

Para ir a la universidad había que hacer un examen.

....

....

....

....

GRUPO 3

La vida familiar

La gente vivía en familias.

....

....

....

....

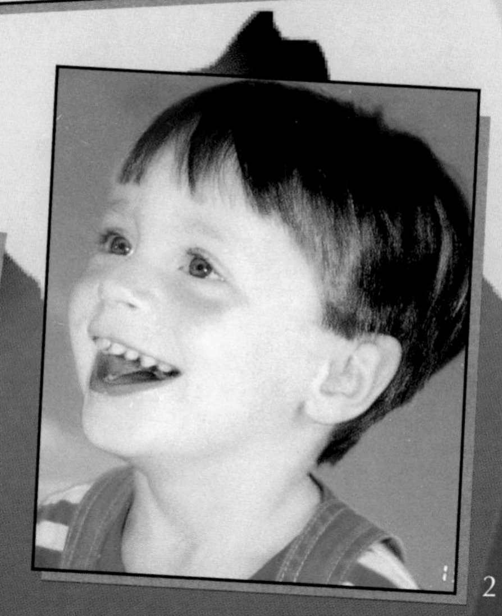

2

3. En el año 2100 hubo una conferencia mundial entre presidentes de gobierno de todo el mundo para introducir cambios esenciales en la vida de los seres humanos y mejorar su vida. Vamos a reproducir esa situación. Cada uno/a tiene que proponer soluciones.

PROPUESTAS:

....

....

....

....

....

....

[350 m

Los viajes y el turismo son ocio para muchas personas, pero para otras muchas son también **trabajo. El turismo, en concreto, es una de las actividades económicas más fuertes e importantes de muchos países.**

Estos son carteles de promoción turística de tres países: Argentina, México y España. La clase se divide en tres grupos y cada uno trabaja sobre uno de los países haciendo estas tareas:

1. Sitúa el país en el mapamundi y escribe los nombres de ciudades que conozcas.
2. Recoge la información que nos dan los carteles sobre geografía, cultura, folklore, música, gastronomía, etc.
3. Opina sobre la imagen que dan del país.
4. Lee las informaciones económicas y haz algunas comparaciones.
5. Lee lo referente a la necesidad de aprender español e intercambia opiniones sobre ello: ¿para hacer turismo?, ¿para hacer negocios?, ¿lugar de preferencia para seguir un curso de español?
6. Lee el acuerdo comercial de tu país y busca más información sobre él.
7. Prepara unos carteles para hacer una presentación general de tu país a los otros grupos.

llones]

MÉXICO

Producto nacional bruto per cápita: **4.010$**.
Exportaciones más importantes: **maquinaria y equipamiento para el transporte (motor y máquinas)**.
Principal país destinatario: **EEUU**.
Importaciones más importantes: **maquinaria y equipamiento para el transporte (motor y máquinas)**.
Principal país de origen de las importaciones: **EEUU**.

ESPAÑA

Producto nacional bruto per cápita: **13.280$**.
Exportaciones más importantes: **equipamiento para el transporte (motor y máquinas)**.
Principal país destinatario: **Francia**.
Importaciones más importantes: **máquinas y equipos electrónicos**.
Principal país de origen de las importaciones: **Francia**.

ARGENTINA

Producto nacional bruto per cápita: **8.060$**.
Exportaciones más importantes: **alimentos y animales vivos**.
Principal país destinatario: **EEUU**.
Importaciones más importantes: **maquinaria y equipamiento para el transporte (motor y máquinas)**.
Principal país de origen de las importaciones: **EEUU**.

España, México y Argentina tienen acuerdos comerciales muy importantes con otros países: la Unión Europea, el Tratado Nafta y el Mercosur respectivamente.

Unión Europea: tratado económico y de libre circulación de personas y bienes entre varios países de Europa, incluida España. A partir del año 2002 tendrán una moneda única: el euro.
Nafta: tratado comercial y de trabajadores entre Canadá, Estados Unidos y México.
Mercosur: tratado comercial entre Argentina, Uruguay, Paraguay y Brasil para fomentar el intercambio de bienes y productos.

La lengua es un elemento de enorme importancia en el ámbito económico. Aprender una lengua no es sólo aprender a conversar con nativos/as, es también aprender a hacer negocios con ellos/as. Para visitar Argentina, México y España o tener contacto comercial con ellos hay que aprender español.

Con el ♥

♥ Normalmente, en un currículum se ponen cosas muy serias: los estudios, la experiencia, la formación, el trabajo realizado, etc. Vamos a escribir "otro currículum". Escribe los acontecimientos de tu vida que normalmente no aparecen en un currículum.

El currículum interior

De pequeño/a me gustaba...

Mi primer día de colegio fue...

Me enamoré por primera vez...

Mi primer viaje al extranjero fue...

Conocí a mi mejor amigo/a...

El momento más feliz de mi vida fue...

El libro más interesante que he leído es...

1

2

3

Con la

En esta unidad has aprendido:

• **VOCABULARIO.** Haz una lista de las palabras:

del mundo del trabajo	

• **GRAMÁTICA.** Recuerda el uso de los tiempos del pasado:

Para informar sobre acontecimientos	Cuando queremos evocar el pasado
- ***Trabajé*** *en IPP...* - ...	- ***Hacía*** *de todo: me* ***ocupaba*** *de la correspondencia,* ***atendía*** *el teléfono...* - ...

estuve + -ANDO/ -IENDO, que se usa para:	

- Los posesivos:

(Yo)		
(Tú)		
(Usted/él/ella)		
(Nosotros/as)		
(Vosotros/as)		
(Ustedes/ellos/ellas)		

• **¿CÓMO SE DICE?** Recuerda cómo dices para:

expresar obligación	
expresar prohibición	
expresar posibilidad o permiso	
protestar/quejarte	*Estoy hasta las narices...*
proponer soluciones personales y generales	

Tema 2 En autonomía

1. Según el naturalista y escritor Gerald Durell, en el campo hay algunas cosas que no se pueden hacer, otras que sí se pueden hacer y otras que hay que hacer. Da tu opinión respecto a estas.

Hacer fuego.
Dejar todo como estaba a tu llegada.
Caminar por áreas cultivadas.
Conducir despacio si vas en coche.
Solicitar permiso para entrar en reservas ecológicas.
Decir a la gente que has encontrado un lugar interesante.
Fumar.

2. Aquí tienes la biografía de Lorca, uno de los grandes escritores españoles. Está en presente; transfórmala usando el pasado.

- Nace en Fuente Vaqueros (Granada) en 1898.
- En Granada empieza las carreras de Letras y de Derecho. Al mismo tiempo, estudia música con pasión y es amigo de Manuel de Falla.
- En 1919 se instala en la Residencia de Estudiantes de Madrid. Es amigo de Dalí y de Buñuel.
- En 1929 se marcha a Nueva York, donde se siente muy deprimido. Escribe poesía surrealista.
- En 1932 regresa a España y funda "La Barraca", un grupo teatral que recorre España y representa obras clásicas.
- En 1933 viaja a Buenos Aires, donde tiene mucho éxito como dramaturgo. Vuelve a España y es muy popular.
- En 1936, al comienzo de la Guerra Civil española, es asesinado por motivos políticos.

Relaciona

3.

- Estuve viviendo un año en Quito,
- Estuve 5 años en China,
- Tuve una novia de Nueva Zelanda,
- Viví cinco años en el campo,
- Trabajé un curso en una escuela de idiomas,

- todos los días comía arroz.
- criaba animales y tenía un pequeño huerto.
- daba diariamente cuatro horas de clase.
- estudiaba la cultura quechua.
- todas las noches la llamaba y ahora estoy arruinado.

4. Con estos datos cuenta la vida de esta persona. Utiliza las dos formas, "trabajé" y "estuve trabajando".

1967-1975. Colegio.
1976-1979. Instituto.
1980-1984. Universidad.
1985. Estancia en Alemania.
1986-1989. Estudios de arte dramático. Traducciones.
1990-1994. Trabajo en escuela de idiomas.
1995. Primera película con Almodóvar.
1996. Hollywood.
1997. Óscar a la mejor actriz secundaria.
1998. Directora de su primera película.

Desde 1967 hasta 1975 fui al colegio. Así que estuve estudiando en el colegio durante ocho años. Después, desde 1976 ....
....
....

Relaciona

5. Une los problemas con las soluciones.

1. Juan está muy gordo.
2. Ana está muy estresada.
3. Pepe se siente muy solo.
4. María no encuentra trabajo.
5. Silvia y Jesús discuten mucho.

Salir con amigos y tener relaciones sociales.
Tomarse las cosas con más calma.
Dialogar y escuchar al otro.
Aprender idiomas e informática.
Comer menos y hacer más ejercicio.

Ahora escribe las frases.

1. *Como Juan está muy gordo, debería comer menos y hacer más ejercicio.*
2. ....
3. ....
4. ....
5. ....

6. Escucha y completa el árbol genealógico de esta persona.

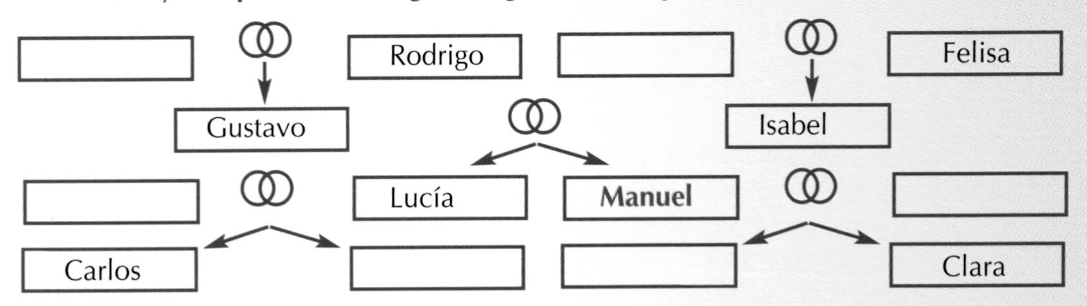

7. Ahora dibuja tu árbol genealógico y escribe un texto similar.

8. Contesta con "(en) el mío, también"; "(en) la mía, también"; "(en) el mío, no"; "(en) la mía, no"; "los míos, también"; "los míos, no"; "la tuya, también"; "los tuyos, también"; "el nuestro, también"; "el nuestro, no"; "(en) la nuestra, también"; "(en) la nuestra, no".

1. En mi país en verano hace mucho calor.
2. En mi casa hay una televisión.
3. En nuestra escuela la mayoría de los profesores son mujeres.
4. Mis ojos son azules.
5. Mi deporte favorito es el tenis.
6. Mi color favorito es el verde.
7. Nuestro profesor es muy simpático.
8. Tu camisa es muy bonita.
9. Tus zapatos parecen muy cómodos.

9. Marca en qué ocasiones suelen hacerse cumplidos en tu país.

☐ Cuando alguien lleva un nuevo peinado.
☐ Si alguien te invita a comer a su casa.
☐ Cuando alguien lleva unos zapatos nuevos.
☐ Cuando te encuentras con una persona mayor que hace mucho que no veías.
☐ Si alguien te enseña la foto de su novia.
☐ Cuando conoces al bebé de alguien.
☐ Cuando alguien te enseña su casa.
☐ Si alguien ha adelgazado.
☐ Cuando alguien te hace un regalo.

10. En España se elogian las cosas de las que hablan estas personas. Escúchalas y di qué están elogiando.

1. ....
2. ....
3. ....
4. ....

Relaciona

11. Ahora relaciona la situación con los cumplidos.

1. Cuando alguien lleva un nuevo peinado.
2. Si alguien te invita a comer a su casa.
3. Cuando alguien lleva unos zapatos nuevos.
4. Cuando te encuentras con una persona mayor a la que hace mucho que no veías.
5. Si alguien te enseña la foto de su novia.
6. Cuando conoces al bebé de alguien.
7. Cuando alguien te enseña su casa.
8. Si alguien ha adelgazado.
9. Cuando alguien te hace un regalo.

a. ¡Ay, me encanta, es precioso!
b. Estaba riquísimo.
c. No has cambiado nada.
ch. ¡Qué chica tan maja!
d. Es una monada.
e. Estás guapísimo/a.
f. ¡Qué guapa es!
g. Te sienta muy bien el corte de pelo.
h. ¡Qué rico/a es!
i. ¡Qué acogedora!
j. ¡Qué mona!
k. Son muy bonitos.
l. Me hace mucha ilusión.
ll. Por ti no pasan los años.
m. Te sientan muy bien.
n. ¡Qué bien te has quedado!

6.

h. **¡Qué rico es!**

12. ¿Qué se puede hacer para salvar estas empresas?

1. IMPRENTA
Siete empleados de una edad media de 57 años
Máquinas antiguas, sin ordenadores
Pocos clientes

2. ESCUELA DE IDIOMAS
Sesenta empleados
Alquiler de local muy alto y clases reducidas
Mala calidad de la enseñanza
Método de enseñanza convencional

3. REPARACIÓN DE CALZADO
Un empleado
Espacio pequeño
Ausencia de tecnología

3 tema LA TOLERANCIA: *viajar para comprender*

Versión Mercosur págs. 163-169

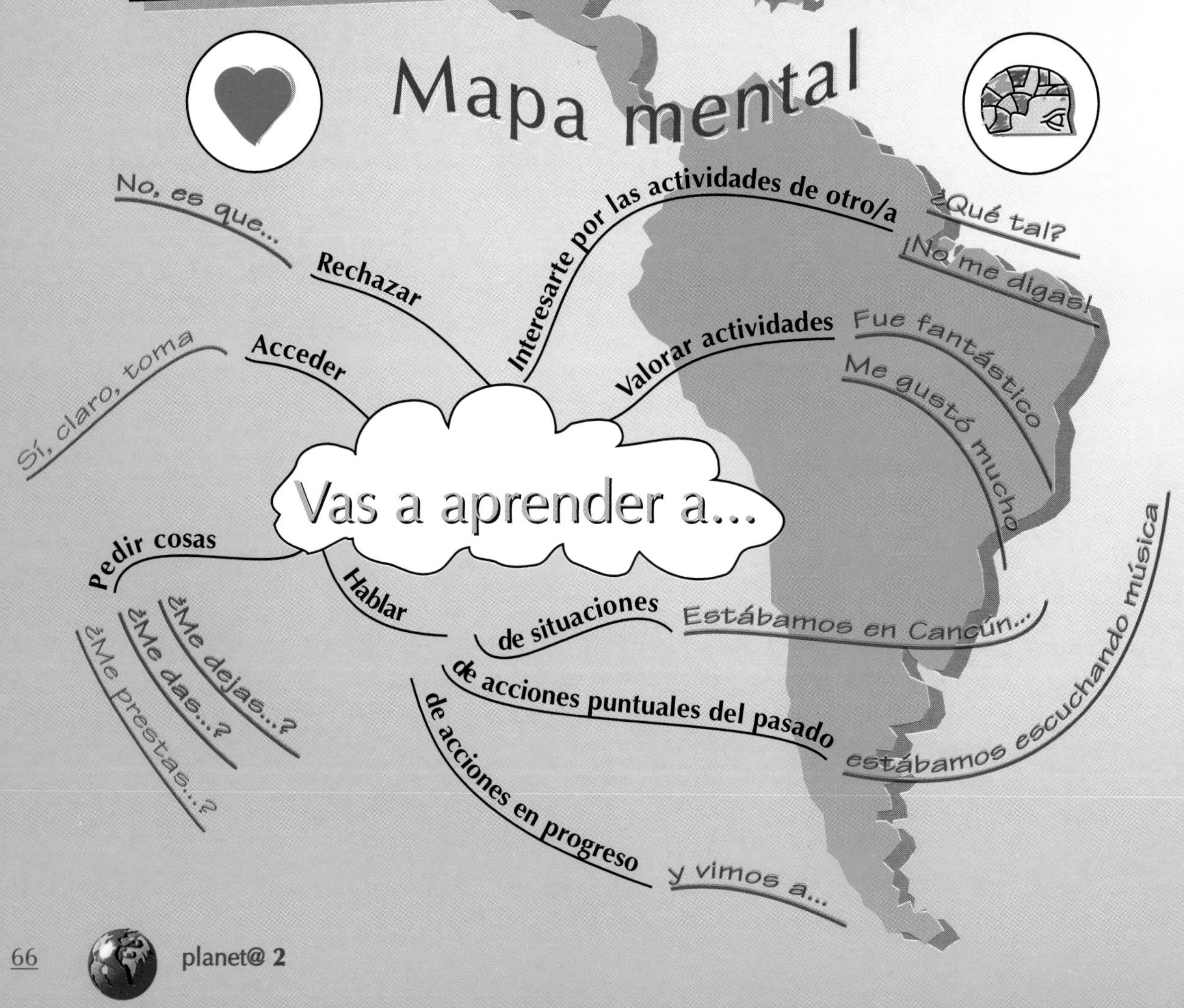

@

Aquí tienes tres tipos de viajes. ¿Cuál prefieres?

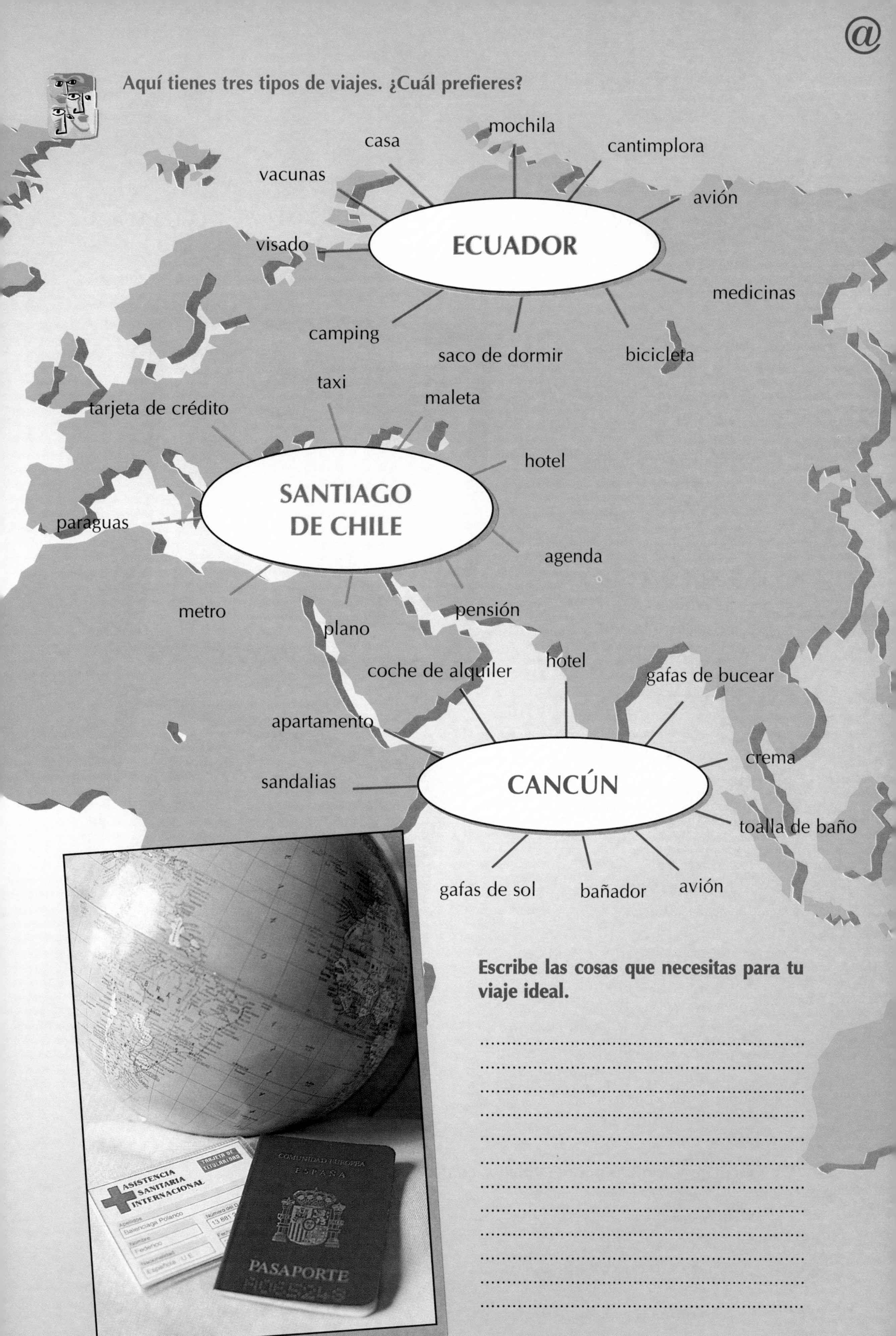

Escribe las cosas que necesitas para tu viaje ideal.

....
....
....
....
....
....
....
....
....
....
....
....

TEMA 3. LA TOLERANCIA

1

Piensa en tus viajes.

- Normalmente viajas
  - ☐ por tu país
  - ☐ por Europa
  - ☐ por América Latina
  - ☐ por África
  - ☐ por Asia
  - ☐ por...

- Cuando viajas buscas
  - ☐ lo exótico
  - ☐ lo semejante a tu cultura
  - ☐ la hospitalidad
  - ☐ la naturaleza
  - ☐ la historia
  - ☐ ....

- Te interesa más
  - ☐ la arquitectura
  - ☐ los museos
  - ☐ la gente
  - ☐ los paisajes
  - ☐ las actividades
  - ☐ ....

- Cuando preparas un viaje, piensas
  - ☐ en un buen hotel
  - ☐ en un buen clima
  - ☐ en un itinerario emocionante
  - ☐ en una gastronomía interesante
  - ☐ en una piscina e instalaciones deportivas
  - ☐ en el idioma
  - ☐ ....

1 Chemuyil (México)

2 Plaza de la Catedral, La Habana (Cuba)

2

Escucha la cinta o mira el vídeo y contesta a las preguntas.

1. ¿Dónde estuvo?
2. ¿Por qué fue allí?
3. ¿Qué es lo que más le gustó?
4. ¿Qué hizo?
5. ¿Cuánto tiempo estuvo?

• ¿De dónde son esas fotos que tienes ahí?
• De Ecuador.
• ¡Anda!, ¿pero tú has estado en Ecuador?
• Pues sí, hace dos años. ¿No lo sabías?
• Pues no. ¿Y cómo es que se te ocurrió ir a Ecuador?
• Pues la verdad es que no lo sé. Fueron varias cosas. A Paco y a mí nos interesaba mucho el tipo de paisaje, las montañas... Queríamos conocer una cultura diferente a la nuestra y nos gustaba muchísimo toda la cultura indígena. Además, nos apetecía hacer *trekking* en una zona montañosa, poco habitada... en una región virgen. Fue precioso.
• Y... ¿qué hicisteis allí?
• Pues nada, al principio estuvimos una semana en Quito...
• ¿Ah, sí?
• Sí, viajando por los alrededores, y luego diez días haciendo *trekking*, y al final visitamos el Parque Natural de... bueno, no me acuerdo.
• Y... ¿qué tal el *trekking*?
• Muy bien, pero un poco cansado: todos los días caminábamos ocho horas. Nos levantábamos a las 5 de la mañana y dormíamos en refugios. Las condiciones de vida eran muy elementales, había muchos insectos... Además, era la época de las lluvias.
• Y... ¿qué tal la comida?
• Ah, muy rica, pero lo que más me gustó fue el paisaje y la gente, sobre todo me encantó la gente.
• ¿Por qué?
• Porque eran hospitalarios, amables, sencillos.

Versión Mercosur, pág. 163

MOSTRAR SORPRESA POR LA ACTIVIDAD QUE OTRO/A HA REALIZADO	Anda, ¿cuándo has estado...? Anda, ¿pero tú has estado...? ¡No me digas! ¿Sí?, ¿de verdad? ¿Ah, sí?
INTERESARSE POR LO QUE OTRO/A HA HECHO	¿Y qué hiciste? ¿Y qué tal la comida?
VALORAR POSITIVAMENTE ALGO	Fue fantástico. Me gustó mucho. Lo que más me gustó fue... Me lo pasé fenomenal. Me encantó.
VALORAR NEGATIVAMENTE	Vaya... No me gustó mucho. Fue horrible.

@

3 Un amigo ha hecho estas cosas, reacciona.

1. ¿Sabes? He estado en Malasia.
....
2. Pues yo he hecho *puenting*.
....
3. Bueno, te tengo que dar una gran noticia, me voy a casar.
....
4. Pues, mira, yo antes tocaba en una banda de rock.
....
5. Oye, te quiero decir una cosa muy importante: voy a adoptar un niño.
....

4 Habla de cosas que hiciste y valóralas.

1. Hace mucho tiempo .... y ....
2. Una vez .... y ....
3. Cuando tenía 15 años .... y ....
4. El otro día .... y ....
5. Cuando estuve en .... y ....

5 Imagina que has hecho una de estas cosas:

- Recorrer los Andes.
- Viajar en barca por el Amazonas.
- Hacer submarinismo en Yucatán.
- Investigar la vida marina en Tierra de Fuego.

Piensa cómo fue tu experiencia. Si te gustó o no. Habla con tu compañero/a y explícale tu experiencia. Él/ella se interesará.

TEMA 3. LA TOLERANCIA

1  **Lee o escucha lo que nos cuenta Patricia, una peruana que llegó a Madrid hace algunos años.**

Versión Mercosur, pág. 164

Al principio me llamaba la atención cómo hablaba la gente, el vocabulario distinto, lo de utilizar el "vosotros". La gente no utilizaba mucho "por favor" y para mis costumbres me parecían maleducados, fríos, y quizás hasta bruscos. Después conocí a más gente y al final entendí los códigos distintos. Por ejemplo, al principio me chocaba la expresión "¡hombre!", pero luego me pareció normal y finalmente yo misma lo digo ahora.

En cuanto a la comida, los primeros días no me podía acostumbrar a comer a la misma hora que los españoles. Pero, bueno, al final te integras de tal manera que actúas igual que ellos. Y ahora, cuando voy a casa, me dicen que de dónde soy.

2 **Marca en el texto las expresiones que ha utilizado para ordenar el relato.**

Observa

PARA ORDENAR UN RELATO

PRIMERO AL PRINCIPIO LOS PRIMEROS DÍAS
DESPUÉS LUEGO MÁS TARDE A CONTINUACIÓN
AL FINAL FINALMENTE

@

3

Lee esta postal, completa con los marcadores adecuados y reescríbela correctamente.

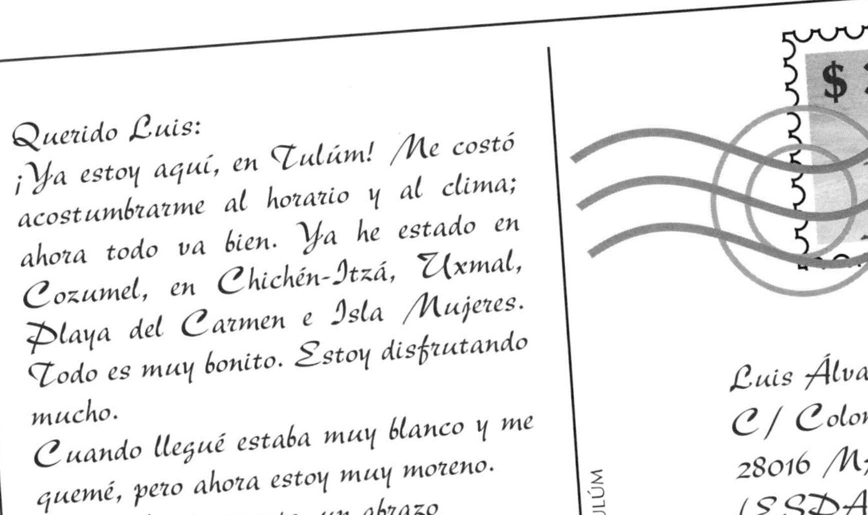

Querido Luis:
¡Ya estoy aquí, en Tulúm! Me costó
acostumbrarme al horario y al clima;
ahora todo va bien. Ya he estado en
Cozumel, en Chichén-Itzá, Uxmal,
Playa del Carmen e Isla Mujeres.
Todo es muy bonito. Estoy disfrutando
mucho.
Cuando llegué estaba muy blanco y me
quemé, pero ahora estoy muy moreno.
Bueno, hasta pronto, un abrazo

Rafael

$ 3
MÉXICO

PLAYA DE TULÚM

Luis Álvarez Salmerón
C/ Colombia nº 2, 1º izda.
28016 MADRID
(ESPAÑA)

4

Imagina que has hecho un viaje por España. Organiza el itinerario y escríbele una carta a un/-a amigo/a en la que le cuentes qué has hecho.

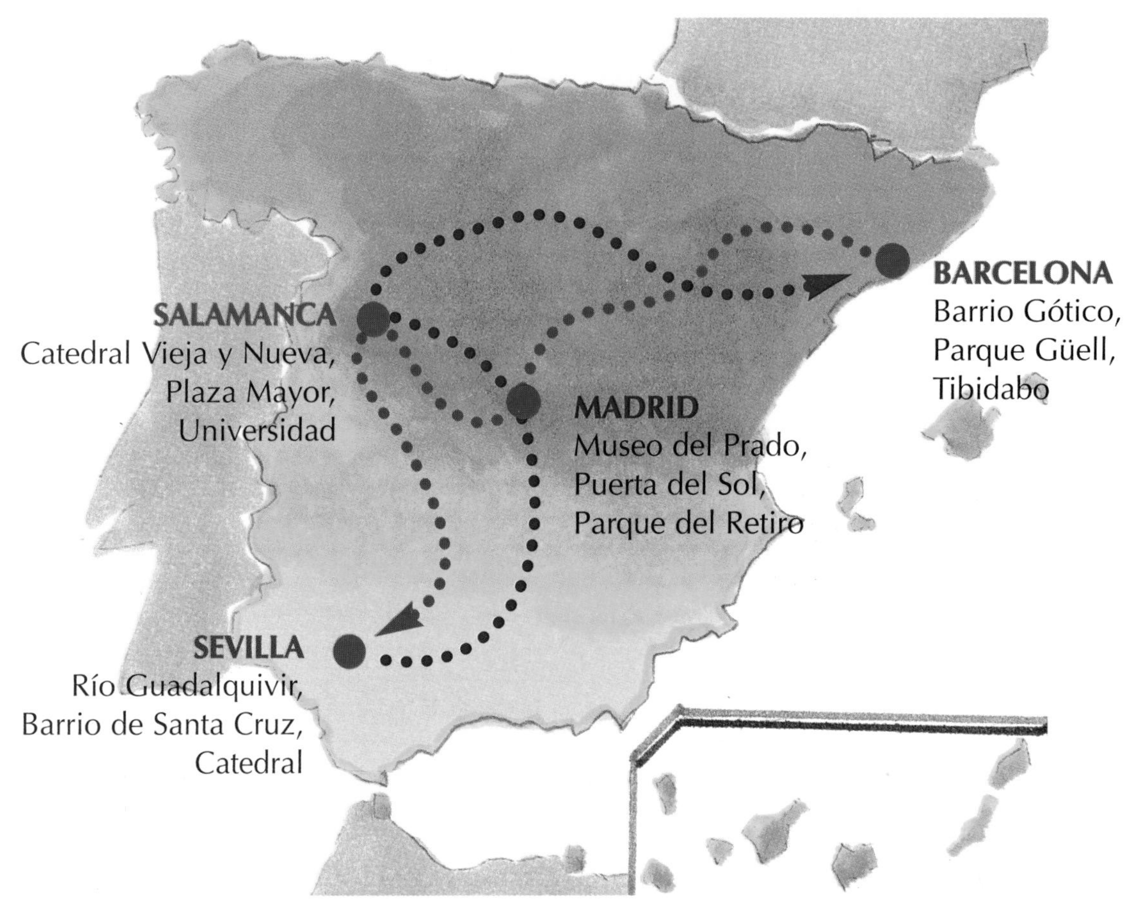

TEMA 3. LA TOLERANCIA

GRAMÁTICA ACTIVA

1

Sigue pensando en tus viajes, ahora concretamente en tus viajes por países diferentes del tuyo.

1. Cuando estoy en un país extranjero,

☐ quiero continuar con las costumbres de mi país: como a la misma hora de siempre, busco restaurantes de mi país o de comida internacional.
☐ quiero cambiar lo que normalmente hago e imito lo que hacen los/las nativos/as.
☐ en algunas cosas actúo como normalmente lo hago en mi país, en otras (las que me parecen positivas) actúo como lo hacen en el país donde estoy.

2. Para saber cómo funcionan las cosas,

☐ observo lo que hace la gente.
☐ pregunto a alguien: un/-a amigo/a, un/-a profesor/-a, etc.
☐ tengo una guía que lo explica.
☐ no hago nada, a mí no me importa porque no es mi país.

3. Respecto a las costumbres del país,

☐ busco las similitudes y las diferencias con el mío.
☐ pienso que lo hacen todo mal.
☐ intento comprender por qué lo hacen.
☐ en general, observo, pienso y, después, actúo como me parece mejor.

2

audio vídeo

Escucha en la cinta o mira en el vídeo estas conversaciones sobre tres malentendidos culturales. Contesta a las preguntas.

¿Dónde fue?	¿Qué pasó?
1.	
2.	
3.	

@

1. Nosotros llevábamos ya muchas horas caminando por el desierto de Marruecos y llegamos a un pueblo bereber. Estábamos sentados cuando se nos acercó un hombre y nos ofreció té. Le pregunté cuánto costaba y el hombre se enfadó. Simplemente quería ser hospitalario.

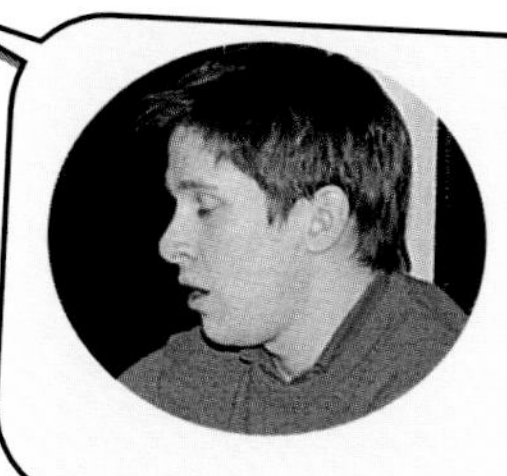

2. Estábamos comiendo en un restaurante en Segovia y, cuando el camarero trajo la cuenta, los alemanes con los que yo iba se pusieron a discutir, porque cada uno quería pagar lo suyo. Al final yo les expliqué que en España muchas veces se suele pagar entre todos.

3. El otro día me presentaron a una chica japonesa. Estuve a punto de darle dos besos, pero ella me dijo que no, que en Japón sólo se besan los matrimonios; así que le di la mano. ¡Qué vergüenza!

Observa

SITUACIÓN		ACCIÓN
DESCRIBIR SITUACIÓN	**HABLAR DE ACCIÓN EN DESARROLLO**	
Estábamos *en Atenas,* ***hacía*** *calor:*	***estábamos esperando*** *el autobús,*	***me quité*** *la camiseta.*

PARA EXPRESAR UNA ACCIÓN INMINENTE PERO QUE TODAVÍA NO HA OCURRIDO

Estar a punto de + infinitivo ***Estaba a punto de salir*** *cuando llegó.*
Me dio tanta vergüenza que ***estuve a punto de irme.***

PARA EXPRESAR QUE UNA ACCIÓN EMPIEZA

Ponerse a + infinitivo *Los alemanes* ***se pusieron a discutir.***
Cuando me enteré ***me puse a llorar.***

PARA INDICAR LA DURACIÓN DE UNA ACCIÓN

Llevar + cantidad de tiempo + gerundio

Llevábamos una hora esperando *el autobús, cuando...*

Llevo dos meses estudiando *inglés.*

3 Explica estas historias.

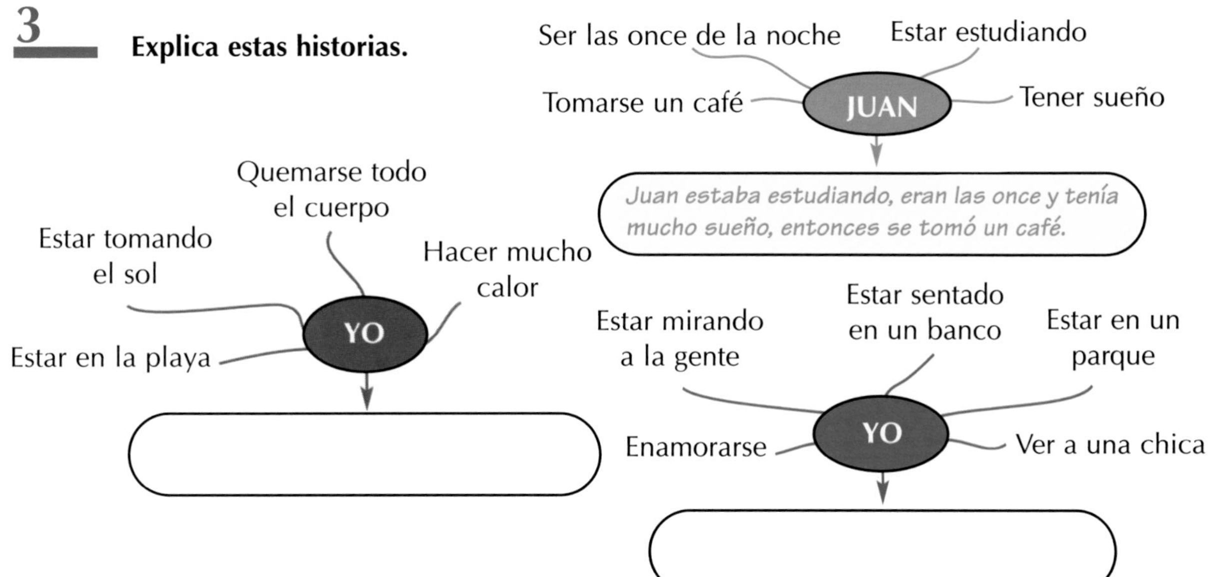

4 Explica estas historias: explica dónde estaba, qué estaba haciendo y qué pasó.

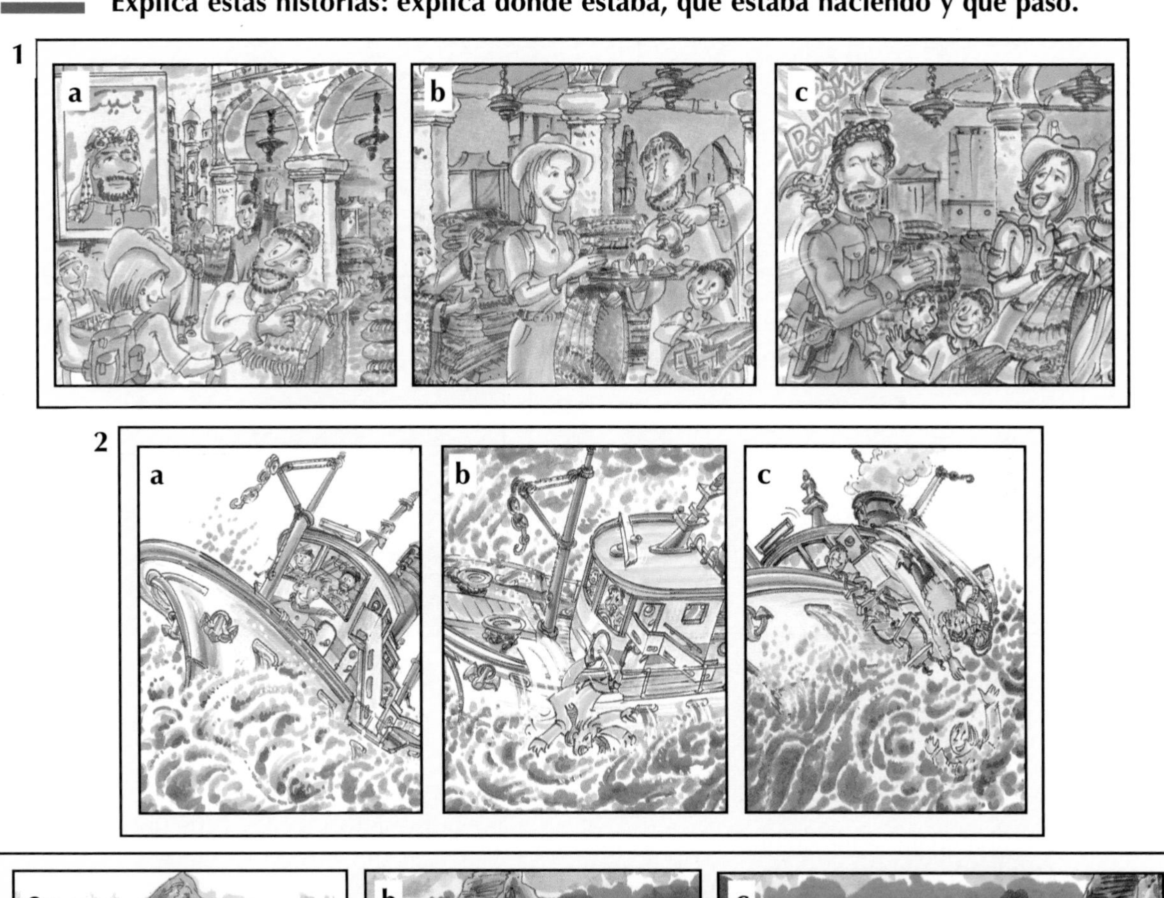

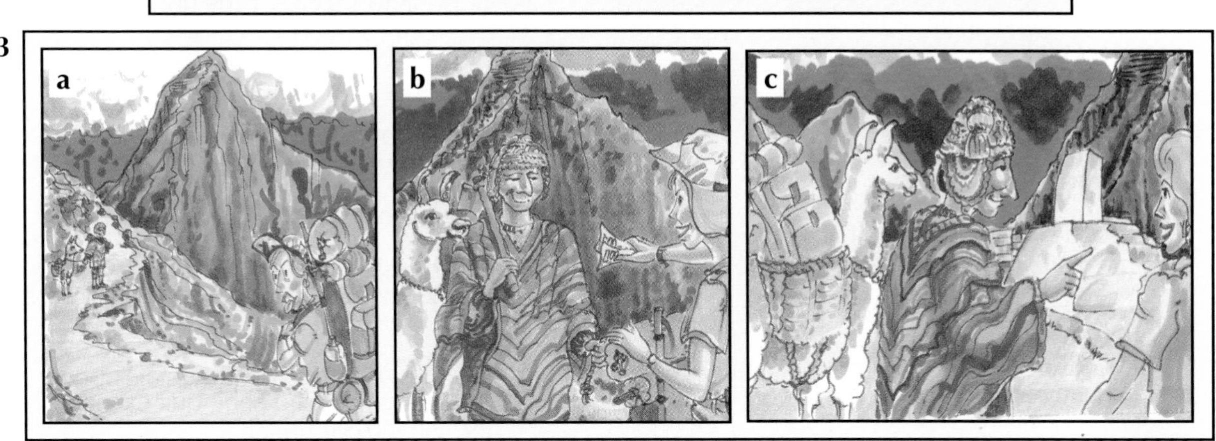

@

5 Mira esta historia: él estaba a punto de..., pero... Explícalo.

1
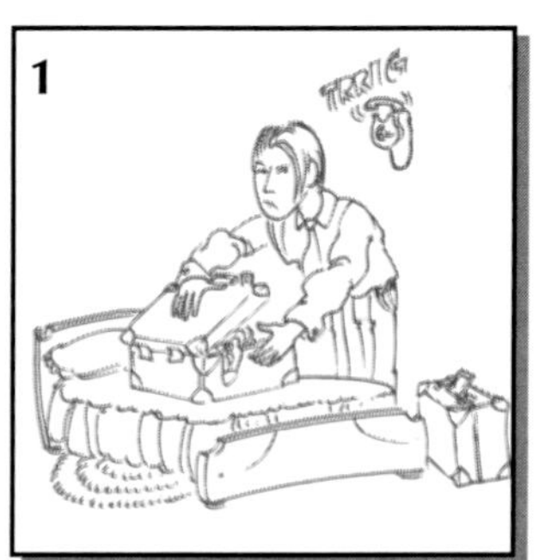

2

3

6 Completa las historias.

1. Llevaba dos noches sin dormir por el calor, estaba cansadísima, no encontraba hotel y...

3. Estaba con mi amigo Abdul en una tienda de cafés y tés en Madrid. El dependiente nos dijo el precio y mi amigo...

2. No sabía que allí nadie puede empezar a comer antes del hombre mayor de la casa y...

4. Estábamos viendo las ruinas de Tikal, hacía mucho calor y, de pronto, ...

7 Relaciona

- Llevaba cuatro años saliendo con Juan
- Llevo tres años viviendo en Oslo
- Llevábamos 2 meses viajando por la India
- Llevo sólo 1 semana viajando por Francia
- Llevo dos días en los Estados Unidos
- Curro llevaba 18 años trabajando en un banco

- de repente, mi compañero cambió de idea, quiso volver a casa y me quedé sola.
- he probado ya 20 tipos de quesos y 34 de vinos.
- aunque he estudiado 6 años inglés, no entiendo nada.
- tengo ganas de volver a mi ciudad.
- en un viaje a Moscú, conocí a Vladimir y me enamoré perdidamente de él. ¡Pobre Juan!
- después de ver un documental sobre la Amazonia, decidió pedir una excedencia e irse allí a pasar un año.

Práctica Global

1 . Lee este texto.

La hospitalidad está en todas partes. Aquí hay algunos ejemplos:

Estábamos en el Tibet, estábamos viajando en un camión viejo con mucho frío y nieve. Llevábamos un día sin comer ni beber. El conductor paró en un pueblo. Yo estaba a punto de desmayarme y una anciana nos trajo té y pastas. Nos salvó la vida.

1

Fuimos con unos amigos de excursión a un pueblo de Guadalajara y una señora nos invitó a su casa, se puso a cocinar y, al final, nos invitó a dormir.

Yo estaba trabajando en una estación de metro, dos chicos extranjeros me preguntaron por una pensión. Como era muy tarde les ofrecí dormir en mi casa.

2

2. Ahora piensa en una situación en la que te hayan dado hospitalidad y otra en la que tú hayas dado hospitalidad. Cuéntaselo a tu compañero/a. Después él/ella te va a contar las suyas, interésate por ellas.

Estrell@ fug@z

1. Lee este texto de Sergio Elizondo

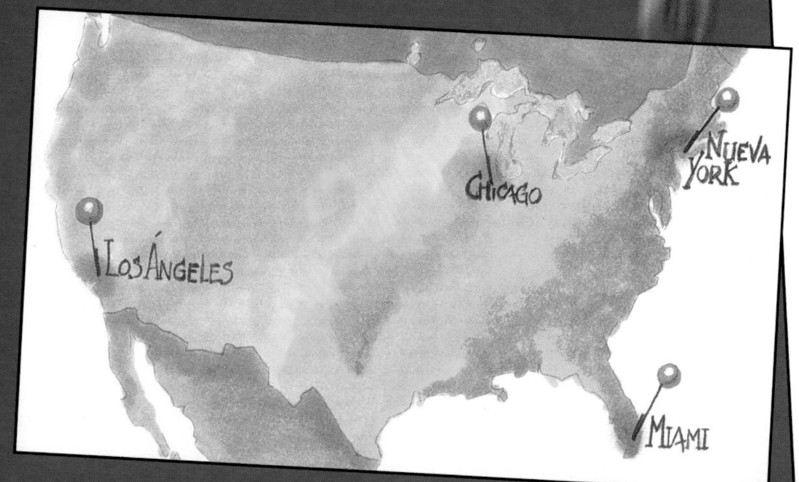

SHE

She,
she speaks English,
she raps English,
she reads English,
she sits English,
pero quiere en español,
sueña en español,
piensa en español,
va a la church en español.

Juega en español,
works in English,
siente en español,
drives in English,
hace cariños en español,
runs in English...
se mece en la curva de sus pasos
en español.
Mira, ¡ay!, mira en español.
Duerme, duerme, chula,
únicamente en español.

Sergio Elizondo
Libro para batos y chavalas chicanas

2. ¿Qué te llama la atención?
3. ¿Qué hace "She"?

¿Qué hace "She" en inglés?	¿Qué hace "Ella" en español?

4. ¿Qué diferencia hay entre lo que hace en inglés y lo que hace en español?

5. Como ves, ella vive entre dos lenguas, entre dos culturas. ¿De dónde crees que es ella?, ¿cuál es su origen?

6. La población hispanohablante en EEUU actualmente es de 30 millones y las ciudades más hispanas son Chicago, Nueva York, Miami y Los Ángeles. Se prevé que en algunos años la minoría hispana va a ser la más numerosa de EEUU. Aquí tienes algunos/as famosos/as de lengua materna española que viven y trabajan en los EEUU:

1

Julio Iglesias

Celia Cruz

Antonio Banderas

Isabel Allende

Gloria Estefan

Andy García

Carlos Santana

2

Luis Rojas Marcos

¿Conoces a otros españoles/as o hispanos/as famosos/as que trabajan y viven en los EEUU?

TEMA 3. LA TOLERANCIA

1

Estas son algunas recomendaciones de una agencia de viajes para realizar un viaje. ¿Puedes adivinar a qué clase de país va?

VD. DEBE LLEVAR

- crema antimosquitos
- gafas de sol
- ropa de colores claros
- sandalias
- antibióticos
- impermeable
- linterna
- pilas
- una navaja
- medicamentos contra la malaria
- pastillas para purificar el agua

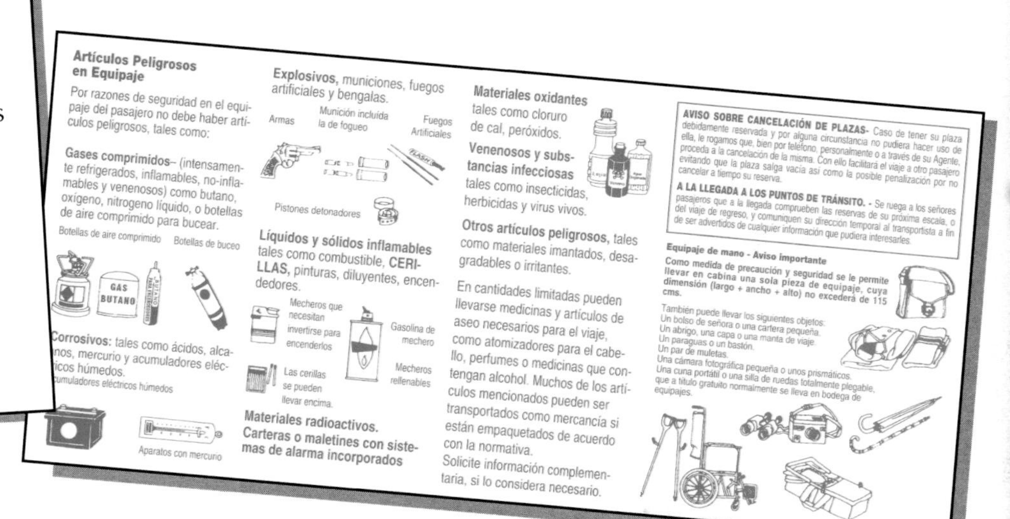

Artículos Peligrosos en Equipaje

Por razones de seguridad en el equipaje del pasajero no debe haber artículos peligrosos, tales como:

Gases comprimidos– (intensamente refrigerados, inflamables, no-inflamables y venenosos) como butano, oxígeno, nitrogeno líquido, o botellas de aire comprimido para bucear.

Botellas de aire comprimido · Botellas de buceo

GAS BUTANO

Corrosivos: tales como ácidos, alcanos, mercurio y acumuladores eléctricos húmedos.

Acumuladores eléctricos húmedos · Aparatos con mercurio

Explosivos, municiones, fuegos artificiales y bengalas.

Armas · Munición incluída la de fogueo · Fuegos Artificiales · Pistones detonadores

Líquidos y sólidos inflamables tales como combustible, **CERILLAS,** pinturas, diluyentes, encendedores.

Mecheros que necesitan invertirse para encenderlos · Gasolina de mechero · Las cerillas se pueden llevar encima. · Mecheros rellenables

Materiales radioactivos.
Carteras o maletines con sistemas de alarma incorporados

Materiales oxidantes tales como cloruro de cal, peróxidos.

Venenosos y substancias infecciosas tales como insecticidas, herbicidas y virus vivos.

Otros artículos peligrosos, tales como materiales imantados, desagradables o irritantes.

En cantidades limitadas pueden llevarse medicinas y artículos de aseo necesarios para el viaje, como atomizadores para el cabello, perfumes o medicinas que contengan alcohol. Muchos de los artículos mencionados pueden ser transportados como mercancía si están empaquetados de acuerdo con la normativa.
Solicite información complementaria, si lo considera necesario.

AVISO SOBRE CANCELACIÓN DE PLAZAS- Caso de tener su plaza debidamente reservada y por alguna circunstancia no pudiera hacer uso de ella, le rogamos que, bien por teléfono, personalmente o a través de su Agente, proceda a la cancelación de la misma. Con ello facilitará el viaje a otro pasajero evitando que la plaza salga vacía así como la posible penalización por no cancelar a tiempo su reserva.

A LA LLEGADA A LOS PUNTOS DE TRÁNSITO. - Se ruega a los señores pasajeros que a la llegada comprueben las reservas de su próxima escala, o del viaje de regreso, y comuniquen su dirección temporal al transportista a fin de ser advertidos de cualquier información que pudiera interesarles.

Equipaje de mano - Aviso importante

Como medida de precaución y seguridad se le permite llevar en cabina una sola pieza de equipaje, cuya dimensión (largo + ancho + alto) no excederá de 115 cms.

También puede llevar los siguientes objetos:
Un bolso de señora o una cartera pequeña.
Un abrigo, una capa o una manta de viaje.
Un paraguas o un bastón.
Un par de muletas.
Una cámara fotográfica pequeña o unos prismáticos.
Una cuna portátil o una silla de ruedas totalmente plegable, que a título gratuito normalmente se lleva en bodega de equipajes.

2

Escucha la cinta o mira el vídeo y haz una lista de las cosas que piden.

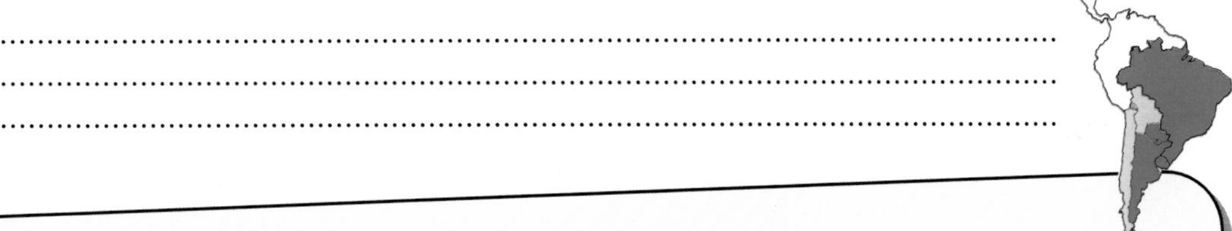

....

....

....

Versión Mercosur, pág. 165

- Ana: (Toc, toc). Hola. Oye, ¿tenéis unas cerillas?
- Alfredo: Sí, claro.
- Ana: ¿Me dais una caja?, es que no me he traído.
- Alfredo: Sí, claro, toma... Oye, por cierto, ¿te has traído algo contra los mosquitos?
- Ana: Sí, tengo una crema.
- Alfredo: ¿Nos la podrías prestar?
- Ana: Sí, claro, ahora os la traigo.
- Belén: ¿Y no tendrás un poco de jabón?, es que se nos ha olvidado.
- Ana: Eh..., sí, sí, ahora os lo subo. Hasta ahora...
- Alfredo: Oye... ¿Y nos dejas unas pilas, si tienes?
- Ana: Sí, sí, claro. Mmm... ¿necesitáis algo más?
- Alfredo: Pues, ahora que lo dices, si no te importa, también nos hace falta papel higiénico...
- Belén: Y una navaja.
- Ana: Oye, ¿pero es que vosotros no tenéis nada?
- Belén: No, es que ha habido un error con la agencia, nosotros queríamos ir a París y nos han traído al Senegal, así que no tenemos nada.

Observa

PEDIR COSAS	**Preguntar si se tiene algo**	¿Tienes...? ¿No tendrías... de sobra?
	Pedir prestado	¿Me dejas...? ¿Me das...? ¿Podrías prestarme...?
ACCEDER	Sí, claro, toma. Ahora te lo traigo. Sí, sí, claro. Sí, está en...	
NEGAR	Lo siento, es que...	

3

Aquí tienes una lista de cosas. Elige con qué verbo pides cada cosa.

	ME DAS	ME DEJAS - ME PRESTAS
• dinero		
• el coche		
• un cigarrillo		
• un vestido		
• la casa de la playa		
• las gafas de sol		
• un *kleenex*		
• un vaso de agua		
• una taladradora		
• un libro		
• un beso		
• un refresco		

4

Mira las cosas que hay en esta cartera y piensa cuáles de ellas tienes ahora en clase.

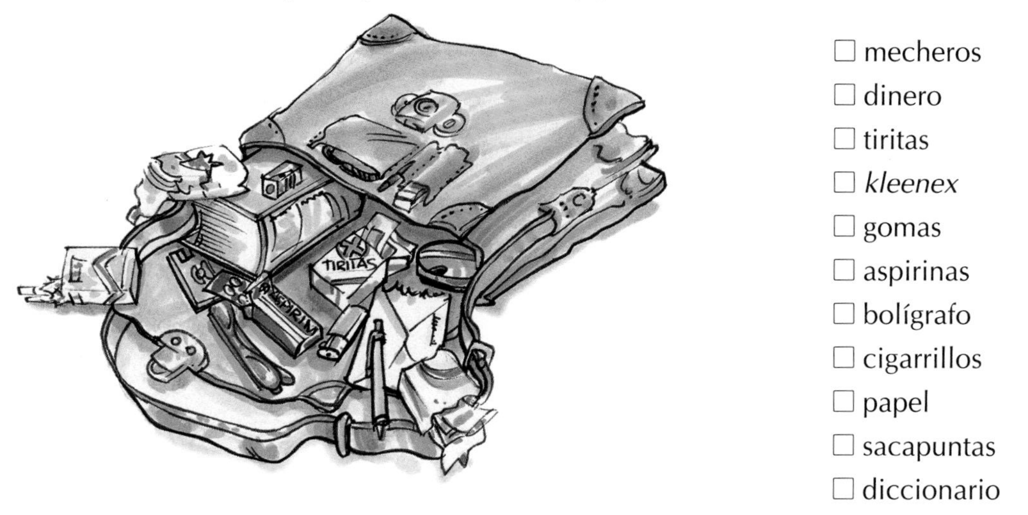

- ☐ mecheros
- ☐ dinero
- ☐ tiritas
- ☐ *kleenex*
- ☐ gomas
- ☐ aspirinas
- ☐ bolígrafo
- ☐ cigarrillos
- ☐ papel
- ☐ sacapuntas
- ☐ diccionario

Pídele lo que no tienes a alguien de clase.

GRAMÁTICA ACTIVA

Observa

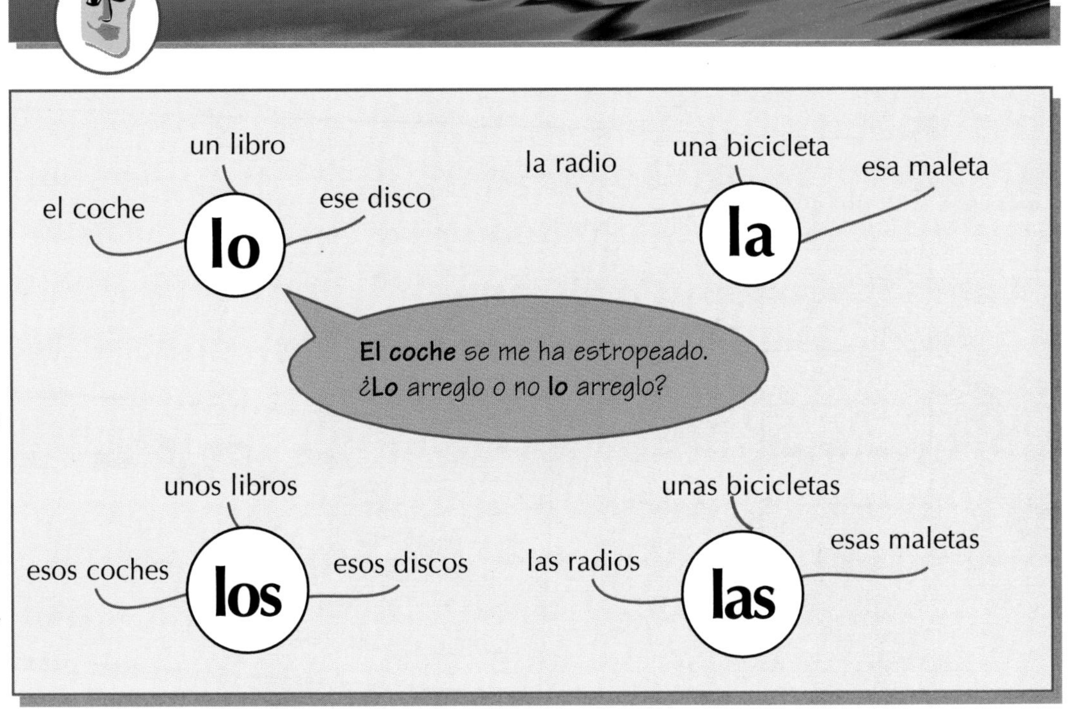

Versión Mercosur, págs. 166-167

Relaciona

- No lo he leído todavía.
- Esta semana las necesitamos para ir de excursión.
- La llevo yo, que pesa mucho.
- Los he comprado esta mañana, porque este grupo me gusta mucho.
- ¿Me lo dejas? Es que tengo que ir a Pamplona.

- Maleta
- Libro
- Bicicletas
- Coche
- Discos

1

Escucha la cinta o mira el vídeo e imagina qué cosas se piden estas chicas.

- ¿Me das la XXXX?
- Ay, no, es que la tiene mi madre.
- Pues, pídesela.
- No, es que es un secreto de familia. A mi madre se la dio mi abuela, a mi abuela se la dio mi bisabuela, y a ella, su madre. Así que no te la puedo dar.
- Anda, dámela.
- Que no, que no te la voy a dar... Bueno, sólo te la doy si tú me dejas los XXXX de tu abuela.
- No, esos sí que no te los dejo.
- Pero, ¿por qué?
- Pues, porque son muy antiguos y se los dejé una vez a María y me los rompió.
- Pero yo te los cuido y si te los rompo te los arreglo.
- Que no, que no y que no.

2 Completa.

¿		lo, la, los, las deja ?
	Me	
	Os	

¿Me deja su pluma un momento?
*No, la pluma no **se** la dejo; un bolígrafo sí.*

le / les + lo, la, los, las = **se** lo, **se** la, **se** los, **se** las

3 Saca tres cosas que tengas en tus bolsillos, tu compañero/a te las va a pedir, dile que no y explica por qué.

¿Me dejas tu bolígrafo?
No, es que se lo he dejado a Makiko.

4 Piensa qué cosas se pueden comprar del mundo hispano, como regalos o recuerdos.

Ahora indica a quién se las regalas o se las puedes regalar.

Si se pone el objeto en primera posición, hay que decir también el pronombre.

La guitarra, se la regalo a mi amiga Elke porque le gusta la música.

5 Imagina un objeto con tu compañero/a. Se hace un diálogo como el que se ha escuchado en la actividad 1 y los/las compañeros/as de clase tienen que adivinar de qué se trata.

Práctica Global

1. Piensa en diez cosas importantes que tienes.

1. ....
2. ....
3. ....
4. ....
5. ....
6. ....
7. ....
8. ....
9. ....
10. ....

2. Imagina que tienes que irte a vivir a Guinea Ecuatorial 5 años. Indica qué cosas te llevas y qué cosas no. Estas últimas pasan a una lista en la pizarra, junto a los objetos que los/las demás no quieren.

✗ El ordenador no me lo llevo.
✗
✗
✗
✗

3. De la lista de la pizarra elige qué cosas de otros/as quieres y pídelas.

Oye, John, ¿me das el libro de...? Es que me gusta mucho.

tarea

1. Cuéntale a tu compañero/a el viaje que más te gusta de los que has hecho; tu compañero/a te va a contar el suyo. Cierra el libro y escucha.

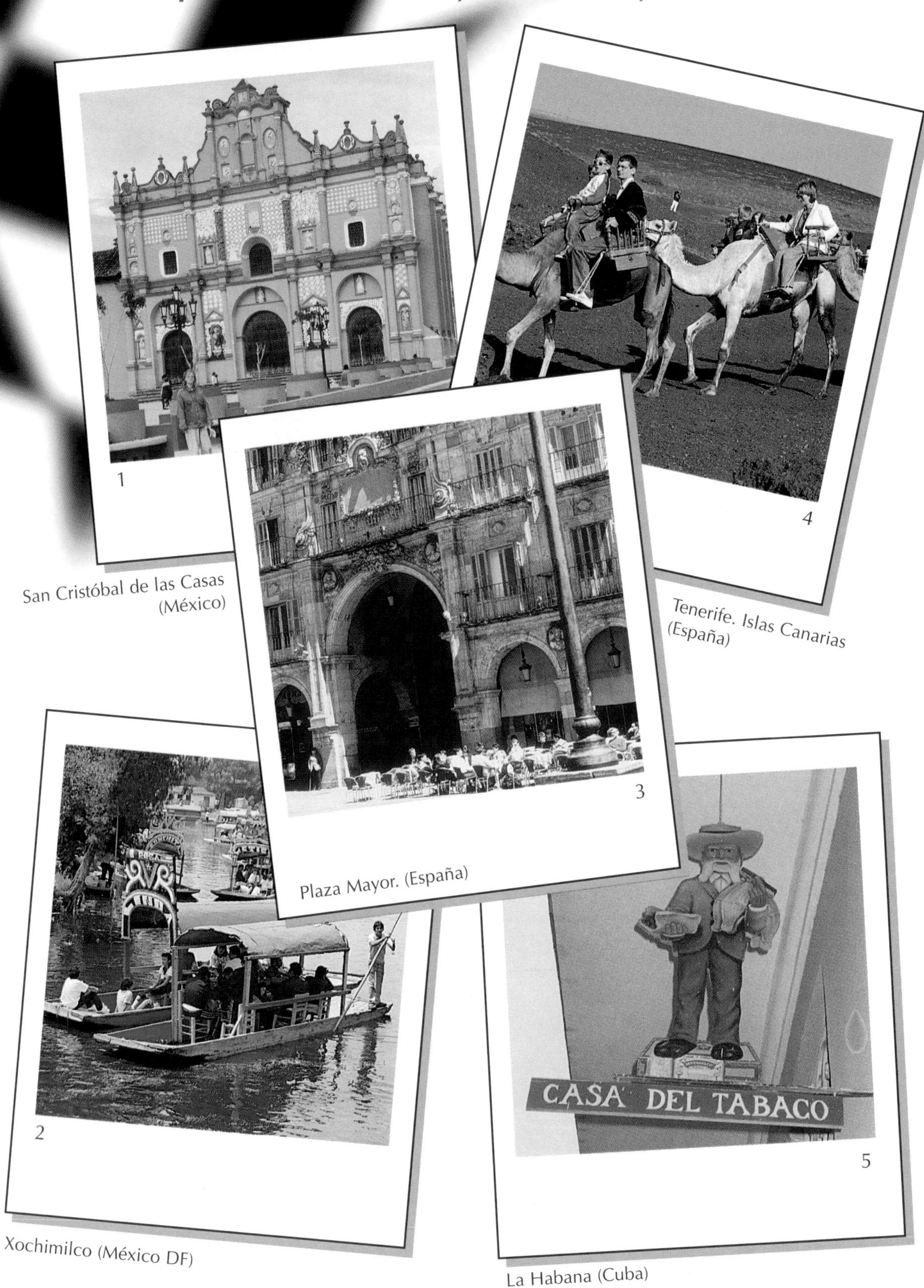

1 San Cristóbal de las Casas (México)

4 Tenerife. Islas Canarias (España)

3 Plaza Mayor. (España)

2 Xochimilco (México DF)

5 La Habana (Cuba)

final

2. **Rellena la ficha con el viaje de tu compañero/a. La información que todavía no tengas, pregúntasela.**

País: .... **Ciudad:** ....

Fechas: del .... **al** ....

Acompañante/s: ....

Medio de transporte: ....

Coste aproximado: ....

Visado: .... Vacunas: .... Documentos: ....

Motivo del viaje: ....

Clima: ....

Características geográficas del país: ....

....

Lugares visitados: ....

....

Actividades realizadas: ....

....

Descripción:

* lugar (país, ciudad, etc.)

....

* habitantes

....

* costumbres locales

....

* gastronomía

....

* alojamiento

....

Equipaje:

* ropa

....

* accesorios

....

* medicamentos

....

* documentos de viaje

....

* tarjetas

....

* planos/mapas

....

* diccionarios

....

3. **Cuenta a la clase lo más interesante del viaje de tu compañero/a.**

4. **De todos los viajes que has escuchado, elige el que más te guste, infórmate de qué cosas necesitas para hacerlo y pídeselas a tus compañeros/as.**

[350 m

Lee con tu grupo este itinerario de viaje de una agencia y marca en el plano los lugares que se visitan y los monumentos o las cosas interesantes. Después hay que explicarlo al resto de la clase.

Guatemala - México

En tierras de México central y del norte, en el Yucatán, Guatemala y Honduras se desarrollaron algunas de las civilizaciones más importantes de América. Exploraremos los más importantes vestigios de las culturas mayas y aztecas, disfrutando de la gran variedad de paisajes y gentes que configuran una de las regiones más insólitas y coloristas del mundo.

1º. Llegada a México DF y alojamiento.

2º. Visita a la ciudad. Veremos el Zócalo, con la catedral y el Palacio de la Gobernación y los frescos de Diego Rivera. Visitaremos la antigua ciudad del México azteca y su museo, donde podremos ver la Piedra del Sol, más conocida como calendario azteca.

3º. Excursión a Teotihuacán, con las famosas pirámides aztecas del Sol y de la Luna. Por el camino probaremos los típicos tamales, quesadillas y tacos de la gastronomía mexicana.

4º. Salida a Oaxaca, donde visitaremos la preciosa catedral colonial. Por la tarde, los restos arqueológicos de Mitla.

5º. Salida hacia Palenque, ciudad maya escondida entre la jungla. Alojamiento en cámping local.

6º. Salida hacia la ciudad colonial de Mérida. En ruta visitaremos las famosas ruinas de Uxmal. Llegada a Mérida y visita a la ciudad.

7º. Salida hacia Cancún. En el camino visita a las ruinas de la ciudad abandonada por los mayas de Chichén Itzá y llegada a Cancún.

8º. Día libre en Cancún para disfrutar de sus playas caribeñas, el buceo, etc.

9º. Vuelo a Guatemala. Traslado a Antigua y alojamiento.

10º. Visita por las empedradas calles de Antigua, la catedral, el cabildo, etc.

11º. Nuestra visita al altiplano comienza con Chichicastenango y su multicolor mercado indígena de los jueves. Continuaremos hasta el lago Atitlán.

12º. Llegada a Coban. Desde Coban visitaremos la Sierra de Chamá, de una densa vegetación donde no hay grandes poblaciones, sólo selva. Dormiremos en un bungalow ecológico.

13º. Desde la selva comenzaremos el descenso hacia la selva baja de Petén.

14º. Jornada dedicada a explorar la ciudad de Tikal, el mejor exponente de la cultura maya clásica: Plaza Central, el Gran Jaguar, el Mundo Perdido y el Templo IV.

15º. Saldremos en dirección al Caribe. A media tarde llegaremos a Livingstone.

16º. Día libre para disfrutar de la playa.

17º. Traslado al aeropuerto de Guatemala y regreso.

llones]

1 Pirámide de Chichén Itzá

2 Ruinas de Uxmal

Lee con tu grupo este itinerario de viaje de una agencia y marca en el plano los lugares que se visitan y los monumentos o las cosas interesantes. Después hay que explicarlo al resto de la clase.

Ecuador - Perú

La tierra sagrada de los incas, llamada Tahuantinsuyu, continúa manteniendo toda la tradición y rituales en honor al dios sol, Inti; a la tierra madre, Pachamama; y a la inmensidad de la naturaleza con sus cuatro grandes regiones: selva, sierra, desierto y altiplano.

1º. Llegada a Quito y alojamiento en hotel.

2º. Salida en dirección norte a través de los desérticos valles interandinos para llegar al área arqueológica preincaica de Cochasqui. Ascenso a las lagunas de Mojanda.

3º. Viaje en dirección sur al Parque Nacional de Cotopaxi, el volcán activo más alto del mundo.

4º. Recorrido hasta Alausí, donde tomamos el pintoresco tren andino hasta Chan Chan. Desde aquí recorreremos hasta Cuenca, visitando las ruinas de Ingapirca, la zona arqueológica incaica más representativa de Ecuador.

5º. Visita a la ciudad colonial de Cuenca y de Chordeleg, antiguo asentamiento cañarí, célebre por sus joyas y cerámica.

6º. Traslado a Lima. Tarde libre para visitar el Museo del Oro, el Arqueológico o Larco Herrera, acudir al mercado de Polvos Azules o recorrer el barrio colonial y bohemio de Barraco.

7º. Salida en autobús hacia la ciudad de Ica, ciudad en el desierto sur costero.

8º. En avión sobrevolaremos las enigmáticas Líneas de Nazca, creadas por la cultura preincaica y de significado desconocido.

9º. Salida al lago Titicaca, cuna de la cultura inca.

10º. Viaje en lancha por el lago Titicaca, pasando por las islas flotantes de los indios urus.

11º. Vuelo a Cuzco, antigua ciudad imperial inca.

12º. Recorrido por los principales monumentos incas y coloniales de Cuzco y sus alrededores.

13º. Recorrido en tren hasta Aguas Calientes, fuentes termales de agua sulfurosa. Visita al gran centro sagrado de los incas, Machu Picchu. Regreso a Cuzco.

14º. Traslado a Ecuador y llegada a Macas, junto a la Amazonía. En esta zona viven los indígenas shuar, más conocidos como jíbaros, famosos por su antigua costumbre de reducir las cabezas de sus enemigos muertos.

15º. Recorrido por la ruta Macas Puyo hasta Misahualli, a orillas del río Napo.

16º. Ruta hasta Coca o Puerto Francisco de Orellana. En esta ciudad embarcó el conquistador para descubrir el Amazonas. Recorrido en canoa para poder disfrutar del ecosistema del Amazonas, selva primaria intacta.

17º. Llegada a Quito. Día libre para pasear por la ciudad, considerada "Patrimonio de la Humanidad". Por la tarde traslado al aeropuerto y regreso.

illones]

Mercado en Chincheros (Perú)

Casas en el lago Titicaca

Con el ♥

Piensan de forma lógica.
Aman el orden.
Todo lo calculan matemáticamente.
Siempre llevan reloj.
Son fríos y serios.
Les encanta analizar las cosas parte por parte.
Tienen una visión racional de la vida.
Están todo el día hablando y escribiendo.
Sus ciudades están muy bien estructuradas.

HABITANTE ISLA RAZÓN

Están siempre contando cuentos y parábolas.
Les encanta la poesía y la metáfora.
Siempre están escuchando música y cantando.
Todos los días van a bailar.
Les es fácil sintetizar y ver las cosas globalmente.
Se orientan muy bien en el espacio.
Son afectivos y cariñosos.
Sus ciudades están llenas de imágenes y colores.

HABITANTE ISLA EMOCIÓN

audio Lee y escucha

¿Has oído hablar del continente Dosmundos? Hace muchos años, un viajero intrépido descubrió un 6º continente. Estaba formado por dos islas enormes, casi iguales, la Isla Razón y la Isla Emoción, separadas por un estrecho brazo de mar: el Mar de la Ignorancia. Las islas tenían la misma forma, el mismo número de habitantes y una composición geográfica similar; pero sus ciudades, sus formas de vida y sus habitantes eran completamente diferentes.

ISLA RAZÓN

MAR DE LA IGNORANCIA

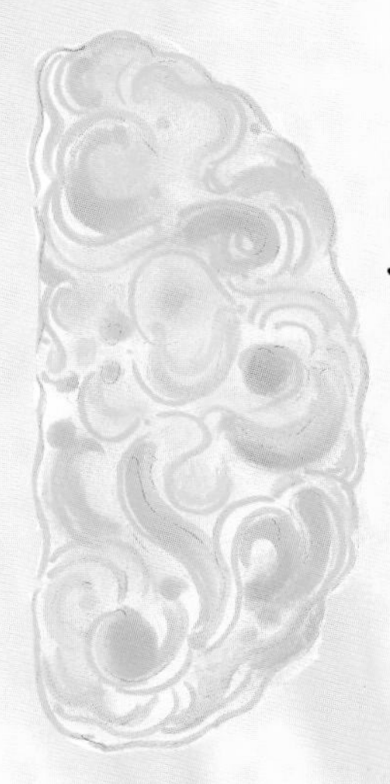

ISLA EMOCIÓN

Arriba están escritas las características más importantes de sus habitantes. Imagínate las calles, sus casas y edificios, sus formas de trabajo, sus relaciones, etc. Escribe el relato del viajero en su visita a las dos islas. ¿Cómo eran estas dos islas?

Viajero : "Hace dos años descubrí el continente Dosmundos. Primero visité la Isla Razón. Allí .....
....
....

Después visité la Isla Emoción. Allí ....
....
....

Después de algunos años los habitantes de las dos islas decidieron construir un puente inmenso para comunicarse. El puente Nexus. Gracias al puente comenzaron a intercambiar productos y valores y también comenzaron a sentirse más felices y completos.

Formad dos grupos e imaginad el diálogo entre la asamblea de la Isla Razón y la asamblea de la Isla Emoción para intercambiar valores.

Así formaron un continente casi perfecto que se llamó a partir de entonces el continente de Lomejordelosdosmundos, con una comunicación constante que les permitió tener una vida satisfactoria y placentera.

Con la

En esta unidad has aprendido:

• **VOCABULARIO.** Haz una lista de las palabras que has aprendido:

viajes: equipaje, alojamiento, transporte...	Pasaporte

• **GRAMÁTICA.** Recuerda:

Para hablar del pasado

Acciones	Situaciones	
	descripción	*acción en desarrollo*

Y las expresiones:

estar a punto de...	
ponerse a...	
llevar + -ANDO/ -IENDO...	

los pronombres:

¿A quién?	¿Qué?	
me	lo	me lo, me la...

• **¿CÓMO SE DICE?** Recuerda cómo dices para:

interesarte por actividades de otro/a	¿Y qué tal?
ordenar un relato	En primer lugar...
pedir cosas:	¿Tienes...?

Tema 3 En autonomía

1. Ordena este diálogo.

- ¿Qué tal el fin de semana?
- ¡No me digas!
- ¡Anda!, ¿eso dónde está?
- Estuve haciendo piragüismo por el río.
- Muy bien, estuve en las Hoces del Duratón.
- Pues, en Segovia, cerca de Sepúlveda.
- Sí, fue fantástico. Alquilamos una piragua y nos recorrimos algunos kilómetros. Lo que más me gustó fueron las vistas.
- ¿Y qué hiciste?

2. Reacciona ante estas frases.

1. ¿Sabes? Este verano me voy a la isla de Pascua.
2. Me he leído *Cien años de soledad* en español.
3. Pues yo nunca he viajado en avión.
4. ¿Sabes?, estoy embarazada.
5. Cuando estuve en Sudamérica, comí lagarto.

3. Valora tus actividades.

La última fiesta en la que estuviste.

La última fiesta en la que estuve fue el cumpleaños de mi tía Maruja y fue aburridísima.

1. El último libro que has leído.
2. El último viaje que has hecho.
3. La mejor comida que has tomado en tu vida.
4. La última película que has visto.

4. Explica estas historias.

5. Transforma las oraciones. Utiliza LLEVAR + gerundio, PONERSE A + infinitivo.

Hace tres meses que estudio español.
Le dijeron que el examen estaba mal y, de pronto, empezó a llorar.
Trabajo desde hace 14 años.
Oyó un ruido muy fuerte, se asustó y empezó a correr.
Vivo aquí desde que me casé.

6. Escucha a estas personas. ¿Qué cosas se piden?

1. ....
2. ....
3. ....
4. ....
5. ....

7. Escucha otra vez e indica cómo lo piden.

	1.	2.	3.	4.	5.
¿Podrías prestarme...?					
¿Me dejas...?					
¿Me das...?					
¿Tienes...?					
Déjame...					

8. Pide estas cosas.

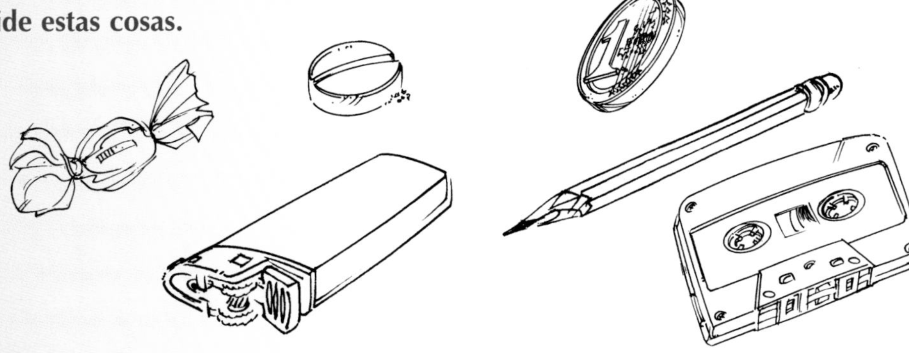

9. Cómo les pides estas cosas a estas personas?

Un bolígrafo | El periódico | Dinero para el metro | Un tebeo

10. Escucha y contesta si acepta o rechaza.

	ACEPTA	RECHAZA
1.	....	....
2.	....	....
3.	....	....
4.	....	....
5.	....	....

11. Piensa si lo haces o no lo haces y por qué.

1. Estás en una pastelería. Quieres comprar unos pasteles a tu pareja, pero estáis enfadados. **¿Se los compras o no?**

2. Conoces un secreto de la novia de tu mejor amigo. Es un secreto que puede hacerle daño. **¿Se lo cuentas o no?**

3. Un amigo te regaló una televisión. Dos años después te pide la televisión. **¿Qué haces?**

4. Ves en una tienda una cámara que te gusta mucho y que es muy barata. Un amigo te dijo hace mucho tiempo que te la iba a regalar, pero no te la ha regalado nunca. **¿Te la compras?**

5. Le debes dinero a un amigo. Él te ha pedido una cámara de fotos y la ha perdido. **¿Qué haces con el dinero que le debes?**

Expresa con la mano el número 1. Después el número 2, luego el 3...

En España se hace así:

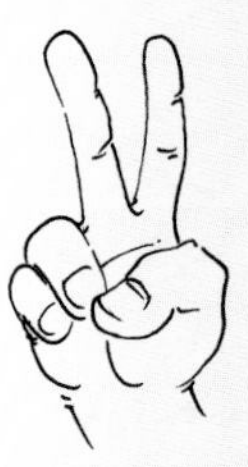

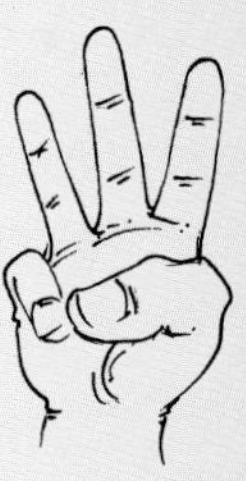

Como ves, los gestos son diferentes en cada cultura. Vamos a ver algunos ejemplos.

12. Escucha a estas personas y di cuál es el gesto que le corresponde a cada expresión.

1. ....
2. ....
3. ....
4. ....
5. ....

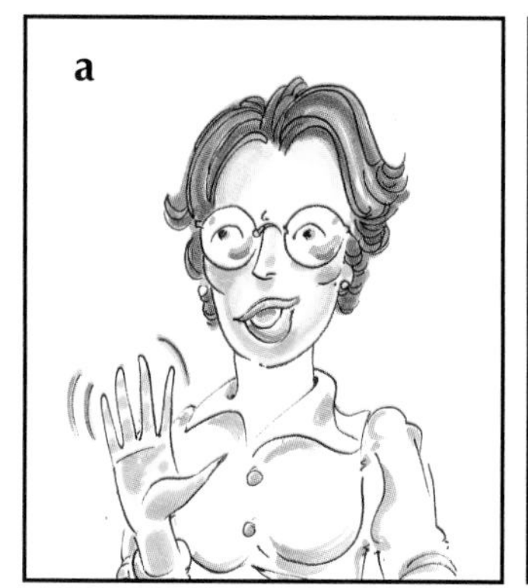

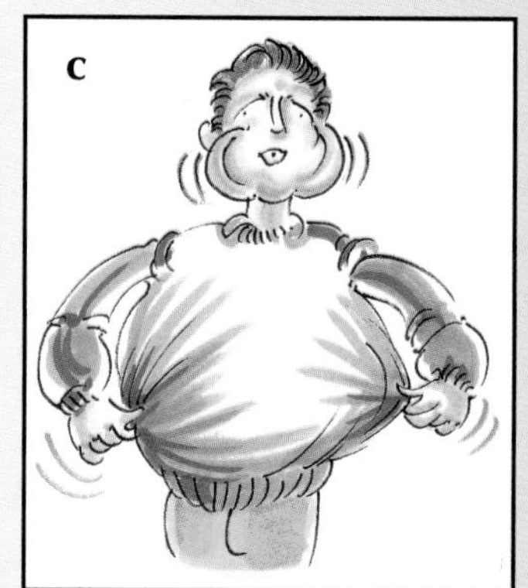

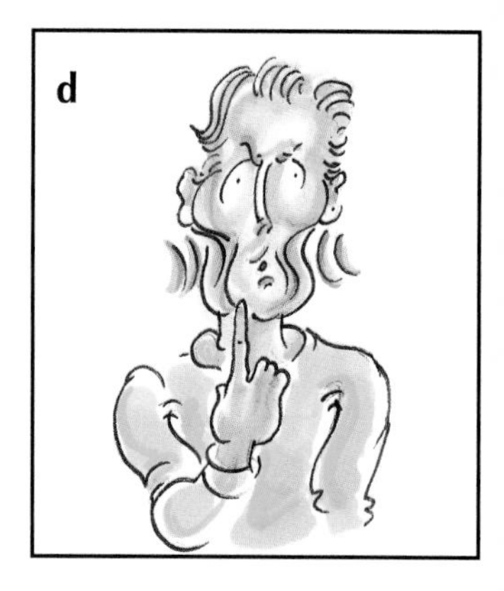

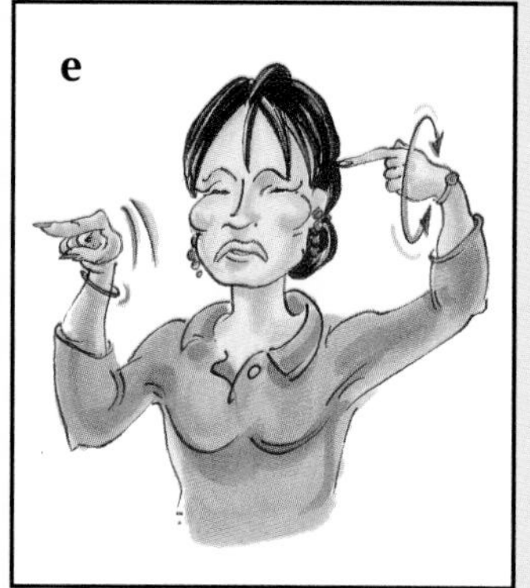

13. ¿Con qué gesto de los anteriores acompañas a estas palabras?

- Mi primo Juan quiere recorrer todos los Andes en bicicleta. Fíjate qué loco.
- Mi prima Eulalia ahora tiene buena figura, pero antes estaba...
- Después de viajar tres meses por la India me quedé flaquísimo.
- No puedo más, se acabó, estoy harta de oír tonterías.
- Este quiere no trabajar nada y vivir como un rey.

14. Aquí tienes estos gestos. ¿Qué crees que significan?

a

☐ Pásame las tijeras.
☐ Dame un cigarrillo.
☐ Para de hablar.

b

☐ Está lloviendo.
☐ ¿Jugamos a los dados?
☐ Te voy a pegar.

c

☐ Qué buena está la comida.
☐ Te doy un beso.
☐ Quiero comer.

d

☐ Estoy nervioso.
☐ Hay mucha gente.
☐ Date prisa.

tema

EL EQUILIBRIO: *cuerpo y alma*

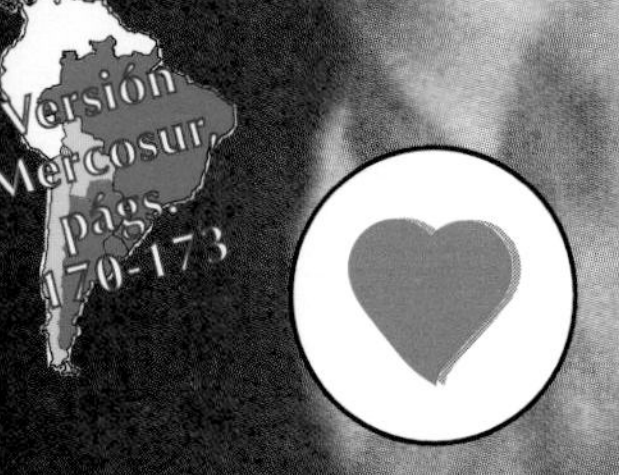

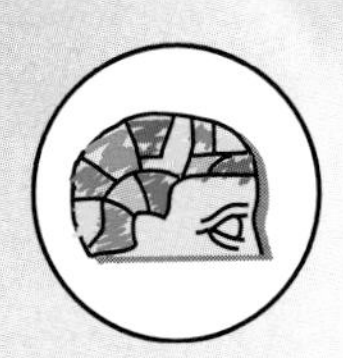

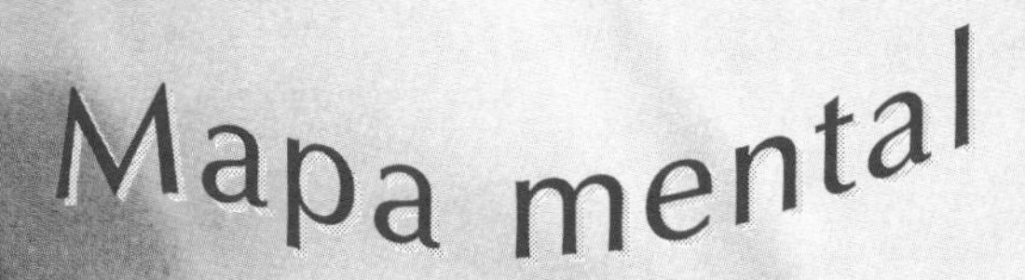

Observa estos anuncios.

¿Qué te sugieren estos anuncios? Descríbelos.
¿Qué imagen del aspecto físico da generalmente la publicidad?

TEMA 4. EL EQUILIBRIO

1 **Dibuja tu retrato y después descríbete.**

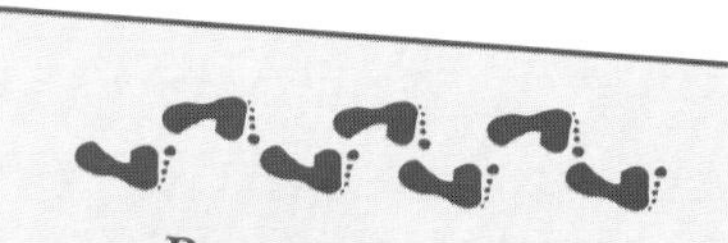

Para describirte:

rubio/a - castaño/a - moreno/a
pelo rizado - pelo liso
pelo corto - pelo largo
ojos azules - verdes - marrones
gafas - bigote - barba

2 

Escucha este diálogo en la cinta o mira el vídeo. ¿Hablan de la misma persona? ¿Cómo es realmente?

A. Oye, estoy buscando a una tal Sonia. ¿Sabéis quién es?
B. Sí, hombre, sí, es una chica alta, más bien...
C. Bueno, muy alta no es.
B. No, sí, más o menos como yo. Y rubia.
C. ¿Rubia? Bueno, rubia, no; castaña clara, diría yo.
B. Y tiene el pelo corto.
C. ¿No lo tenía largo? La última vez que yo la vi tenía el pelo largo.
B. Es que yo creo que se lo ha cortado. Y tiene unos ojos azules preciosos.
C. Preciosos, sí, pero son verdes.
B. Ay, lo que sí es, es majísima.
C. Sí, eso sí, muy, muy simpática y muy buena persona.
B. Da gusto estar con ella.
C. Sí, pero tiene los ojos verdes.

Observa

PARA DESCRIBIR A PERSONAS

FÍSICO	Es	rubio/a - castaño/a - moreno/a. calvo/a.
	Tiene el pelo	corto - largo. liso - rizado.
	Tiene los ojos	azules, verdes, marrones, grises.
	Lleva/tiene	bigote. barba. gafas.
CARÁCTER	Es	muy agradable. simpático/a. amable.
	Parece	muy agradable. simpático/a.

Versión Mercosur, pág. 173

3 ¿Quién es quién?

Relaciona

Es morena, tiene el pelo liso y es un poco delgada.

Es morena y tiene el pelo rizado. Lleva gafas y parece muy simpática.

Es alto, tiene el pelo rubio y rizado y parece muy listo.

Es bajo, moreno y un poco calvo. Tiene gafas y parece muy agradable.

1

2

3

4

@

4 Describe a tu hombre o mujer ideal.

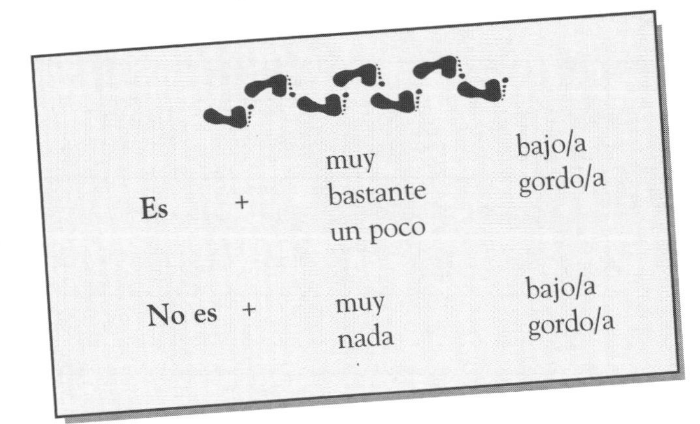

Mi persona ideal es...

....

....

....

....

....

5 Une los elementos de las cuatro columnas y completa las frases con SER, LLEVAR, TENER.

Relaciona

Josefina	*castaño/a*	*pelo largo*	*falda larga*
Alfredo	*delgado/a*	*ojos azules*	*corbata*
Montse	*rubio/a*	*barba*	*un traje oscuro*
Ana	*español/-a*	*18 años*	*pantalones cortos*
Sergio	*alto/a*	*gafas*	*un vestido verde*
José Ángel	*doctor/-a*	*bigote*	*una camisa azul*

6 "Decir un piropo" o "piropear" es decir a otra persona algo bueno de su aspecto físico o de su carácter, por ejemplo:

Piensa un piropo para cada uno/a de tus compañeros/as y díselo.

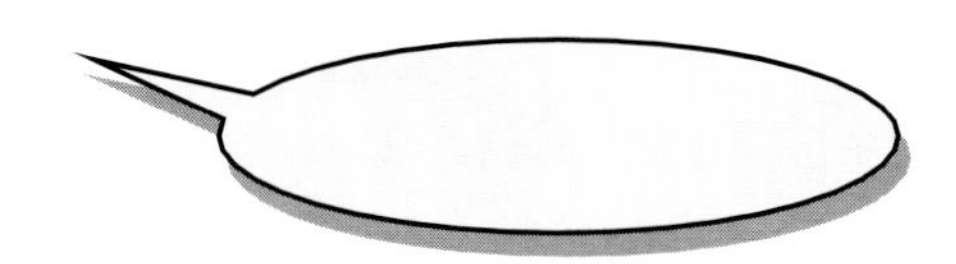

TEMA 4. EL EQUILIBRIO

1 ¿A quién conoces?

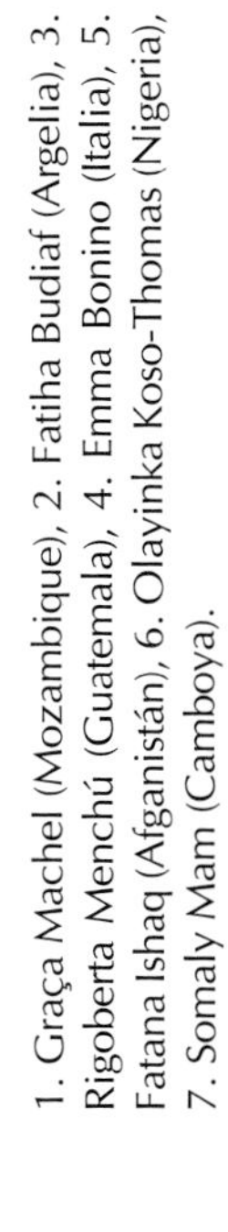
1. Graça Machel (Mozambique), 2. Fatiha Budiaf (Argelia), 3. Rigoberta Menchú (Guatemala), 4. Emma Bonino (Italia), 5. Fatana Ishaq (Afganistán), 6. Olayinka Koso-Thomas (Nigeria), 7. Somaly Mam (Camboya).

Premios de Cooperación Internacional (Premios Príncipe de Asturias)

Versión Mercosur, pág. 173

Pues conozco a Emma Bonino.

¿Quién es Emma Bonino?

La del centro, la que es rubia y lleva pantalones.

Observa

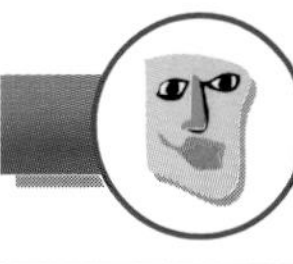

el...	calvo gordo/delgado	**la...**	rubia gorda
el de...	la derecha la camisa verde	**la de...**	la izquierda la blusa el vestido verde
el que...	tiene/lleva: bigote, barba está: sentado, de pie, sonriendo	**la que...**	lleva: gafas, abrigo está: sentada, de pie, hablando

@

2

Piensa en tu familia o en tus mejores amigos/as. Piensa en un rasgo característico de ellos/as. Dibújalos o lleva una fotografía y explica quiénes son.

El del bigote es mi padre, se llama Paul.

3

Ahora explica con más detalle cómo son la persona más joven y la mayor de tu familia o grupo de amigos/as.

4

Discute con tus compañeros/as quiénes son estos personajes describiéndolos.

TEMA 4. EL EQUILIBRIO

GRAMÁTICA ACTIVA

1 **Piensa en cosas que se pueden hacer para mejorar tu vida.**

2 **Aquí tienes una serie de sugerencias para mejorar la salud de tu cuerpo y de tu mente.**

Versión Mercosur, pág. 172

1. Haz ejercicio, deja el coche en casa y camina.
2. Come equilibradamente y toma bebidas sanas: agua, zumos...
3. Recuerda las pequeñas cosas que hacen tu vida más agradable: un beso, reír, abrazar, jugar...
4. Empieza el día llenándote de energía: haz ejercicio, piensa en ti unos minutos, etc.
5. Piensa en tu cuerpo. Cuida tus posturas y usa correctamente el cuerpo: eso influye en tu bienestar físico y emocional.
6. Encuentra formas de controlar o superar el estrés.

3 **¿Sabes qué es esta nueva forma del verbo que aparece en las sugerencias? Completa el esquema.**

	CAMINAR	COMER	VIVIR
(tú)			
(usted)	**camine**		**viva**
(vosotros/as)	**caminad**	**comed**	**vivid**
(ustedes)		**coman**	

@

4

Tira el dado y mueve una ficha. Di la forma del verbo en imperativo de la casilla en la que estás.

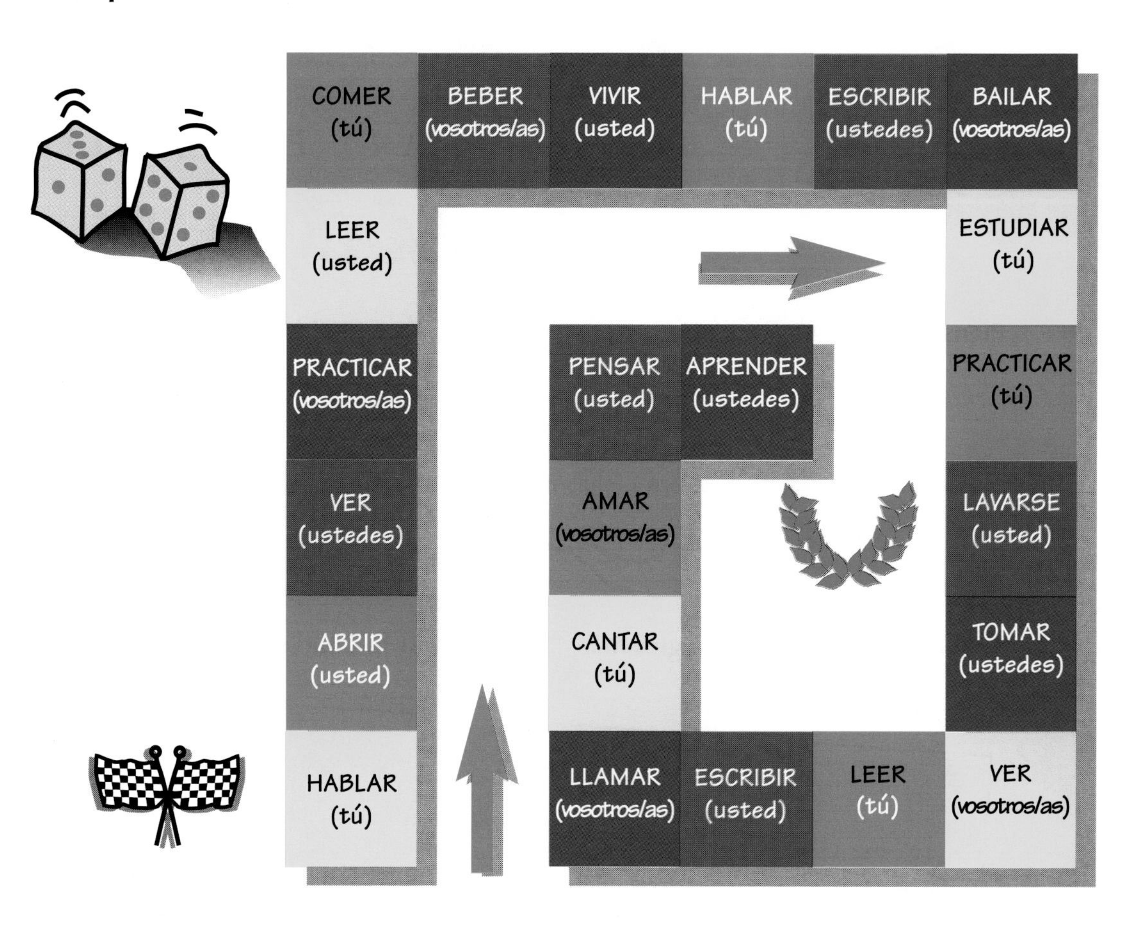

5

Aquí tienes algunos verbos especiales y sus formas del imperativo. ¿Puedes reconstruir el esquema?

	HACER	SALIR	DECIR	OÍR	SER	PONER	TENER
(tú)							
(usted)							
(vosotros/as)							
(ustedes)							

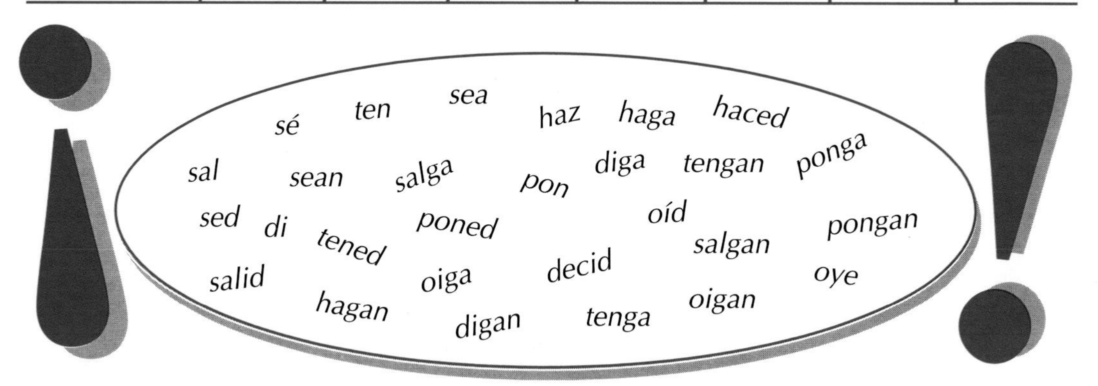

6 En español el imperativo no siempre se utiliza para dar órdenes.

Para llamar la atención

Para introducir una explicación

¿Sabes qué decimos aquí?

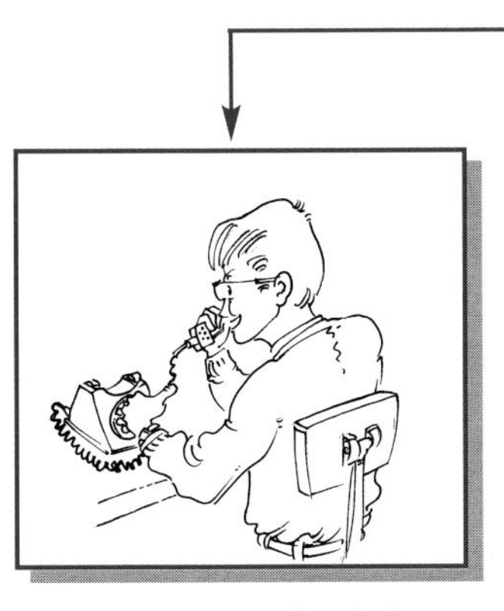

Para contestar el teléfono

Para dar ánimos

Para mostrar sorpresa

¿Sabes otras situaciones en las que utilizamos el imperativo?

7 *No pienses en un elefante rosa.*

A ver, ¿en qué has pensado?

Cuando damos órdenes negativas conseguimos lo contrario de lo que queremos. Aquí tienes unas órdenes negativas, intenta hacerlas positivas para conseguir tu objetivo:

¡No olvides llevarte las llaves! → *Recuerda llevarte las llaves.*
¡No tengas miedo!
¡No molestes a tu compañero/a!
¡No sufras!
¡No dejes los libros ahí!
¡No te preocupes!
¡No pienses en el examen de mañana!
¡No te distraigas!

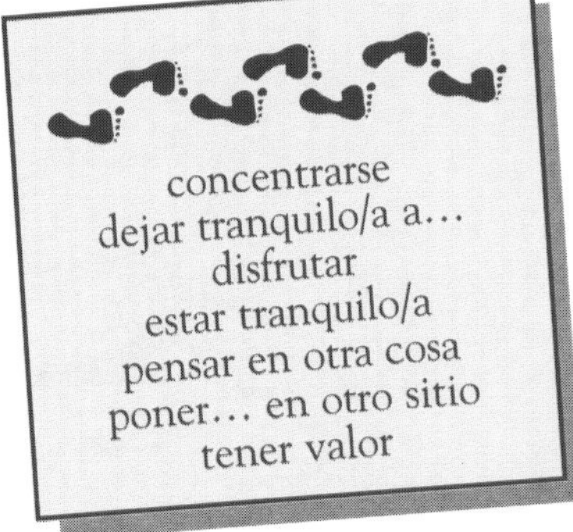

Práctica Global

1 . **Tu compañero/a tiene que esconderse de su ex-novio/a. Dile diez cosas que tiene que hacer para cambiar su aspecto físico.**

1. ....
2. ....
3. ....
4. ....
5. ....
6. ....
7. ....
8. ....
9. ....
10. ....

afeitarse la cabeza
cortarse el pelo
teñirse el pelo
rizarse el pelo
ponerse gafas
ponerse lentillas
dejarse barba
dejarse bigote
ponerse peluca
ponerse un postizo

Estrell@ fug@z

1. Observa este cuadro.

Niñas bañándose. © Joaquín Sorolla. VEGAP. Madrid, 1998

2. Describe el cuadro:

- Cómo es la escena.
- Qué te llama la atención.
- Tu opinión personal.
- Busca tres palabras que te sugiera el cuadro.

3. ¿Conoces ya a este pintor español, Joaquín Sorolla? ¿Qué te parece? ¿De qué época crees que es? ¿Cuál es el estilo de su pintura?

4. Rafael Alberti es un poeta español que, como estas niñas, nació y se crió junto al mar, pero a los 15 años se trasladó a Madrid. El primero de sus libros se tituló *Marinero en tierra*. ¿Qué te sugiere el título?

5. Aquí tienes uno de sus poemas. Léelo y di qué te sugiere, qué idea del mar tiene.

El mar. La mar.
El mar. ¡Sólo la mar!
¿Por qué me trajiste, padre,
a la ciudad?
¿Por qué me desterraste
del mar?
En sueños, la marejada
me tira del corazón.
Se lo quisiera llevar.
Padre, ¿por qué me trajiste
acá?

Rafael Alberti
Marinero en tierra

¿Te has fijado que él habla del mar en masculino y a veces en femenino? ¿Qué crees que prefiere el poeta, la forma femenina o masculina?, ¿qué crees que significa eso?

TEMA 4. EL EQUILIBRIO

1 **Pon el nombre de las partes del cuerpo.**

- ☐ la cabeza
- ☐ el cuello
- ☐ el pecho
- ☐ la espalda
- ☐ el brazo
- ☐ la mano
- ☐ la tripa
- ☐ la pierna
- ☐ el pie
- ☐ los dedos

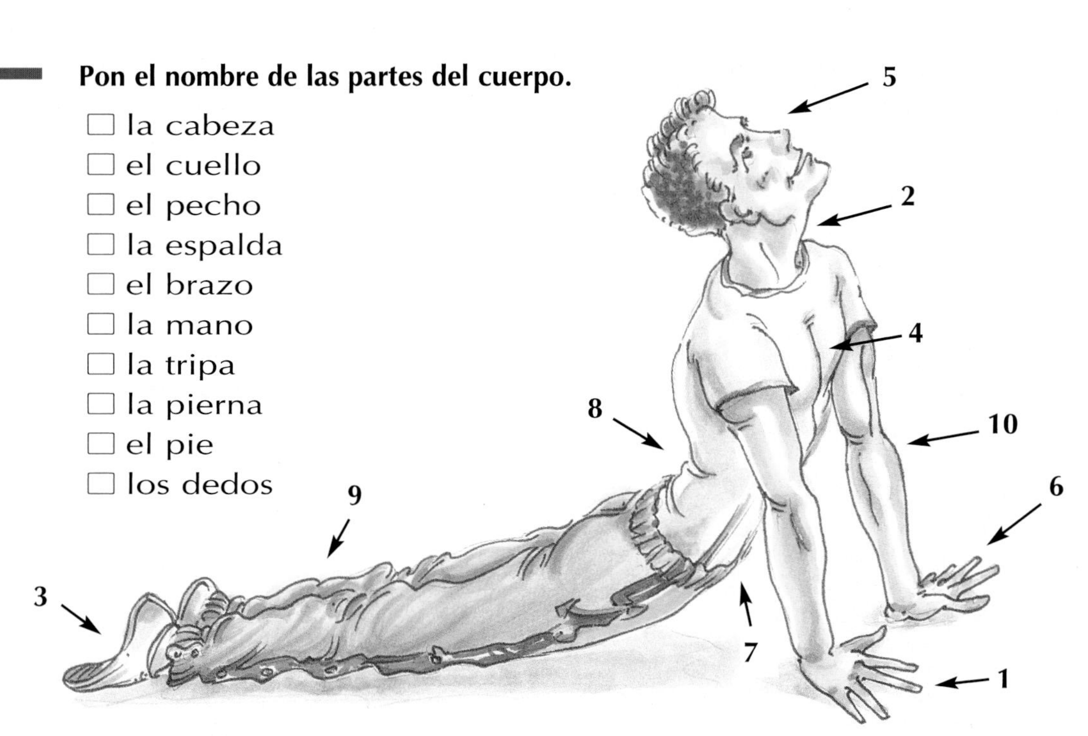

2 **Mira estos anuncios sobre tipos de medicinas. ¿Cuál te ofrece más seguridad? ¿En cuál confías más? ¿Por qué?**

ASPIRINA

Composición: ácido acetil-salicílico.
Acción: contra el dolor de cabeza, dolor de dientes y otros dolores y fiebre.
Dosis: 1 pastilla cada 4 ó 6 horas.
Contraindicaciones: úlcera, alergias a salicilatos, hemofilia, insuficiencia hepática y/o renal.
Precauciones: si se presentan síntomas de vómitos o letargo, interrumpir el tratamiento.

Consulte a su médico antes de dar este tratamiento a niños o adolescentes con fiebre, gripe o varicela.

Importante para la mujer: si usted está embarazada, consulte a su médico antes de tomar este medicamento.

TERAPIAS ALTERNATIVAS

Remedios alternativos
Te encuentras mal, tienes dolores, enfrentamientos, depresiones, cólicos, reúma y no se sabe cuántas cosas más. ¿A qué esperas para mejorar, para estar en armonía con el momento, contigo mismo? Nosotros te proponemos una solución para tus problemas: la ***terapia floral***, además de masaje y asesoramiento por un psicólogo y un naturópata. Ya sabes: ¡al mal tiempo, buena cara y, sobre todo, buenos remedios! Horario: de 10 a 13 h y de 15 a 20 h.
Información: Barcelona, 93 212 72 55; L'Hospitalet, 93 334 63 44.

Observa

EXPRESAR DOLOR	Tener dolor de... Dolerle (a alguien) el/la/los/las... Sentirse mal.
HABLAR DE LOS SÍNTOMAS	Tener náuseas. Toser. Estar mareado/a. Tener fiebre.
HABLAR DE ENFERMEDADES	Tener la gripe. Estar constipado/a.

3 **¿Puedes explicar qué les pasa?**

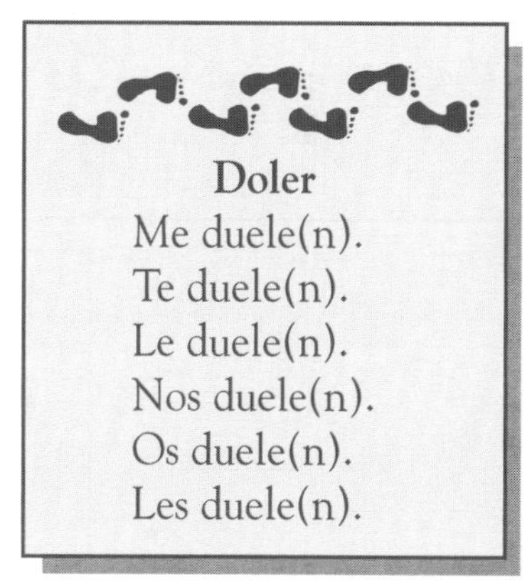

Doler

Me duele(n).
Te duele(n).
Le duele(n).
Nos duele(n).
Os duele(n).
Les duele(n).

@

4 & Relaciona

- ☐ pastillas
- ☐ cápsulas
- ☐ tubo
- ☐ frasco de jarabe
- ☐ caja
- ☐ inyección
- ☐ sobre
- ☐ cucharilla
- ☐ tubo de pomada

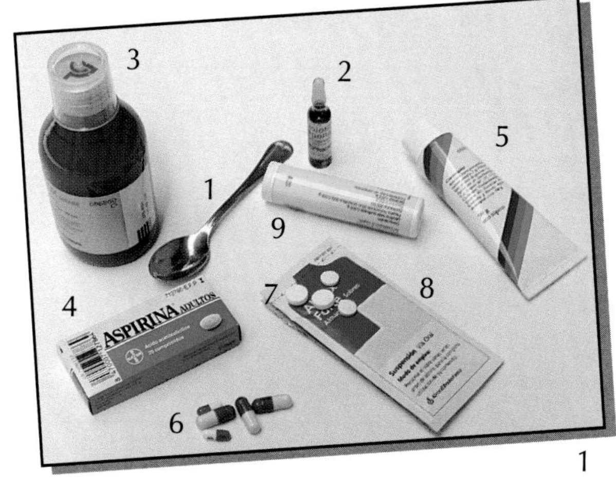

1

5

Explica cuáles son las dosis.

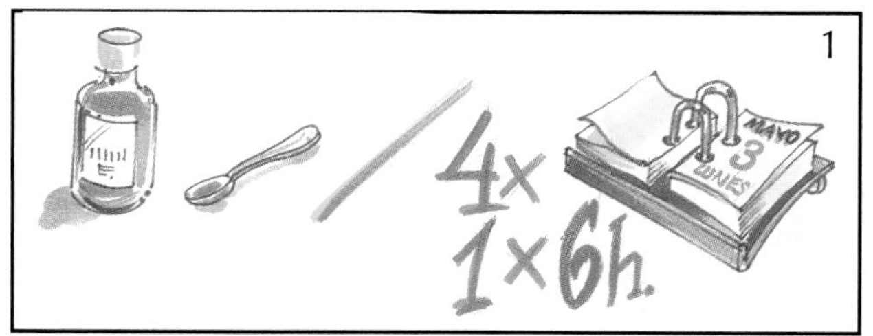

6

Escucha a estas personas en la cinta o en el vídeo y escribe qué les pasa.

	SÍNTOMAS	DIAGNÓSTICO	REMEDIO
1.			
2.			
3.			
4.			

1. Buf, estoy agotada, tengo un cansancio... me duelen las piernas. No sé si es el calor.
2. Tengo un dolor de espalda terrible. Es que siempre que tengo una reunión de trabajo me da un dolor de espalda... debería hacer algo, más ejercicio o no sé...
3. Hoy tengo un malestar de muerte. Me duele la cabeza, la garganta, el cuerpo. Estoy que no puedo estar de pie. Creo que tengo fiebre.
4. He ido cinco veces al baño, y tengo náuseas y bastante fiebre. Creo que he comido algo malo.

2

TEMA 4. EL EQUILIBRIO

GRAMÁTICA ACTIVA

1 **¿Sabes qué es un chiste? ¿Puedes contarnos uno?**

Ja Ja

2 **Escucha este chiste en la cinta audio o en el vídeo.**

Pues, esto es un hombre que va al médico y le explica lo que tiene, y el médico le dice: Lo que tiene que hacer es dejar de fumar, no coma carne ni grasa, no se excite, no tenga una vida sexual intensa, no tome alcohol ni dulces.
¿Y con eso viviré mucho? - pregunta el paciente.
Y va el médico y le contesta: Vivir, vivirá lo mismo, pero se le hará larguíííísimo.

Versión Mercosur, págs. 170-172

3 **Observa y completa.**

No coma carne ni grasa. *No tome alcohol ni dulces.*

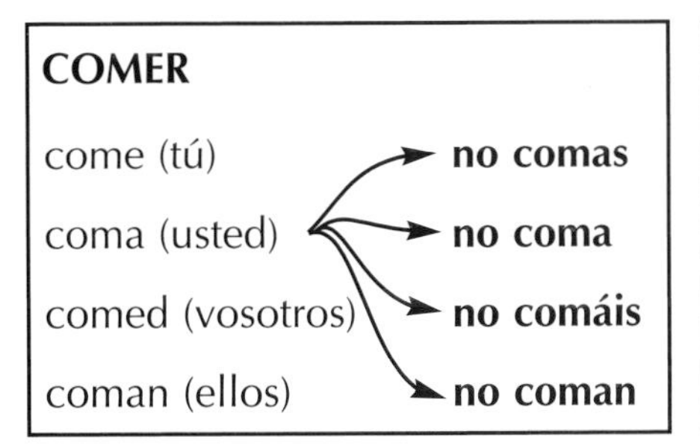

COMER	
come (tú)	**no comas**
coma (usted)	**no coma**
comed (vosotros)	**no comáis**
coman (ellos)	**no coman**

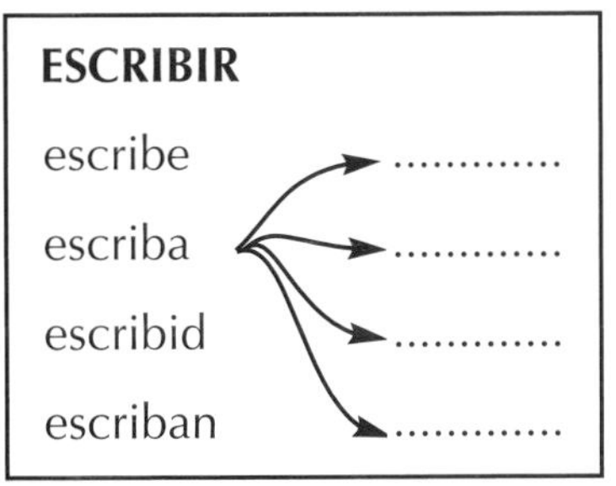

ESCRIBIR	
escribe	....
escriba	....
escribid	....
escriban	....

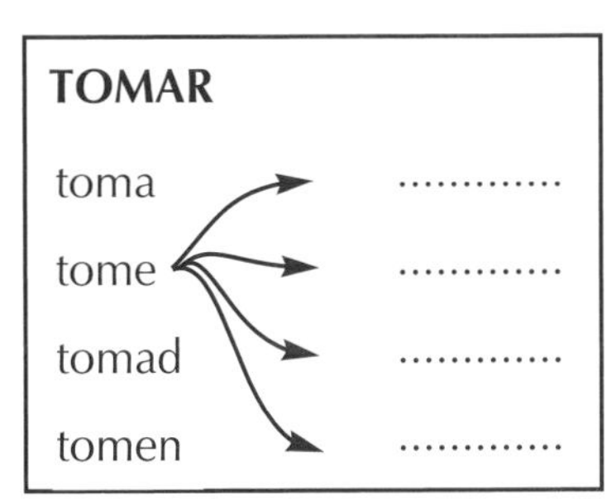

TOMAR	
toma	....
tome	....
tomad	....
tomen	....

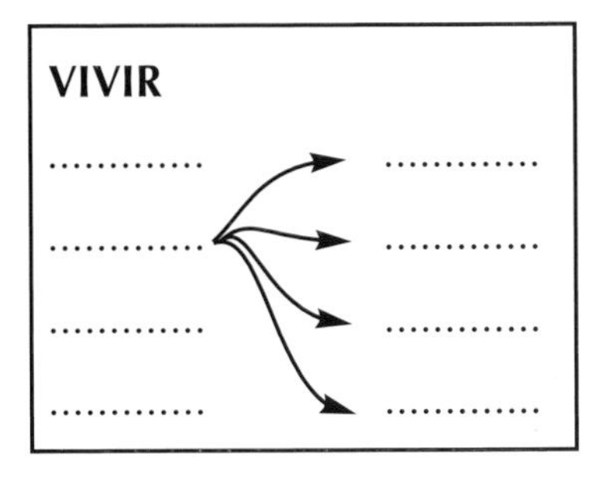

VIVIR	
....	....
....	....
....	....
....	....

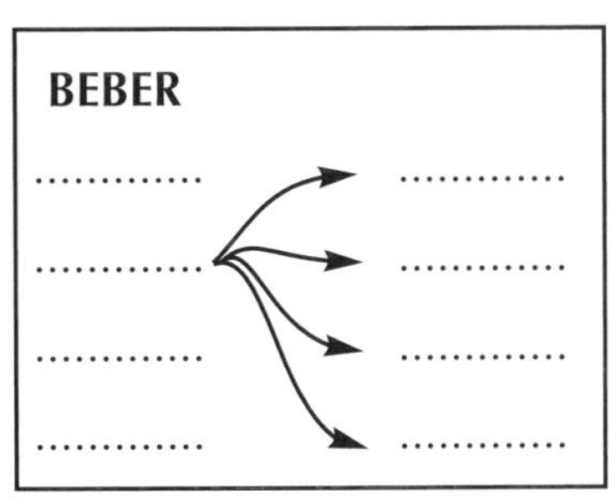

BEBER	
....	....
....	....
....	....
....	....

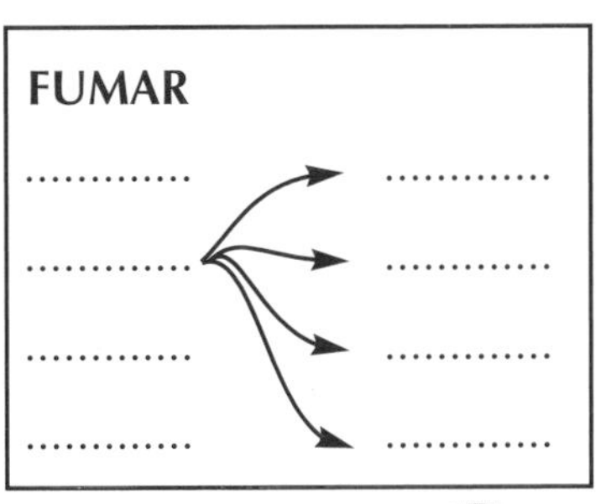

FUMAR	
....	....
....	....
....	....
....	....

4

Explica estas nuevas señales para hacer la vida más agradable a todos/as.

No lleves el casete a la playa

aparcar en el paso de cebra

tirar colillas

pitar

tirar papeles

gritar

correr

¿Puedes inventar otras?

5

Aquí tienes la forma de algunos verbos especiales. ¿Puedes reconstruirlos?

TENER →	**yo tengo**
ten (tú)	no tengas
tened (vosotros/as)	no tengáis
tenga (usted)	no tenga
tengan (ustedes)	no tengan

DECIR →	**yo digo**
....	....
....	....
....	....
....	....

HACER →	**yo hago**
....	....
....	....
....	....
....	....

PONER →	**yo pongo**
....	....
....	....
....	....
....	....

6

Recuerda qué te decían o qué te prohibían tus padres, tus profesores/as, tus mayores cuando eras pequeño/a.

No te metas el dedo en la nariz.

7

El Dr. Turulátez ha dado unos consejos un poco raros para mejorar la salud de un paciente. Piensa cuáles son correctos y cambia los raros.

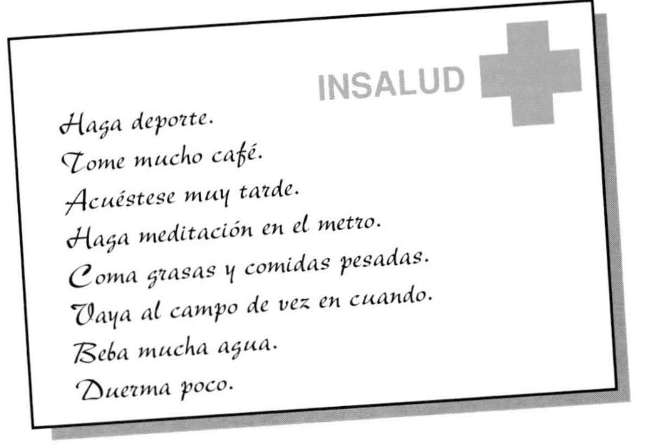

INSALUD

Haga deporte.
Tome mucho café.
Acuéstese muy tarde.
Haga meditación en el metro.
Coma grasas y comidas pesadas.
Vaya al campo de vez en cuando.
Beba mucha agua.
Duerma poco.

Práctica Global

1. Estos son algunos malos hábitos de la sociedad actual. ¿Tienes o has tenido alguno de estos hábitos? Haz una lista de 5 hábitos malos que tienes o has tenido. Cuéntaselo a tu compañero/a, explícale por qué y escucha sus consejos.

- hacer poco ejercicio
- medicarse excesivamente
- ver mucho la televisión
- trabajar demasiadas horas o en fin de semana
- estar siempre frente al ordenador
- ir siempre en coche
- comer demasiada carne

1. ....
2. ....
3. ....
4. ....
5. ....

2. Crea con tu compañero/a una lista de 10 cosas que hay que hacer para mejorar la salud. Utiliza los imperativos.

....
1. ....
2. ....
3. ....
4. ....
5. ....
6. ....
7. ....
8. ....
9. ....
10. ....

tarea

1. ¿Qué sabes de estas formas de curación?, ¿cómo tratan la enfermedad?

- Medicina tradicional
- Medicina homeopática
- Psicoterapia
- Acupuntura

2. ¿Qué ventajas y qué inconvenientes tiene cada una?

3. ¿En qué crees y en qué no?

4. El siguiente texto describe las causas del dolor de cabeza y aporta remedios naturales. Léelo:

Conviene saber que el dolor de cabeza no es una enfermedad, sino un síntoma. El dolor es una señal de alarma, un grito de auxilio de nuestro organismo, que nos pide ayuda. Si no le hacemos caso y alejamos una señal con pastillas, el cuerpo acabará reaccionando con un dolor constante.

LAS CAUSAS POSIBLES DE LOS DOLORES DE CABEZA SON O PUEDEN SER:

- **Indigestión:** Una indigestión con náuseas y vómitos puede producir dolor de cabeza. Es conveniente en esos casos aplicar compresas de agua fría sobre la cabeza.

- **Estreñimiento crónico:** Otro de los factores que puede producir dolor de cabeza es el estreñimiento crónico. Para solucionarlo hay que adoptar una alimentación rica en fibra. No intente solucionarlo tomando medicinas químicas o laxantes, porque las consecuencias pueden ser peores.

- **Problemas oculares:** En algunos casos el dolor de cabeza se puede deber a los ojos. Cuando alguien ve mal, o las gafas o lentillas están mal graduadas, la tensión ocular genera dolor de cabeza. Túmbese de espaldas de vez en cuando aplicando compresas de agua fría en los ojos.

- **Síndrome premenstrual:** Las mujeres que tienen dolor de cabeza antes de la menstruación pueden tomar infusión de caléndula; tómenla durante la menstruación y tres veces al día durante unos meses.

- **Migrañas:** Un psiquiatra alemán caracteriza al paciente del tipo migraña como una persona perfeccionista y seria, que siente demasiada responsabilidad en su profesión. Estas personas tienen más necesidad de sentirse seguras que otras y se creen amenazadas por toda clase de incertidumbres. Si tiene migrañas con frecuencia, no tome analgésicos, pasee al aire libre, aplique fricciones de aceite de hierbabuena o haga hidroterapia.

final

5. Contesta a las preguntas:

CUESTIONARIO

1. Ante todo, ¿es el dolor de cabeza una enfermedad?
....

2. Haz un pequeño resumen del texto con:
- las causas más frecuentes del dolor de cabeza;
- los remedios que se aconsejan.
....
....
....

3. ¿Te duele a ti la cabeza? ¿Cuándo? ¿Crees que tienes alguno de estos problemas?
....
....

4. ¿Qué remedios usas si te duele la cabeza?
....

6. Ahora te presentamos el siguiente problema: tu profesor/-a tiene fuertes dolores de cabeza. Toma un rol (eres un/-a médico/a tradicional o un/-a médico/a homeópata). Dale consejos:

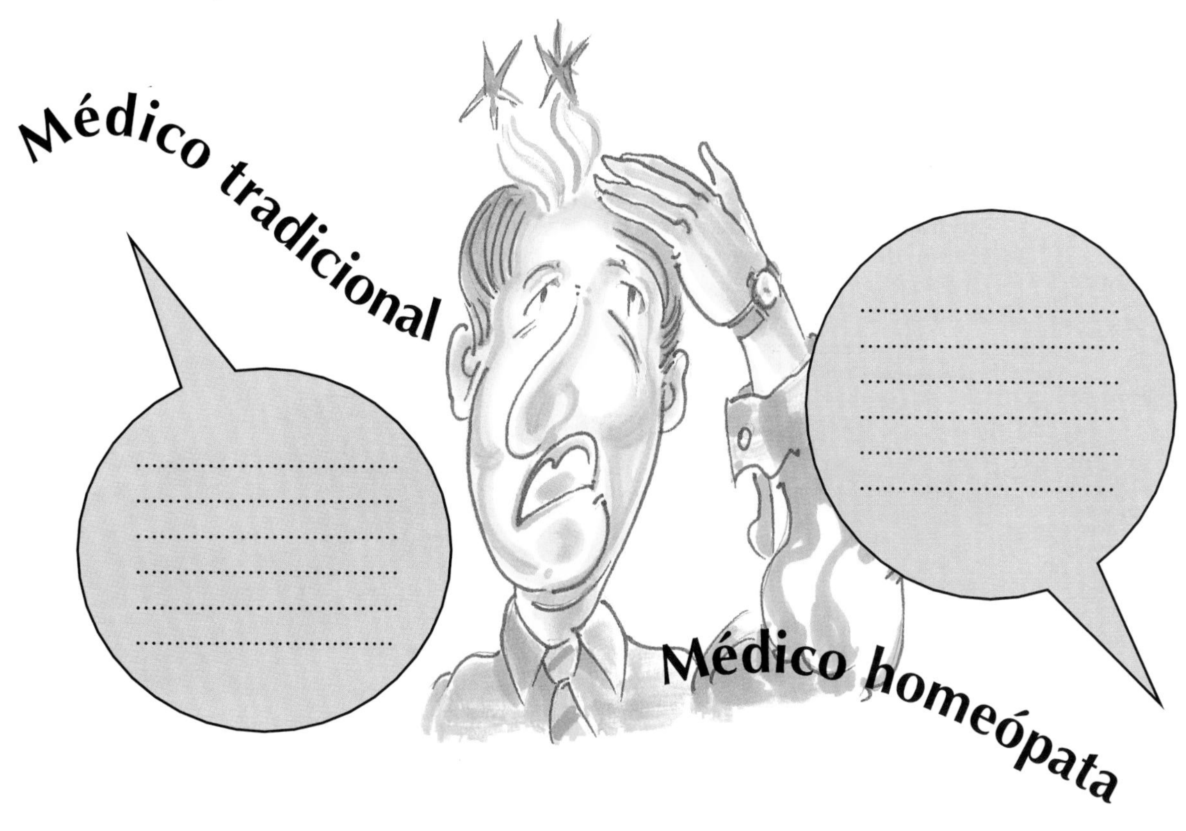

[350 m

Cuerpo y alma están presentes por igual en la literatura hispanoamericana. Este es quizás el secreto de su éxito. El realismo mágico de García Márquez o Isabel Allende, por ejemplo, presenta situaciones de la vida real, pero que tienen causas y consecuencias prodigiosas.
Aquí tienes, bajo la forma de juego de adivinanza, algunos datos sobre famosos/as escritores/as de Hispanoamérica y sus obras, que te servirán para completar el cuadro.

	NOMBRE	APELLIDOS	PAÍS	OBRA	RASGO FÍSICO
1.					
2.	*Julio*				
3.					
4.					
5.					

1. El colombiano se llama Gabriel.
2. La mexicana escribió *Como agua para chocolate*.
3. El que tiene bigote es de Colombia.
4. El peruano no se llama Cortázar de apellido.
5. *La casa de los espíritus* lo escribió una mujer.
6. El autor de *Rayuela* es argentino, pero nació en Bruselas.
7. El peruano se apellida Vargas Llosa.
8. Gabriel no se apellida Vargas.
9. El del pelo canoso no es colombiano.
10. Mario es el autor de *La ciudad y los perros*.
11. Julio es de Argentina.
12. Isabel es morena y lleva pendientes.
13. Cortázar es moreno y tiene barba y bigote.
14. Isabel Allende es chilena.
15. Laura no es chilena.
16. García Márquez no es de Perú, ni de Argentina.
17. Esquivel es castaña, tiene el pelo largo y ondulado.
18. El autor de *Cien años de soledad* tiene el pelo rizado y sonríe.
19. *La ciudad y los perros* lo escribió un peruano.
20. La autora de *Como agua para chocolate* se apellida Esquivel.

4

llones]

¿Has leído alguna de estas novelas o las has visto en el cine?
Aquí tienes algunos datos referentes a estas cinco novelas. Elige con tu compañero/a una, lee los datos y cuéntaselos a tus compañeros/as.

1

2

La casa de los espíritus es la novela que consagró a Isabel Allende como autora de gran importancia en la narrativa hispanoamericana. Es, sobre todo, la historia de tres generaciones de mujeres: Clara, la niña adivina que dejó de hablar a los nueve años y que no volvió a pronunciar una palabra hasta que a los diecinueve años anunció que se iba a casar con Esteban Trueba; su hija Blanca y sus difíciles amores; su nieta Alba, que recogió el testimonio de la vida de su abuela leyendo los "cuadernos de anotar la vida" que esta había escrito durante cincuenta años. Ha sido llevada al cine.

En *Rayuela*, Julio Cortázar nos habla de dos ciudades: París y Buenos Aires; nos propone dos posibles modos de lectura: leerla hasta el capítulo 56 o bien empezar por el 73 y luego seguir el orden que se indica en el Tablero de Dirección; y nos da la explicación de qué es la rayuela y cómo se juega a ella: "La rayuela se juega con una piedrita que hay que empujar con la punta del zapato. Ingredientes: una acera, una piedrita, un zapato, y un bello dibujo con tiza, preferentemente de colores. En lo alto está el Cielo, abajo está la Tierra, es muy difícil llegar con la piedrita al Cielo, casi siempre se calcula mal y la piedra sale del dibujo".

5

EL GARCÍA MÁRQUEZ
AÑOS DE SOLEDAD
ITORIAL SUDAMERICANA.

Laura Esquivel ha llegado a ser mundialmente famosa con *Como agua para chocolate*, esta original novela llevada al cine que la autora subtitula "de entregas mensuales, con recetas, amores y remedios caseros". Tita, la protagonista, es la hija menor de una familia y, por ello, no puede casarse, ya que debe cuidar de su madre hasta que esta muera. Pero Tita ama a Pedro...

"Muchos años después, frente al pelotón de fusilamiento, el coronel Aureliano Buendía había de recordar aquella tarde remota en que su padre lo llevó a conocer el hielo". Así comienza *Cien años de soledad*, la novela de Macondo, el pueblo más representativo del realismo mágico de la literatura hispanoamericana, y la obra más conocida de Gabriel García Márquez.

4

La ciudad y los perros es una novela de acción violenta que se desarrolla en el colegio militar Leoncio Prado, en Lima. En ella asistimos a las tensiones de la convivencia de un grupo de muchachos de diferente origen social, económico y étnico. Consagró a su autor, Mario Vargas Llosa.

3

Con el ♥

♥ Después de haber aprendido tantas cosas, estamos seguros de que te apetece descansar. !Nada mejor que una relajación! Vamos a hacer juntos/as una relajación.

♥ Antes recuerda estas palabras:

ojos	nariz
boca	músculos
antebrazo	pantorrilla
muslos	glúteos
espalda	etc.

audio Y ahora siéntate cómodamente, cierra los ojos y sigue las instrucciones. ¡Que te relajes!

@

En esta unidad has aprendido:

• **VOCABULARIO.** Recuerda las palabras para:

descripciones físicas	el bigote
partes del cuerpo	
enfermedades	

• **GRAMÁTICA.** Recuerda la forma del imperativo afirmativo regular:

	-AR: caminar	**-ER:** comer	**-IR:** vivir
(Tú)			
(Usted)			
(Vosotros/as)			
(Ustedes)			

- Y de los verbos especiales:

	HACER	SALIR	DECIR	OÍR	SER	PONER	TENER
(Tú)							
(Usted)							
(Vosotros/as)							
(Ustedes)							

- Y la forma del imperativo negativo:

	-AR: caminar	**-ER:** comer	**-IR:** vivir
(Tú)			
(Usted)			
(Vosotros/as)			
(Ustedes)			

- Y de los verbos especiales:

	HACER	SALIR	DECIR	OÍR	SER	PONER	TENER
(Tú)							
(Usted)							
(Vosotros/as)							
(Ustedes)							

- **¿CÓMO SE DICE?** Recuerda cómo dices para:

Describir a personas	tiene el pelo largo... es rubia...
Identificar a personas	el de las gafas... la que tiene...

Tema 4 En autonomía

1. Completa este crucigrama.

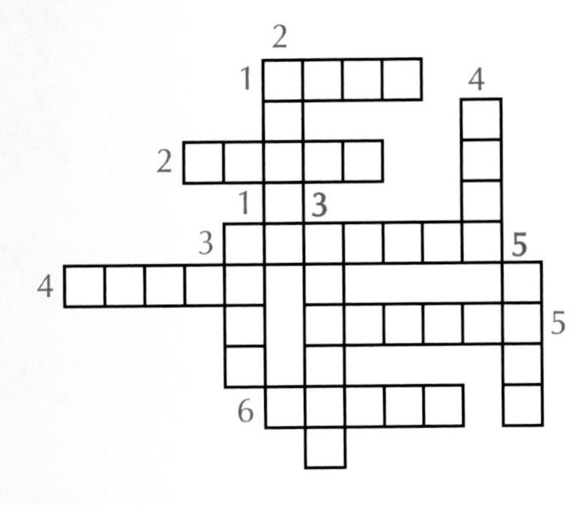

Horizontales:
1. Los indígenas de América Latina suelen tener el pelo…
2. En verano es más cómodo llevar el pelo…
3. Muchos extranjeros piensan que todos los españoles son…
4. Algunos hombres dejan crecer su pelo debajo de la boca y entonces tienen…
5. Otros encima de la boca y entonces tienen…
6. Si una persona no ve bien debe usar…

Verticales:
1. Cuando una persona es simpática y amable, también se puede decir que es...
2. Para llevar trenzas es necesario tener el pelo…
3. No todas las españolas son morenas, en muchas regiones hay muchas…
4. Pueden ser marrones, grises, verdes o azules.
5. Puede ser rizado o liso.

2. Escucha la descripción de una de estas personas y toma notas. Después describe a las otras como en el modelo.

3. Mira esta foto y contesta a las preguntas.

ENRIQUE

1. ¿La que está de espaldas es Juana?
2. ¿El de la camisa verde es Enrique?
3. ¿Quién es Antonio?
4. ¿Antonio es el que está de pie?
5. ¿María es la que está de frente?
6. ¿Quién es Roberto?
7. ¿El del pañuelo al cuello y el jersey es Roberto?

4. Aquí tienes unos verbos en imperativo. ¿Sabes qué verbos son? Di cuál es la forma para TÚ y cuál es para USTED y completa el esquema.

dibuje hable anda coma abre pregunta vive toma escriba bebe camine beba escuche

Verbo	Forma **TÚ**	Forma **USTED**

5. **¿Puedes reconstruir la forma de los verbos en imperativo?**

-AR	-ER	-IR

6. **¿Cómo es la forma "YO" del presente de estos verbos?**

- Salir ....
- Tener ....
- Oír ....
- Decir ....
- Hacer ....
- Poner ....

Los verbos que toman -GO en el presente, en la forma "YO" son especiales:

Salir ⟶ (Yo) salgo ⟶ Sal (tú)
Salga (usted)
Salid (vosotros/as)
Salgan (ustedes)

Intenta reconstruir la forma de los verbos.

	Salir	Decir	Tener	Hacer	Oír	Poner
(Tú)	Sal					
(Usted)	Salga					
(Vosotros/as)	Salid					
(Ustedes)	Salgan					

7. **Pon el nombre de las partes del cuerpo.**

la cabeza
la boca
los ojos
la nariz
las orejas
el cuello
el pecho
el estómago
los brazos
las piernas
las manos
los pies

8. ¿Qué te duele cuando...?

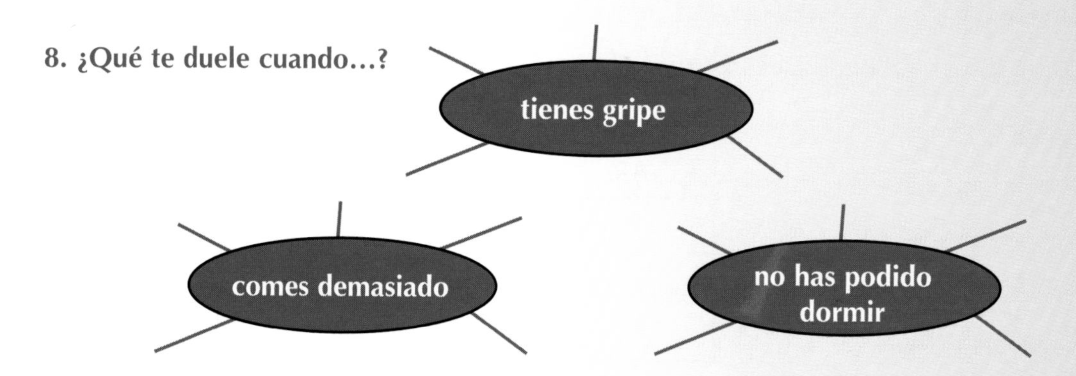

9. ¡Pobre niño! Seguro que ya ha aprendido el esquema del imperativo negativo. ¿Puedes reconstruirlo tú también?

VERBO						
(Tú)						
(Usted)						
(Vosotros/as)						
(Ustedes)						

10. Esta es la casa del Sr. Imperatívez. ¿Qué está prohibido hacer en su casa?

11. Subraya los imperativos en las siguientes frases. ¿Para qué se usan en estos contextos? Relaciona con la columna de la derecha:

1. Pase, pase, por favor.	a. Incitar a una acción.
2. Mira, te voy a contar una cosa increíble.	b. Mostrar sorpresa.
3. Oye, ¿tienes hora?	c. Contestar al teléfono.
4. ¿Dígame?	d. Introducir una explicación.
5. ¡Anda!, si está ahí Roberto.	e. Llamar la atención de alguien.
6. Venga, vamos al cine.	f. Dar permiso mostrando amabilidad.

12. Las peticiones en imperativo también se pueden expresar de otras maneras más amables. Transforma las frases según el modelo, de menos formal a más formal:

1. Hazme una fotocopia.	¿Puedes hacerme una fotocopia? ¿Podrías hacerme una fotocopia? ¿Serías tan amable de hacerme una fotocopia?
2. Déjame un bolígrafo.	....
3. Páseme la sal.	....
4. Tráeme un vaso de agua.	....
5. Enséñeme ese vestido.	....

13. Ahora pide estas cosas de acuerdo a la situación.

1. A un/-a amigo/a que tiene mucho cariño al libro porque era de su abuelo.
2. A un/-a bibliotecario/a.
3. A un/-a chico/a que te ha quitado tu libro.

1. A un/-a camarero/a.
2. A tu compañero/a de mesa en una comida de negocios.
3. A la persona de la mesa de al lado.

1. A un/-a señor/-a que pasa por la calle.
2. A un/-a compañero/a de trabajo.

tema

LA CONVIVENCIA: *nuevas familias, nuevos amores*

Versión Mercosur, pág. 174

1 2 3

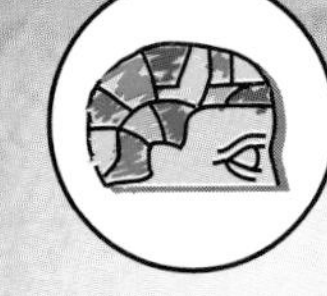

Mapa mental

Vas a aprender a...

- Hablar de otras personas
  - Me cae bien
  - Me llevo bien
- Hablar de los parecidos
  - Son iguales
- Hablar de sentimientos
  - Me pongo nervioso/a
  - Me da vergüenza
- Reaccionar ante otros/as
  - Me pone nervioso/a
  - Me molesta
  - Me encanta
- Reaccionar ante lo que otros/as hacen
  - Me molesta que hablen alto

Escucha esta canción.

Yo no te pido

Yo no te pido que me bajes una estrella azul,
sólo te pido que mi espacio llenes con tu luz.

Yo no te pido que me firmes diez papeles grises para amar,
sólo te pido que tú quieras las palomas que suelo mirar.

De lo pasado no lo voy a negar,
el futuro algún día llegará
y del presente qué te importa la gente
si es que siempre van a hablar.

Sigue llenando este minuto de razones para respirar,
no me complazcas, no te niegues, no hables por hablar.

Yo no te pido que me bajes una estrella azul,
sólo te pido que mi espacio llenes con tu luz.

Pablo Milanés

¿De qué crees que habla?

¿Qué le pide Pablo Milanés a la persona que ama?

¿Qué significa para ti una estrella azul?

¿Y los papeles grises?

Y tú, ¿qué le pides a una persona que quieres?

Órbita 1a

TEMA 5. LA CONVIVENCIA

1

Mira esta ilustración. ¿De qué crees que están hablando? ¿Cuál es la actitud del hombre de la derecha?

2

Escucha en la cinta o mira en el vídeo este diálogo y toma notas.

- **¿Qué le pasa a este hombre?**
- **¿Cómo se siente?**
- **¿Cómo reacciona su interlocutor?**

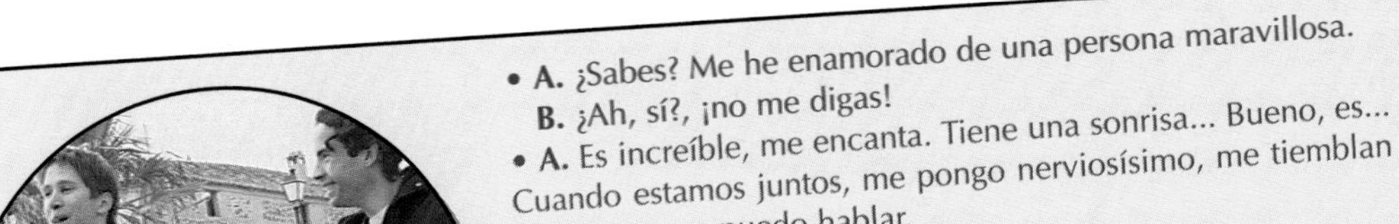

- **A.** ¿Sabes? Me he enamorado de una persona maravillosa.
  B. ¿Ah, sí?, ¡no me digas!
- **A.** Es increíble, me encanta. Tiene una sonrisa... Bueno, es... Cuando estamos juntos, me pongo nerviosísimo, me tiemblan las manos, no puedo hablar.
  B. Pero... ¿os conocéis mucho?
- **A.** Bueno, trabajamos juntos, nos llevamos bien, tenemos muchas cosas en común. Hasta ahora no había pasado nada, pero de pronto no sé qué me ha pasado...
  B. ¿Y cómo es?
- **A.** Puf... no sé qué decirte... una persona... interesante, inteligente, encantadora.
  B. Buenooo, te ha dado fuerte...

Observa

HABLAR DE SENTIMIENTOS	Me pongo nervioso/a. Me pongo rojo/a. Me pongo triste. Me pongo contento/a. Me alegro. Me enfado.

3 ¿Cómo te sientes cuando...

Versión Mercosur, pág. 174

...estás cerca de una persona que te gusta mucho?

Pues yo, cuando estoy cerca de una persona que me gusta mucho, me pongo nerviosa y roja.

2

...los vecinos ponen la televisión muy alta?

1

Cuando los vecinos ponen la televisión muy alta, yo, la verdad, me enfado mucho.

1. tu pareja está coqueteando con otra persona?
2. el/la profesor/-a te pregunta algo?
3. tus amigos se acuerdan de tu cumpleaños y te llaman?
4. te regalan algo?
5. los vecinos ponen la televisión muy alta?
6. te gritan?
7. te hablan tres personas a la vez?
8. estás enamorado/a?
9. tienes un examen?

4 ¡Somos de muchos colores!

Relaciona

- me pongo rojo/a
- me he puesto morado/a
- me pongo negro/a
- me puse blanco/a
- se puso amarillo/a
- se puso verde

- he comido mucho
- me pongo muy nervioso/a
- me da vergüenza
- estaba enfermo/a, mareado/a
- del susto
- de envidia

Tema 5. La convivencia

1 **Mira estos dibujos. ¿Qué sentimientos te provoca cada uno de ellos?**

Me pone triste...
Me da pena...
Me gustan...
Me encantan...
Me alegran...
Me molesta...
Me enfadan...
...

...los atascos.

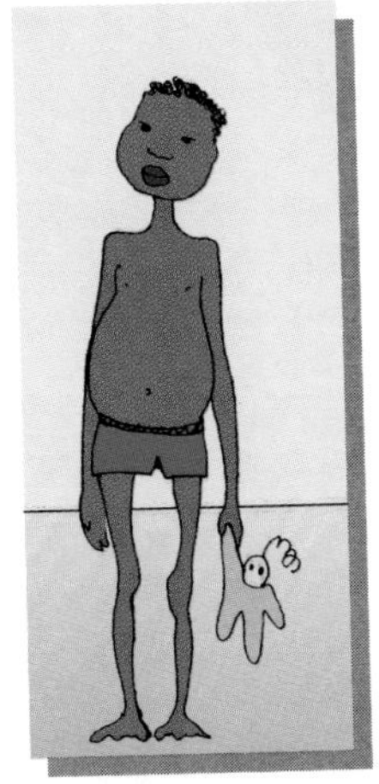

...ver a los niños desnutridos.

...el ruido.

...los niños.

Observa

HABLAR DE SENTIMIENTOS

Me pone nervioso/a Me pone malo/a Me alegra / Me enfada	esperar. el ruido. el sol / el otoño.
Me ponen nervioso/a Me ponen malo/a Me alegran / Me enfadan	las discusiones. los atascos. las Navidades.

2 **Piensa en una situación o en hechos que...**

1. te pone/-n nervioso/a.
2. te pone/-n triste.
3. te alegra/-n.
4. te enfada/-n.
5. te molesta/-n.
6. te pone/-n furioso/a.

3 Transforma las frases de acuerdo al modelo.

Me pongo nervioso/a cuando oigo una taladradora.
Me pone nervioso/a oír una taladradora.

1. Me alegro cuando veo a mis amigos.
2. Me pongo triste cuando veo la desigualdad en el mundo.
3. Me pongo contento/a cuando recibo una visita en casa.
4. Me enfado cuando discuto con mis compañeros/as de trabajo.
5. Me pongo malo/a cuando no tengo tiempo.

4 ¿Qué te parecen estos personajes famosos? ¿Cómo te caen? ¿Por qué?

MARTIN LUTHER KING GANDHI

DALÍ JUAN CARLOS I

CHE GUEVARA TINA TURNER

EL PAPA ELTON JOHN PAVAROTTI

5 Escucha estos diálogos -oye la cinta o mira el vídeo- y marca con una cruz.

	1	2	3	4	5
se llevan bien					
se llevan mal					
le cae bien					
le cae mal					

1. ¿Miguel?, es una persona estupenda. He viajado muchas veces con él y muy a gusto. Tenemos muchas cosas en común.
2. Sí, sí, Alicia es una chica muy maja, pero... no sé, no conectamos.
3. A. Qué simpático es Alberto, ¿no?
B. Sí, la verdad es que es encantador.
4. A. Qué simpático es Alberto, ¿no?
C. Pues no lo conozco mucho, pero me parece un imbécil, no me resulta nada simpático.
5. - ¿Otra vez has dejado los cacharros sin fregar?
- ¿Ya estamos?, ¿es que nos tenemos que pelear todos los días?
- Es que no te soporto.

Observa

HABLAR DE OTRAS PERSONAS	Me cae bien/mal... Me llevo bien/mal con... Me encanta. Me vuelve loco/a.

6

Piensa en alguien que te cae muy, muy bien y di tres cosas por las que te cae bien.

Tengo un amigo que se llama Jordi y me cae muy bien porque es super simpático, muy generoso y además es muy hospitalario.

....
....
....

Ahora piensa en una persona que te cae mal. Piensa en tres cosas positivas de ella.

Bueno, Laura no me cae bien, pero es sincera, es guapa y me gusta cómo viste.

....
....
....

7

Aquí tienes a dos amigos que reaccionan de modo diferente en la misma situación. Tú eres uno/a de ellos, tu compañero/a el otro. Hablas con él/ella de tus sentimientos y reacciones.

1. Hablar en público: uno/a se pone rojo/a, el/la otro/a está tranquilo/a.

2. Antes de un examen: uno/a se pone nervioso/a, el/la otro/a no.

3. El otoño: al/a la uno/a le encanta, al/a la otro/a le pone triste.

4. Los políticos: al/a la uno/a le caen mal, al/a la otro/a bien.

TEMA 5. LA CONVIVENCIA

GRAMÁTICA ACTIVA

1 **¿Cómo crees que son estas personas? ¿Cómo viven: solos, con su pareja, etc.?**

1

2

3

4

2 **Lee estas afirmaciones y di qué te gusta a ti, qué te pone nervioso/a de lo que hacen las personas con las que vives o que te rodean.**

- Me gusta que mi mujer me haga un zumo de naranja todas las mañanas y me prepare la ropa.
- Me pone enfermo que mi compañero de piso nunca recoja la cocina.
- Me encanta que mi abuelo me cuente historias de la guerra.
- Me encanta que mi pareja me prepare una cena romántica.
- Me pone negra que mi compañera de piso abra las ventanas cuando fumo.

3 **En las frases anteriores se utiliza el subjuntivo para referirse a lo que hacen los otros.**

Me gusta que mi mujer me haga un zumo.

Intenta construir la forma completa.

	HACER	PREPARAR	RECOGER	ABRIR
(Yo)				
(Tú)				
(Usted/él/ella)				
(Nosotros/as)				
(Vosotros/as)				
(Ustedes/ellos/ellas)				

@

4

Tira el dado y mueve tu ficha. Di la forma del verbo en subjuntivo de la casilla en que caigas.

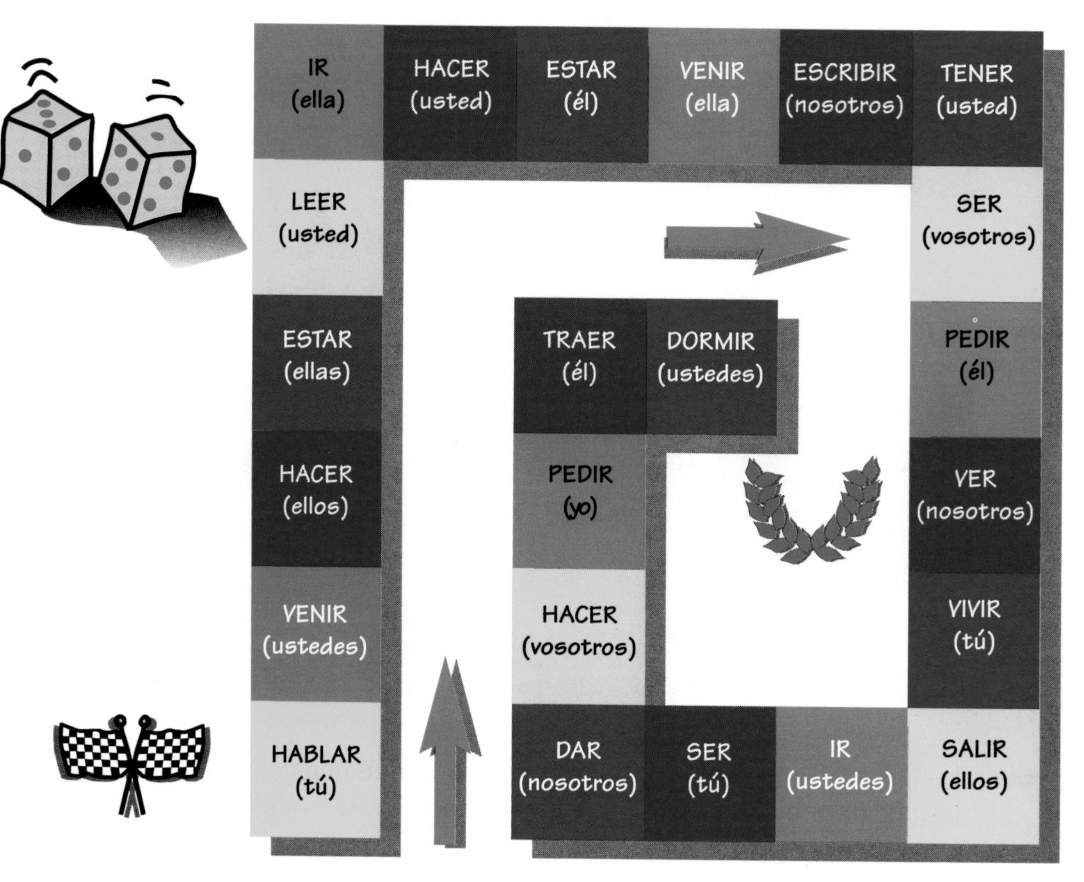

5

Aquí tienes cosas que la gente hace. Di qué te parece, si te pone nervioso/a, te gusta, te encanta, etc., que la gente haga estas cosas por ti:

- Regalarte flores.
- Escribirte cartas.
- Invitarte a cenar.
- Llamarte por teléfono.
- Llevarte el desayuno a la cama.
- Darte un beso cuando te ven.
- Escucharte.
- Invitarte a cenar a casa de unos amigos.
- Ponerse a ver la televisión cuando estáis hablando.
- Preguntarte qué ropa se pone.

Me pone nerviosa que la gente se ponga a ver la televisión cuando estamos hablando.

6

Habla sobre tu país y sus costumbres diciendo

- qué te pone nervioso/a.
- qué te encanta.
- qué te molesta.
- qué te gusta.
- qué te sorprende.
- qué te entusiasma.

7

Piensa en la clase de español, en tus compañeros/as y en tu profesor/-a. Di qué cosas te gustan y cuáles no.

....

....

Práctica Global 1
1. Escribe cinco adjetivos sobre tu carácter.
2. Piensa en tres cosas que la gente cree de ti pero que tú crees que no son verdad.
Parezco... pero en realidad soy...
La gente cree que soy..., pero...
3. Piensa en qué tipo de persona te cae bien y en quién te cae mal.
Me cae bien...
Me cae fatal...
Me llevo bien con...
4. Piensa en situaciones en las que te pones nervioso/a, te pones triste o alegre, te molestas, etc.
Con todo esto escribe un texto en el que explicas cómo eres.

Estrell@ fug@z

1. Mira este cuadro.

¿Qué te sugiere? ¿Qué está haciendo la mujer? ¿Qué crees que hay al otro lado de la ventana? ¿Qué mira la mujer?

Muchacha en la ventana.

2. Ahora lee este poema de Neruda.

Puedo escribir los versos más tristes esta noche.
Escribir, por ejemplo: "La noche está estrellada,
y tiritan, azules, los astros, a lo lejos".
El viento de la noche gira en el cielo y canta.
Puedo escribir los versos más tristes esta noche.
Yo la quise, y a veces ella también me quiso.
En las noches como ésta la tuve entre mis brazos.
La besé tantas veces bajo el cielo infinito.
Ella me quiso, a veces yo también la quería.
Cómo no haber amado sus grandes ojos fijos.
Puedo escribir los versos más tristes esta noche.
Pensar que no la tengo. Sentir que la he perdido.
Oír la noche inmensa, más inmensa sin ella
y el verso cae al alma como al pasto el rocío.
Qué importa que mi amor no pudiera guardarla.
La noche está estrellada y ella no está conmigo.
Eso es todo. A lo lejos alguien canta. A lo lejos.
Mi alma no se contenta con haberla perdido.
Como para acercarla mi mirada la busca.
Mi corazón la busca, y ella no está conmigo.
La misma noche que hace blanquear los mismos árboles.
Nosotros, los de entonces, ya no somos los mismos.
Ya no la quiero, es cierto, pero cuánto la quise.
Mi voz busca el viento para tocar su oído.
De otro. Será de otro. Como antes de mis besos.
Su voz, su cuerpo claro. Sus ojos infinitos.
Ya no la quiero, es cierto, pero tal vez la quiero.
Es tan corto el amor, y es tan largo el olvido.
Porque en noches como ésta la tuve entre mis brazos,
mi alma no se contenta con haberla perdido.
Aunque éste sea el último dolor que ella me causa,
y estos sean los últimos versos que le escribo.

Pablo Neruda
Veinte poemas de amor y una canción desesperada.

¿Qué sentimiento tiene el poeta? ¿Tú crees que la quería? ¿Crees que ahora la quiere? ¿Cómo fue su relación? ¿Cómo te imaginas a la mujer? ¿Puedes imaginarte que la mujer es la mujer del cuadro? Si es así, ¿qué crees que está haciendo? ¿Sabes qué significa la palabra "nostalgia"? ¿Crees que se puede aplicar a este poema?

Órbita 2a

Tema 5. La convivencia

1 Escucha la cinta o mira el vídeo y marca con una cruz cuánto se parecen estas parejas.

	1	2	3	4
Se parecen mucho.				
Se parecen algo.				
No se parecen en nada.				

2 Ahora escucha otra vez y toma nota de los parecidos concretos. ¿En qué se parecen?

En este programa vamos a hablar hoy sobre las parejas. ¿Qué busca la gente en su pareja? ¿Se busca lo que es igual, lo que es diferente? ¿Nos enamoramos de alguien por las cosas que tenemos en común o por lo que es diferente?

Entrevistadora: Hola, buenos días. Estamos haciendo unas entrevistas sobre la química del amor. ¿Qué es lo que tiene en común con su pareja en cuanto a carácter, intereses...?
Manuela: ¿Que qué es lo que tengo en común?
Entrevistadora: Sí, si tienen caracteres parecidos, intereses comunes...
Manuela: Sí, somos muy iguales, tenemos un carácter muy parecido y eso hace que nos enfademos con frecuencia. Y también tenemos muchos intereses comunes: nos encanta hacer las mismas cosas...

Entrevistadora: ¿Y en su caso, Alberto?
Alberto: Uf, nada. Yo creo que Antonia y yo no tenemos nada en común. Yo soy mucho más sensato, ella es mucho más loca; yo soy el depresivo, ella es la eufórica. No tenemos aficiones comunes, bueno, no muy marcadas: en cine nos gustan las mismas películas, pero en música, por ejemplo, tenemos gustos completamente diferentes. Bueno, tenemos en común la ideología.

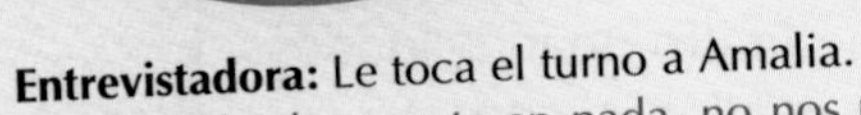

Entrevistadora: Le toca el turno a Amalia.
Amalia: Absolutamente en nada, no nos parecemos en nada: yo soy una persona más ordenada, él es desordenado, no tenemos los mismos gustos ni en la comida, ni en música y, ni siquiera, en la forma de viajar...

Entrevistadora: Y, por último, a ver qué nos dice Federico.
Federico: Pues, yo diría que mi pareja y yo somos totalmente diferentes en el carácter, no nos parecemos en nada. Pero en los intereses sí, totalmente iguales, y en la forma de pensar, también.

Observa

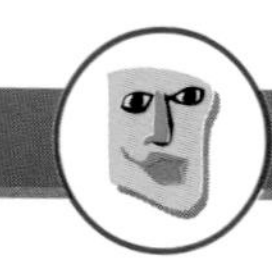

HABLAR DE LOS PARECIDOS	Tener caracteres parecidos. Tener intereses comunes. Tener los mismos gustos. Tener las mismas opiniones. Parecerse en...
HABLAR DE LAS DIFERENCIAS	No nos parecemos en nada. Somos totalmente diferentes. No tenemos nada en común.

3

Compara a estas personas.

1

4

Relaciona a estas personas que han ido a una agencia matrimonial. Después discute con tus compañeros/as las parejas que has formado entre ellos. ¿Has emparejado a todos? ¿Por qué?

IGNACIO
Hombre, 42 años, viudo, sin hijos.
Aficiones: viajar, montar en moto y bailar.
Carácter: impulsivo, cariñoso, desordenado.

2

ALEXANDRA
Mujer de 42 años, divorciada, con un hijo de cuatro años.
Aficiones: cine, viajar, teatro, manualidades.
Carácter: inteligente, madura y con sentido del humor.

3

JUAN MANUEL
Separado, de 38 años, adicto al trabajo.
Aficiones: el fútbol, la astronomía, la pintura y el *fitness*.
Carácter: trabajador y ligón.

4

1

NATALIA
Chica de 18 años independiente.
Aficiones: hacer deporte, ir a fiestas y cuidar la casa.
Carácter: ordenada, diplomática y simpática.

2

CRISTINA
Chica de 25 años, separada, sin hijos.
Aficiones: el cine, la jardinería y pasear por el campo.
Carácter: generosa, responsable, tolerante.

3

JOSÉ
Hombre de 25 años, soltero.
Aficiones: senderismo, *rafting* y vuelo sin motor.
Carácter: activo, decidido, aventurero.

4

PILAR
Mujer de 50 años, divorciada.
Aficiones: música, senderismo, lectura.
Carácter: introvertida, alegre, con sentido del humor.

5

CARLOS
Hombre de 30 años, soltero.
Aficiones: tomar copas, música bakalao, la literatura.
Carácter: muy sociable, alegre, práctico.

¿En qué se parecen?
¿En qué se diferencian?
¿Por qué crees que pueden hacer una buena pareja?

5 Piensa en tu familia.

- ¿A quién te pareces más en tu familia?, ¿en qué?
Yo me parezco mucho a mi madre en el físico.

- ¿A quién no te pareces en nada y por qué?
No me parezco en nada a mi hermano el mayor, él es muy ordenado y disciplinado y yo soy más loco.

Órbita 2b

TEMA 5. LA CONVIVENCIA

GRAMÁTICA ACTIVA

1 **Organiza estos deseos de acuerdo a más fácil o más difícil de realizar.**

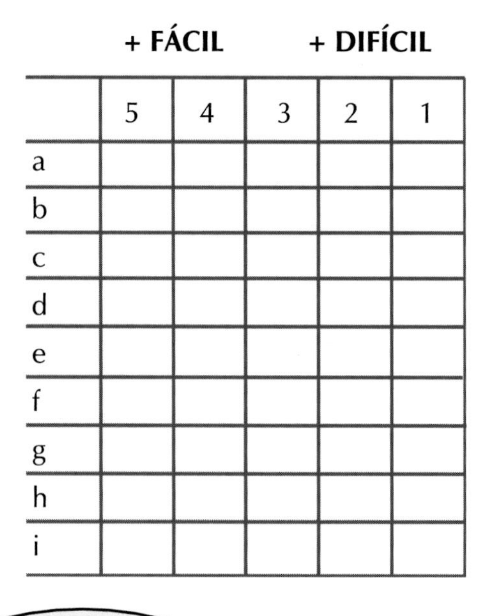

	+ FÁCIL			+ DIFÍCIL	
	5	4	3	2	1
a					
b					
c					
d					
e					
f					
g					
h					
i					

Queremos adoptar un niño o una niña.

d

4

Queremos una casa grande para todos nuestros hijos.

a

1

Quiero conocer a una chica especial.

b

2

Quiero ser feliz.

c

3

2 Completa el esquema con los ejemplos y la estructura.

Tipo de deseo	Ejemplos	Estructura
1. Desear cosas.	*Queremos una casa grande.*	**QUERER + OBJETOS**
2. Desear acciones.		
3. Desear acciones o cambios de otros.		

@

3

Completa con tu información.

3 cosas que deseas.

3 acciones que quieres.

3 cosas que quieres que haga otra persona.

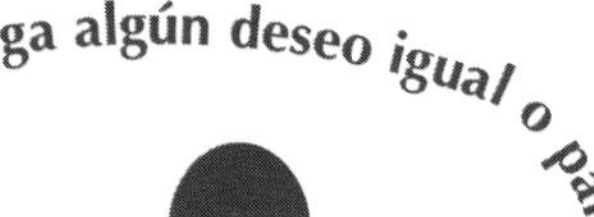

Muévete por la clase y encuentra a alguien que tenga algún deseo igual o parecido a los tuyos.

4

Piensa en cinco personas cercanas a ti.

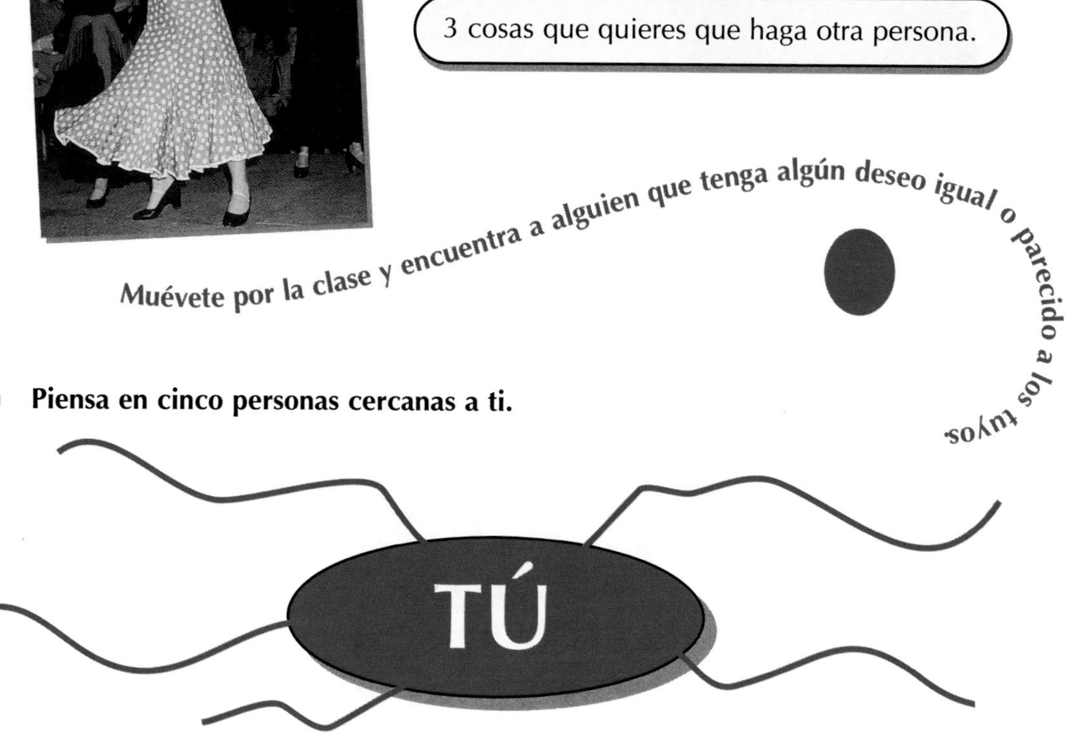

Escribe ahora qué deseos tienes para ellos/as.

Yo quiero que mi mujer trabaje menos.

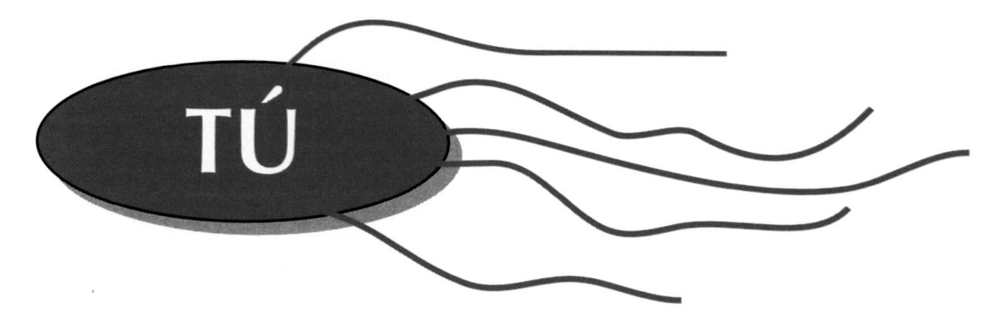

Piensa ahora qué deseos tienen ellos/as para ti.

Mi madre quiere que yo sea más ordenado.

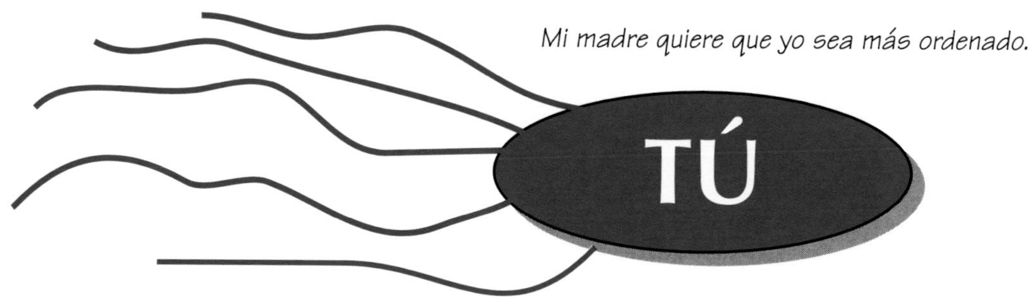

5 **Lee este poema.**

Todos contra la contaminación

Que los hombres no manchen los ríos.
Que los hombres no manchen el mar.
Que los niños no maltraten los árboles.
Que los hombres no ensucien la ciudad.

(No quererse es lo que más contamina,
sobre el barco o bajo la mina.)

Que los tigres no tengan garras,
que los países no tengan guerras.

Que los niños no maten pájaros,
que los gatos no maten ratones,
y, sobre todo, que los hombres
no maten hombres.

GLORIA FUERTES

Ahora , por parejas, se elige uno de estos temas y se escribe un poema parecido.

- Todos contra el machismo.
- Todos contra el racismo.
- Todos contra la injusticia.
- Todos contra los prejuicios.
- Todos contra...

Práctica Global

1. Imagina que tienes que compartir piso con alguien. Piensa qué cinco preguntas le haces a un/-a candidato/a para elegirle/a y qué condiciones debe reunir el piso.

2. Hazle ahora estas mismas preguntas a cinco compañeros/as de clase.

3. Y reflexiona sobre las respuestas para que puedas decir a quién te pareces y en qué; a quién te pareces menos y en qué y, en resumen, con quién te irías a vivir.

tarea final

Seguramente todos habéis tenido o tenéis una experiencia en convivencia con otras personas (tu propia familia, compañeros de piso, vida en pareja, etc.). Piensa en la relación de convivencia que tenías o tienes y rellena esta ficha.

NÚCLEO FAMILIAR

Componentes:

Nombre	Edad	Relación contigo	Ocupación
....	....	....	....
....	....	....	....
....	....	....	....
....	....	....	....
....	....	....	....

Tipo de vivienda:

Espacios privados	Espacios comunes
....	....
....	....
....	....
....	....

Distribución de tareas:

Nombre	Tarea	Frecuencia
....	....	....
....	....	....
....	....	....
....	....	....
....	....	....

¿Qué tal te llevas con ellos?:

Lo que te gusta
....
....
....
....

Lo que no te gusta
....
....
....
....

TU NÚCLEO DE CONVIVENCIA IDEAL

¿Cómo quieres que sea tu núcleo de convivencia ideal?

Espacio y tipo de vivienda
....
....

Tareas del hogar y reparto
....
....

Relaciones con los demás
....
....

[350 m

Vamos a conocer dos formas de hablar del amor en dos canciones en español. Entre todos se decide cuál se prefiere trabajar en clase. Si elegimos la primera, después de escucharla vamos a escribir nosotros/as otra parecida. Si elegimos la segunda, después de escucharla vamos a hablar sobre los sentimientos del autor.

PROPUESTA 1

Como verás, según esta canción el amor tiene cosas positivas y cosas negativas. Vamos a escuchar la canción entera. Toma nota de las cosas positivas y de las cosas negativas del amor.

Lo eres todo

Cada vez que veo tu fotografía
descubro algo nuevo
que antes no veía
y me hace sentir
lo que nunca creí.

Siempre te he mirado indiferente,
eras tan sólo un amigo,
y, de repente,
lo eres todo,
todo para mí.
Mi principio y mi fin,
mi norte y mi guía,
mi perdición, mi acierto,
mi suerte, mi equivocación,
eres mi muerte y mi resurrección.
Eres mi aliento y mi agonía,
de noche y de día.

Dame tu alegría, tu buen humor,
dame tu melancolía, tu pena y dolor,
dame tu aroma, dame tu sabor,
dame tu mundo interior.

Dame tu sonrisa y tu calor,
dame la muerte y la vida,
tu frío y tu ardor,
dame tu calma, dame tu furor,
dame tu oculto rencor.

Mi norte y mi guía,
mi perdición, mi acierto,
mi suerte, mi equivocación.
Eres mi muerte y mi resurrección.

Eres mi aliento y mi agonía,
de noche y de día.
Mi norte y mi guía,
mi perdición, mi acierto,
mi suerte, mi equivocación.
Eres mi muerte y mi resurrección.

Eres mi aliento y mi agonía,
de noche y de día.
Te lo pido por favor,
que me des tu compañía,
de noche y de día.
Lo eres todo.

Luz Casal

1. Haz una lista de las parejas de palabras que expresan ideas contrarias o contradictorias.

2. Como ves, para la autora, el amor incluye muchos sentimientos contradictorios. ¿Te ha pasado esto alguna vez cuando has estado enamorado/a de una persona? Escribe un poema en el que describas este tipo de sentimientos.

illones]

PROPUESTA 2

Escucha esta canción la primera vez sin mirar el libro, y toma nota de las palabras que oigas. ¿Puedes imaginar de qué habla la canción?

Ojalá

Ojalá que las hojas
no te toquen el cuerpo
cuando caigan,
para que no las puedas
convertir en cristal.

Ojalá que la lluvia
deje de ser milagro
que baja
por tu cuerpo.

Ojalá que la luna
pueda salir sin ti.
Ojalá que la tierra
no te bese los pasos.

Ojalá se te acabe
la mirada constante,
la palabra precisa,
la sonrisa perfecta.
Ojalá pase algo
que te borre de pronto,
una luz cegadora,
un disparo de nieve,
ojalá por lo menos
que me lleve la muerte,
para no verte tanto,
para no verte siempre,
en todos los segundos,
en todas las visiones.
Ojalá que no pueda
tocarte ni en canciones.

Ojalá que la aurora
no dé gritos
que caigan en mi espalda.
Ojalá que tu nombre
se le olvide a esa voz.

Ojalá las paredes
no retengan tu ruido
de camino cansado.

Ojalá que el deseo
se vaya tras de ti
a tu viejo gobierno
de difuntos y flores.

Ojalá se te acabe
la mirada constante...

Silvio Rodríguez

Escucha otra vez con el libro abierto. ¿De qué o de quién habla? ¿Cómo se siente el autor?

Con el ♥

♥ audio * Cierra un momento los ojos, relájate y escucha.

* Intenta crear una imagen clara y fíjala en tu mente. Ahora abre los ojos.

* Completa.

Un día perfecto para ....

¿Dónde estás?	....
Tres acciones que estás realizando	....
Tres olores	*Huele a* ....
Tres cosas y cómo te gusta que sean	*Me gusta que*..................................
	....
	....
Tres personas y qué te gusta que hagan	*Me gusta que*..................................
	....
	....
Tres colores	....
Tres sentimientos	....

1
2

♥ Acabas de escribir un poema. ¿Qué te parece ?, ¿quieres cambiar algo?

@

Con la @

En esta unidad has aprendido:

• **VOCABULARIO.** Haz una lista.

adjetivos para expresar sentimientos	

• **GRAMÁTICA.** Recuerda:

- La diferencia entre:

Cuando hablo en público me pongo nervioso/a.
Me pone nervioso/a el ruido.

....
....
....

- La forma del subjuntivo:

	HACER	PREPARAR	RECOGER	ABRIR
(Yo)				
(Tú)				
(Usted/él/ella)				
(Nosotros/as)				
(Vosotros/as)				
(Ustedes/ellos/ellas)				

- El uso del subjuntivo cuando hablamos de reacciones:

Me molesta que mi hermano ponga la música tan alta / me gusta que...

....
....

- El uso del subjuntivo cuando hablamos de deseos:
Quiero que me toque la lotería.

....
....

• **¿CÓMO SE DICE?** Recuerda cómo dices para:

hablar de sentimientos	
hablar de los parecidos y las diferencias de la gente	

Tema 5 En autonomía

1. Busca 10 adjetivos de carácter.

s	i	m	p	a	t	i	c	a	o	e	z	d	h
z	n	k	m	l	ll	t	m	y	u	x	a	e	c
x	t	l	ñ	h	z	d	g	a	w	t	e	n	a
v	e	a	f	a	g	o	u	w	j	r	q	c	r
e	l	b	a	d	a	r	g	a	n	o	a	a	i
m	i	c	e	e	a	g	f	x	t	v	q	n	ñ
t	g	x	m	r	u	h	i	r	k	e	u	t	o
c	e	d	r	g	h	ñ	e	c	d	r	q	a	s
d	n	x	t	e	d	i	v	e	r	t	i	d	a
h	t	t	w	l	b	t	m	u	r	i	ll	o	m
i	e	l	b	a	m	a	v	f	ñ	d	i	r	q
j	m	w	r	s	v	t	g	x	y	o	m	a	r

2. Escucha a estas personas y marca con una cruz.

	1	2	3	4	5
Se llevan bien.					
Se llevan mal.					
Se pone nervioso.					
Le encanta.					
Se pone triste.					
Le cae bien.					

3. Relaciona

- Me pongo nervioso/a
- Me pongo rojo/a
- Me pongo triste
- Me alegro
- Me pongo malo/a
- Me enfado

- cuando tengo que conducir por la ciudad.
- cuando tengo que hablar en público.
- cuando llega la primavera.
- cuando me insultan.
- cuando tengo un examen.
- cuando veo imágenes de la pobreza en el mundo en la televisión.

4. Transforma las frases.

Juan se pone muy nervioso cuando tiene un examen.
A Juan los exámenes le ponen muy nervioso.

1. Mis padres se ponen malos cuando pongo música *heavy*.

....

2. Mi compañero y yo nos ponemos muy contentos cuando recibimos visitas.

....

3. Me pongo nervioso cuando estoy con chicas.

....

4. Mi padre se pone triste cuando lee el periódico.

....

5. Me pongo melancólico cuando es otoño.

....

5. Describe el modo de ser de estas personas.

1

Alejandro
Tranquilo
Relajar (le)
Jugar al tenis
Ruido
Molestar

3

Gemma y Nuria
Activas
Llevarse bien
Encantar
Viajar
Conocer gente

2

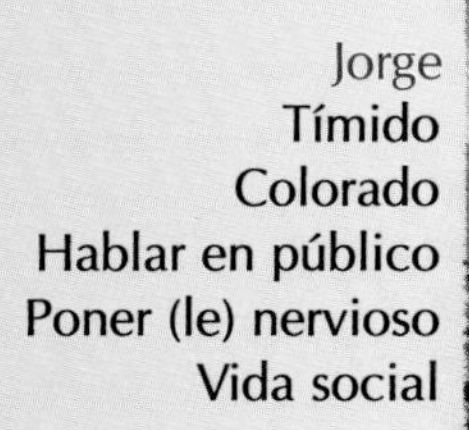

Jorge
Tímido
Colorado
Hablar en público
Poner (le) nervioso
Vida social

4

Irene
Cariñosa
Gustar
Vida familiar
Encantar niños

Ej.: *Jorge es muy tímido y se pone colorado cuando habla en público. Le pone nervioso la vida social.*

6. Juana y Nacho hoy tienen un mal día. Lee lo que dicen.

Me fastidia que pongas la toalla encima de la cama después de la ducha.

No soporto que hagas ruido por la noche.

¿Ah, sí?, pues a mí me pone nerviosísima que siempre llegues tarde.

Pues a mí me pone enfermo que tires toda la ropa por la habitación.

Me molesta que vayas sin zapatos por la casa.

Pues a mí me pone negro que hables todos los días una hora con tu madre.

Juana y Nacho hablan con el subjuntivo. ¿Puedes sacar los subjuntivos que hay y reconstruir la forma?

	TIRAR	PONER	LLEGAR	HABLAR	IR	HACER
(Yo)						
(Tú)						
(Usted/él/ella)						
(Nosotros/as)						
(Vosotros/as)						
(Ustedes/ellos/ellas)						

7. Hoy Juana y Nacho tienen un buen día. Escribe los diálogos.

- Regalar flores.
- Invitar a un restaurante.
- Lavar los platos.
- Comprar un regalo.
- Vestir bien.
- Hacer la cama.
- Hacer una cena especial.

8. Contesta a este niño.

1

Quiero ir al cine.	*Pues yo no quiero que vayas.*
Quiero comer caramelos.	....
Quiero jugar al fútbol.	....
Quiero montar en moto.	....

Ahora tú eres el niño, responde.

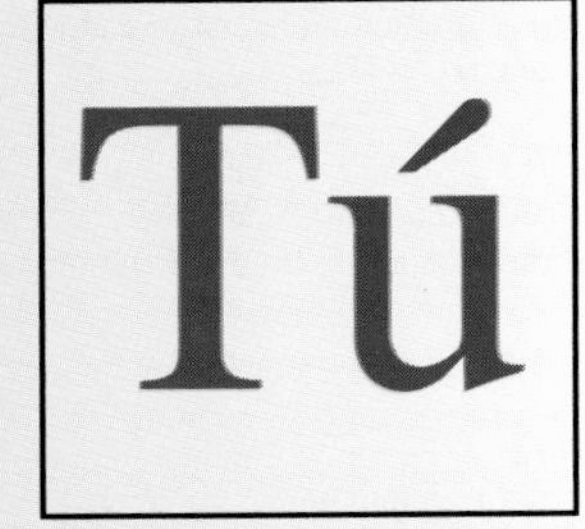

Quiero que estudies.	*Pues yo no quiero estudiar.*
Quiero que comas alimentos sanos.	....
Quiero que visites a tu abuela.	....
Quiero que navegues menos por Internet.	....

9. Mira a estos niños. ¿Se parecen en algo?, ¿en qué?

2

Tienen los mismos ojos.
No se parecen en nada.
Se parecen en la forma de ser.

TEMA 1

Estrell@ fug@z (Pág. 25)

Yo le acompañaba en aquellos días
y le quería comprar una batería.
Él era mi novio y yo le quería
y también quería a su batería.
Y le acompañaba a ir a ensayar.
¡Cómo me gustaba oírle tocar tan bien!
Yo tenía un novio que tocaba en un conjunto *beat,*
le llevaba las baquetas en un bolso gris, sí, sí, sí.
Sus amigos me querían y mi novio me quería.
Le ayudaba a cargar en el furgón la batería. *(bis)*
Yo puse mis pelas para sus caprichos,
era el primer día que iban a actuar.
Y cuando grabaron aquel primer disco
todo era alegría, iban a triunfar.
Y desde ese día me fuiste olvidando.
No vengas, decías, tu imagen me hace mal.
Yo tenía un novio que tocaba en un conjunto *beat.*
Ahora tiene un regio coche y casa con jardín.
Y una chica guapa y rica, rubia de peluquería.
Se olvidó de todo el cariño que yo le tenía. *(bis)*

En autonomía

2. (Pág. 36)
Nací en 1962. En aquella época mis padres vivían en Montevideo porque trabajaban allí.

Empecé a ir al colegio en 1967. Era un colegio religioso que estaba a las afueras de la ciudad. Muchos de mis compañeros eran extranjeros. Los profesores eran muy estrictos. Tenía que estudiar mucho.

Mi primer viaje fue a Asturias, al pueblo de mis padres. Era un pueblo muy pequeño que estaba entre montañas y bosques. Mis abuelos vivían allí.

TEMA 2

En autonomía

6. (Pág. 64)
Esta es mi familia. El del centro soy yo, Manuel. La de arriba es mi madre; su nombre es Isabel. Sus padres, mis abuelos, son Arturo y Felisa. Mi padre, el de al lado de mi madre, es Gustavo. Sus padres son Margarita y Rodrigo. A mi lado está mi mujer, Matilde, y nuestros hijos son Roberto y Clara. También está mi hermana Lucía y su marido, Bernardo. Sus hijos, mis sobrinos, se llaman Carlos y Rafael.

10. (Pág. 65)
1. Uy, qué rico, qué hermoso. Fíjate qué muslos. Es igualito a ti. Tiene una cara de malo...
2. Estaba riquísimo. Es usted un cocinero excelente. Nunca había comido una paella tan rica.
3. Ay, qué zapatos tan ideales. Me encantan. Además tienen pinta de ser super cómodos.
4. Qué bien te veo. Es que los años no pasan por ti. Te conservas estupendamente.

TEMA 3

En autonomía

6. (Pág. 94)
1."Uf, me duele muchísimo la cabeza. ¿Tienes una aspirina?".
2."¿Me das un cigarrillo?".
3. "¿Podrías prestarme 1.000 pesetas? Es que se me ha olvidado coger dinero hoy".
4. ¿Me dejas un momento el diccionario, por favor?".
5. Oye, Juan, déjame un boli. Ahora te lo doy.

10. (Pág. 95)
1. "Sí, claro, toma".
2. "Es que no fumo".
3. "Uy, pues... Es que no tengo, lo siento".
4. "Sí. Está en la estantería de mi habitación".
5. "Espera un momento... Toma".

12. (Pág. 96)
1. -Mi hermano ha cogido mi coche sin decirme nada. Ha vuelto de viaje y me lo ha dado sin gasolina.
   -Jo, ¡qué cara!
2. -Voy a dejar el trabajo y me voy a ir a vivir al campo.
   -Tú estás loco.
3. -Uy, cuánto ha cambiado María. Está delgadísima.
4. -Oye, Nicolás está muy gordo.
5. -Es la quinta vez que haces lo mismo. Estoy harta.

TEMA 4

Recuerda. Con el corazón. (Pág 120)

1. Ponte cómodo o cómoda y toma conciencia de tu respiración.
2. Respira profundamente varias veces, y al echar el aire di mentalmente: relájate.
3. Concéntrate en tu cara y toma conciencia de las tensiones.
4. Tensa aún más los ojos y la cara, apretando los músculos, y luego aflójalos y siente la relajación extendiéndose por toda tu cara.
5. Desciende mentalmente por todo tu cuerpo: cuello, espalda, brazos, manos, pecho, tripa, piernas, pies, dedos de los pies, y toma conciencia de las tensiones. Tensa la zona, y luego relájala.
6. Ya relajado o relajada, descansa tranquilamente en esa cómoda posición entre 2 y 5 minutos.

En autonomía

2. (Pág. 123)
Es una mujer bastante fuerte, de unos 40 años. Tiene el pelo rubio, lleva un jersey amarillo. Es muy simpática y muy inteligente. Se llama Irene y es médica en un hospital.

TEMA 5

Recuerda. Con el corazón. (Pág 150)

Respira profundamente e imagínate cómo sería un día feliz para ti. Imagina una situación concreta. ¿Dónde estás?, ¿estás solo o acompañado?, ¿qué objetos o personas hay cerca?, ¿cómo vas vestido?, ¿qué temperatura hace?, ¿qué época del año es?, ¿qué oyes?, ¿qué olores sientes?, ¿qué sensaciones tienes?

Intenta crear una imagen clara y fíjala en tu mente. Ahora abre los ojos.

En autonomía

2. (Pág 152)
1. Me llevo muy bien con Mónica. Me cae muy bien. Es muy simpática.
2. Me pongo tristísima cuando veo en la tele programas sobre niños que pasan hambre.
3. A mí, la verdad, José Luis me cae mal, bastante mal. No sé, cuando le veo, me pongo nervioso. Es que es rarísimo.
4. Pues a mí Sergio me encanta. Es encantador, graciosísimo. Un encanto, vaya.
5. Me llevo fatal con Ángel. Estamos todo el día peleándonos.

Versión Mercosur

tema 1 Versión Mercosur

*** Ir / Irse / Ir (impersonal)**

1. Combina las oraciones de la columna A con las de la B para formar microdiálogos.

A	B
a. ¡Hola, Alfredo! ¿Cómo te va?	1. Cualquier día de estos.
b. ¿Esta tarde vas al dentista?	2. Va al bar a tomar un café con los amigos.
c. ¿A dónde va José?	3. Muy bien, ¿y a ti?
d. A ver cuándo vamos al cine.	4. Hoy me voy alrededor de las cuatro.
e. ¿Ya se van?	5. Ya sabes que todos los viernes por la tarde voy.
f. ¿Cómo le va a Pedro en su nuevo trabajo?	6. Creo que bien.
g. ¿A qué hora te vas de la oficina?	7. Sí, mañana tenemos que levantarnos muy temprano.

2. A partir de los ejemplos anteriores, transcribe a continuación las frases con los verbos subrayados, teniendo en cuenta su significado.

- Movimiento en una dirección:

....
....
....

- Acto de marcharse de un sitio:

....
....
....

- Saludar:

....
....
....

- Querer saber sobre algo / alguien:

....
....
....

3. Relaciona la estructura gramatical y su función marcando con una X el casillero correspondiente.

	Movimiento en una dirección	Acto de marcharse	Saludar	Querer saber algo de alguien
Pron. + **ir** en 3ª p. sing. (impersonal)				
Pron. + **ir** en todas las personas				
Ir en todas las personas + **a**				

4. Ahora completa los siguientes diálogos usando "ir / irse / ir (impersonal)" en el tiempo más adecuado.

Ejemplo: *Ayer fui al cine y vi una película fantástica.*

a. Pedro .... de viaje la semana que viene. Me dijo que .... a Ecuador.
b. A Juan .... muy bien en los negocios: gana mucho dinero.
c. Daniel .... ayer al médico.
d. Diana hizo el examen de biología y .... bastante bien.
e. A María y a mí .... muy bien en nuestro matrimonio.
f. ¿Sofía, ... esta noche a la fiesta de María?
g. A mis hijos .... muy bien en la escuela.
h. ¿Ustedes no .... a la casa de la abuela el domingo?
i. Roxana, ... a almorzar; si llama alguien dile que vuelvo en media hora.

* La preposición A

En los casos que te presentamos a continuación, verás que la preposición "a" tiene un uso distinto en español y en portugués. Para evitar errores te proponemos las siguientes actividades.

1. Observa las siguientes frases.

a. Vi a Enrique en el cine ayer.
b. Vimos una buena película.
c. Conocí el nuevo departamento de Juliana.
d. Todavía no conocemos a tu novio.
e. Esperé a Marisa durante media hora.
f. Espero tu respuesta el lunes.

2. ¿Cuándo debe usarse la preposición A? Completa el siguiente esquema.

VERBO + A + ...

VERBO + ...

3. Redacta dos oraciones con cada uno de los verbos siguientes: una usando la preposición A, otra sin ella.

Ejemplo: *Conocí a mi novia en un bar de la playa.*
Conocí el nuevo museo de arte moderno.

- Escuchar: ....
....
- Visitar: ....
....
- Encontrar: ....
....
- Mirar: ....
....
- Llevar: ....
....
- Vencer: ....
....
- Defender: ....
....

* Vocabulario

1. Completa los microdiálogos y las frases utilizando la lista de palabras que te presentamos a continuación.

dieta para adelgazar	*municipalidad*
hotelería	*mangos*
estacionamientos	*costos*

a. A. Pilar, ¡qué flaca que estás! ¡Estás monísima!
B. Es que hice una .... infalible: podés comer de todo, pero tenés que dejar la mitad de la comida en el plato.

b. A. Juan, ¡tantos años sin verte! ¿Qué fue de tu vida?
B. Bueno, cuando terminé la secundaria me fui a Suiza a estudiar .... Volví a Buenos Aires y empecé a trabajar como maitre en un hotel de cinco estrellas. Pero con esto de la crisis, me echaron y ahora hace ya dos meses que no tengo trabajo.
A. ¡Qué mala pata, che! ¿Te puedo dar una mano?
B. Ya que lo preguntás... ¿Me podrías prestar unos .... ? Hace dos meses que no pago el alquiler.

c. La .... de la ciudad comenzó a construir .... subterráneos, pero las obras están paradas, porque los .... superaron el presupuesto previsto.

2. Busca en el tema 1 de la versión internacional los equivalentes en España de las palabras utilizadas en el ejercicio anterior.

tema 2 Versión Mercosur

1. ¿Recuerdas el ejercicio 11 de la página 65 sobre cumplidos? Ahora haremos algo semejante, pero utilizando expresiones frecuentes en Argentina.

A	B
1. Cuando alguien lleva un nuevo peinado.	a. ¡Qué mona que es!
2. Cuando alguien te muestra la foto de su novia.	b. ¡Qué churro-a!
3. Cuando alguien te muestra la foto de su novio.	c. ¡Qué bien te queda ese corte de pelo!
	d. ¡Qué linda!
	e. ¡Qué buena pinta tiene!
	f. ¡Qué fuerte que está!

2. Junto con tu compañero/a trata de recordar cómo se dicen en España las expresiones de la columna B.

3. Utiliza la siguiente lista de palabras para completar las oraciones.

andar en bicicleta
mozo
registro de conductor
ascender
sueldo
manejar
celular

a. En Holanda se .... mucho ....

b. Abrieron un restaurante donde todos los .... son estudiantes.

c. A. Necesito hablar urgentemente con Juan. ¿Sabés dónde puedo encontrarlo?
B. Llamalo al .... ¿Tenés el número?

d. Pedro .... como un loco. El otro día lo paró la policía por pasar un semáforo en rojo y le retuvieron el ....

e. Si vieran lo contento que está mi marido... Ayer lo .... a gerente y le aumentaron el ....

4. En grupos de 4 alumnos, se crea un diálogo en el que aparezcan las siguientes palabras.

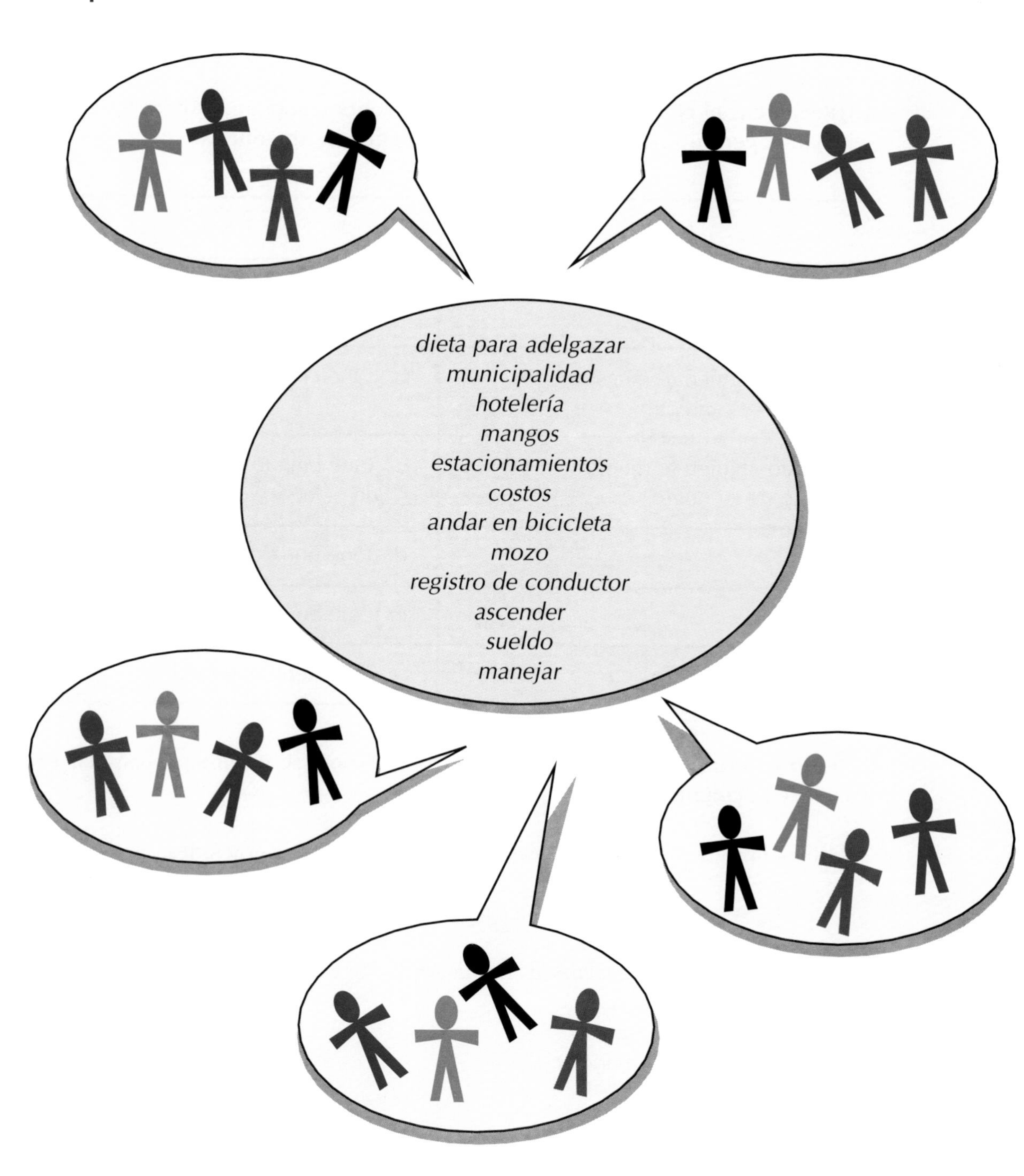

Luego lo representarán ante la clase.

tema

3 Versión Mercosur

Aquí te presentamos el diálogo de la página 69 utilizando vocabulario, expresiones y elementos gramaticales propios del Río de la Plata. Léelo.

- ¿De dónde son esas fotos que tenés ahí?
- De Ecuador.
- ¿En serio? ¿Estuviste en Ecuador?
- Hace dos años. ¿No lo sabías?
- No. ¿Y cómo se te ocurrió ir a Ecuador?
- Para decirte la verdad, no sé. Fueron varias cosas. A Paco y a mí nos interesaba mucho el tipo de paisaje, las montañas... Teníamos ganas de conocer una cultura diferente a la nuestra y nos gustaba muchísimo la cultura indígena. Además teníamos ganas de hacer *trekking* en una zona montañosa, poco habitada... en una región virgen. Fue genial.
- Y... ¿qué hicieron allá?
- Nada especial, al principio estuvimos una semana en Quito...
- ¿Ah, sí?
- Sí, viajando por los alrededores, y luego diez días haciendo *trekking*, y al final visitamos el Parque Natural de... bueno, no me acuerdo.
- Y... ¿qué tal el *trekking*?
- Muy bien, pero un poco cansador: todos los días caminábamos ocho horas. Nos levantábamos a las 5 de la mañana y dormíamos en refugios. Las condiciones de vida eran muy elementales, había muchos insectos... Además, era la época de lluvias.
- Y... ¿qué tal la comida?
- Ah, muy rica, pero lo que más me gustó fue el paisaje y la gente, sobre todo me encantó la gente.
- ¿Por qué?
- Porque eran hospitalarios, amables, sencillos.

1. Ahora compara este diálogo con el de la página 69 y completa el cuadro siguiendo el ejemplo:

	Español peninsular	Español del Río de la Plata
1.	¡Anda!	¿En serio?
2.	Pues no.	
3.		¿Y cómo se te ocurrió ir a Ecuador?
4.	Pues la verdad...	
5.	... nos apetecía...	
6.		... un poco cansador...
7.		¿Estuviste en Ecuador?
8.		... ¿qué hicieron allá?
9.	... tienes...	

2. Lee lo que nos cuenta Pilar, una madrileña que vive en Buenos Aires hace un par de años:

Al principio me llamaba la atención cómo hablaba la gente, de una manera diferente. No se usa "vosotros" sino "ustedes". Pero lo más divertido es el "vos" en lugar de "tú". Los argentinos no dicen "tú tienes", "tú vives", "tú llevas", sino "vos tenés", "vos vivís", "vos llevás". Suena extraño, pero con la convivencia me acostumbré. Lo mismo me pasó con el "che", pero luego me pareció normal y actualmente yo misma lo uso.
En cuanto a la comida, los primeros días no podía comer a la misma hora que los argentinos. Pero, bueno, al final te integrás de tal manera que actuás como ellos. Solamente cuando voy de vacaciones a España para visitar a mi familia es que vuelvo a mis antiguas costumbres.

3. Observa el cuadro de la conjugación de estos verbos con "tú" y con "vos":

Infinitivo	Tú	Vos
Tener	tienes	tenés
Venir	vienes	venís
Poder	puedes	podés
Despertarse	te despiertas	te despertás
Pedir	pides	pedís

4. Junto con tu compañero/a trata de encontrar la regla de formación de la segunda persona del singular "vos" a partir del infinitivo:

....

....

5. Ahora completa tú el cuadro como en el ejemplo:

	Infinitivo	Tú	Vos
1.	Comenzar	comienzas	comenzás
2.	Pensar		
3.	Dormir		
4.	Almorzar		
5.	Sentir		
6.	Volar		
7.	Empezar		
8.	Servir		

* El "che" argentino

En el habla de Argentina se usa la forma coloquial "che" para llamar la atención del interlocutor. Equivaldría a la forma "oye" que se usa en el español peninsular.

Ejemplo: *Che, ¿me decís la hora?*
¿Qué tenés que hacer esta noche, che?

1. A continuación te presentamos un diálogo entre dos españoles. ¿Cómo sería si los hablantes fueran argentinos?

Óscar: ¡Hola! ¿Cómo estás, Carmen?
Carmen: Bien, ¿y tú? ¿Qué te cuentas?
Óscar: Pues nada. Que esta noche Pili da una fiesta en su casa. ¿Te apetece ir?
Carmen: Pues la verdad es que hoy he tenido un día muy cansado...
Óscar: Vamos, que así te distraes un poco.
Carmen: Oye, ¿sabes si va Xavier?
Óscar: Pues sí.
Carmen: En ese caso, ¿por qué no me recoges en casa a las 9?
Óscar: Vale.

* Malentendidos culturales

1. Averigua con alguna persona amiga o conocida argentina, o vía Internet, las siguientes cuestiones culturales:

a. Si vas al cine:
- ¿Das o no das propina?
- ¿A quién se la das?
- ¿Por qué?

b. Cuando estás en un restaurante y te traen la cuenta:
- ¿Tienes o no que dejar propina?
- ¿Por qué?

c. Si subes a un colectivo (autobús):
- ¿A quién le pagas?
- ¿Con qué pagas?

d. Si dos hombres amigos o conocidos se encuentran en la calle:
- ¿Cómo pueden saludarse?

e. Si un amigo se encuentra con una amiga:
- ¿Cuántos besos se dan al saludarse?

f. ¿Cuál es la costumbre en Argentina el 6 de enero?
g. ¿Qué costumbre gastronómica hay en Argentina los días 29 de cada mes?
h. Si llamas a una oficina en Argentina para hablar con Felipe Oliva, ¿preguntas por el nombre o por el apellido?

Aquí te presentamos el diálogo de la página 79, en el que se utilizan vocabulario, expresiones y elementos gramaticales propios del Río de la Plata. Léelo.

- Ana: (Toc, toc). Che, ¿tienen fósforos?
- Alfredo: Sí, claro.
- Ana: ¿Pueden darme una caja, porque yo no me traje?
- Alfredo: Sí, claro, tomá... ¿Vos trajiste algo contra los mosquitos?
- Ana: Sí, tengo una crema.
- Alfredo: ¿Nos la prestás?
- Ana: Claro, ya la traigo.
- Belén: Por casualidad, ¿no tendrás un jabón?, porque nosotros nos olvidamos.
- Ana: Eh..., sí, sí, ya les subo la crema y el jabón.
- Alfredo: ¿Y nos traés unas pilas, si tenés?
- Ana: Sí, sí, claro. Mmm... ¿necesitan algo más?
- Alfredo: Bueno, ahora que lo decís, si no te molesta, también nos hace falta papel higiénico...
- Belén: Ah... y una navaja también.
- Ana: Che, ¿pero ustedes no trajeron nada?
- Belén: No, es que hubo un error con la agencia, nosotros queríamos ir a París y nos trajeron a Senegal, así que no tenemos nada.

2. Compara este diálogo con el de la página 79 y completa el cuadro:

	Español peninsular	Español del Río de la Plata
1.	cerillas	
2.		... no me traje
3.	... has traído...	
4.		... nos olvidamos
5.		¿Pueden darme...
6.	¿necesitáis algo más?	
7.	... si no te importa...	

* Pronombres personales átonos

En el portugués hablado de Brasil es poco común el uso de pronombres átonos (me, te, se, lo, la, le, nos, os, los, las, les). Si bien se utilizan en la lengua escrita, son infrecuentes en la lengua hablada. En cambio, en español estos pronombres se emplean abundantemente al hablar y al escribir, por eso este tema le resulta particularmente complicado al/ a la alumno/a brasileño/a. Por lo tanto, proponemos aquí una serie de actividades que te ayudarán a automatizar los usos.

1. Reemplaza mediante un pronombre la parte subrayada.

Ejemplo: *Juan leyó la revista rápidamente.*
Juan la leyó rápidamente.

a. Nuestro jefe pidió los informes para mañana.
b. Trasladamos la biblioteca a una sala más grande.
c. Pagué muy barata la computadora.
d. Dejé las llaves del auto en tu casa.
e. Llevaré el último disco que me compré.
f. ¿Compramos las entradas ahora?

2. Responde estas preguntas sustituyendo la parte subrayada.

Ejemplo: *¿Me prestas tu camisa azul?*
Sí, te la presto. / No, no te la presto.

a. ¿Me das tu libro de español para estudiar este fin de semana?
b. ¿Te devolvió Juan el dinero que le prestaste el mes pasado?
c. ¿Cuándo te compraste esta bicicleta?
d. ¿Cuándo os entregarán las llaves de vuestro nuevo apartamento?
e. ¿Martín no te prestó los discos de Mercedes Sosa?
f. ¿Ya te pasó Begoña la receta del gazpacho?

3. El presidente de una importante empresa se fue de vacaciones por quince días. Antes de irse le dejó encargados una serie de trabajos a su secretario. Al volver quiso saber si su secretario hizo todo lo que le encargó. Haz de cuenta que eres su secretario y responde las preguntas como en el ejemplo. Si la respuesta es negativa, explica la causa.

Ejemplo: *¿Envió el informe al gerente financiero?*
Sí, ya se lo envié. /No, todavía no se lo envié porque está de vacaciones.

a. ¿Me pagó todas las cuentas?
b. ¿Le entregó los documentos que estaban sobre el escritorio al jefe de personal?
c. ¿Le mandó la carta a mi abogado diciéndole que ya no quiero más sus servicios?
d. ¿Les dio a los dos empleados nuevos las normas de trabajo en esta empresa?
e. ¿Le solicitó al gerente del banco el crédito para mi nueva casa?
f. ¿Le trajo el Sr. Fernández el balance del mes pasado?
g. ¿Le avisó a Pérez que sería despedido?
h. ¿Les mandó la invitación de mi casamiento a mis socios?

4. Te estás por mudar, hay una serie de objetos de los que quieres deshacerte y los vas a repartir entre tus mejores amigos. Haz la lista de lo que le vas a regalar a cada uno, como en el ejemplo:

5. Completa los espacios de este fragmento con pronombres.

Vine a Comala porque .... dijeron que acá vivía mi padre, un tal Pedro Páramo. Mi madre .... dijo. Y yo .... prometí que vendría a ver .... cuando ella muriera. .... apreté las manos en señal de que .... haría; pues ella estaba por morirse y yo en un plan de prometer .... todo. "No dejes de ir a visitar .... - .... recomendó-. Se llama de este modo y de este otro. Estoy segura de que .... dará gusto conocer ....". Entonces no pude hacer otra cosa sino decir .... que así .... haría, y .... seguí diciendo aun después que a mis manos .... costó trabajo zafarse de sus manos muertas.
Todavía antes .... había dicho:
- No vayas a pedir .... nada. Tienes que exigir .... lo nuestro. Lo que estuvo obligado a dar .... y nunca .... dio.

Juan Rulfo. *Pedro Páramo* (adaptación)

* El uso de la preposición A con el objeto directo

1. Observa los siguientes ejemplos:

Este verano visité a mis padres.
El ladrón asaltó a un turista distraído.
Encontré a Iván en el bar de la esquina.
Vi a Rita en la puerta del teatro.

Los turistas visitaron el museo.
El ladrón asaltó un banco.
Encontré el libro que estaba buscando.
Vi la última película de Almodóvar.

2. Completa ahora a partir de lo que has observado.

a. Si el objeto del verbo se refiere a .... debe usarse la preposición "a".
b. Si el objeto del verbo se refiere a .... no se usa preposición.

3. Completa los espacios con la preposición "a" o con "ø" en caso de que no deba usarse.

a. Por la mañana llevé .... mis hijos al colegio.
b. En el tren encontré .... un billete de 50 pesos.
c. Cuando viajé para mi ciudad natal vi .... muchos amigos del colegio.
d. Robertinho llamó .... Wanda para ir al cine.
e. Robertinho leyó por primera vez .... Cortázar cuando su amigo Sebastián le mandó un libro de él.
f. Llamamos .... camarero y le pedimos dos cafés.
g. En el periódico leí .... un artículo muy interesante sobre las desigualdades sociales en Hispanoamérica.
h. Las Organizaciones No Gubernamentales (ONG) ayudan .... los más necesitados.
i. Andrea escuchó .... su padre atentamente.
j. Durante la noche escuchamos .... ruidos extraños en el jardín.
k. Ayer vi .... jefe de personal y le dije que necesitaba hablar con él.

4. Escribe dos oraciones para cada verbo: una con objeto que se refiera a persona y la otra con objeto referido a cosa.

Ejemplo: Escuchar
a. Escuché los consejos que me dieron.
b. No quise escuchar a mi suegra.

Ver
a. ....
b. ....

Encontrar
a. ....
b. ....

Llevar a. ....
b. ....

Visitar a. ....
b. ....

* Vocabulario

1. Utiliza las dos listas de vocabulario y colócales el nombre que se da en España y en Argentina a los objetos que te presentamos.

ESPAÑA

La tirita
El bolígrafo
Las pastas
La piscina
El mechero
Las cerillas
La pastelería
El ordenador
La crema antimosquitos
El visado
El saco de dormir
Las gafas de bucear
La maleta
El bañador

ARGENTINA

La birome
Las masitas
La pileta
El repelente
La visa
La bolsa de dormir
La computadora
La confitería
La valija
Las antiparras
La malla de baño
Los fósforos
El encendedor
La curita

Las pastas
Las masitas

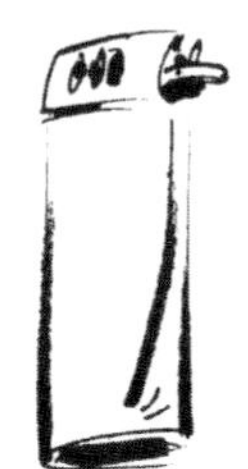

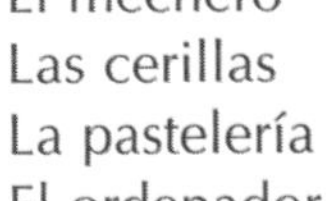

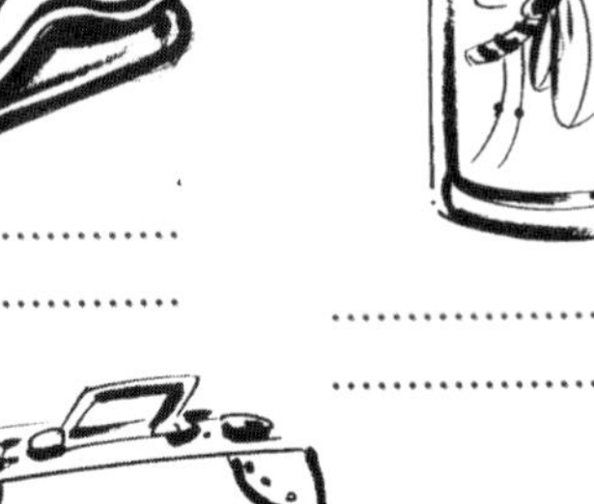

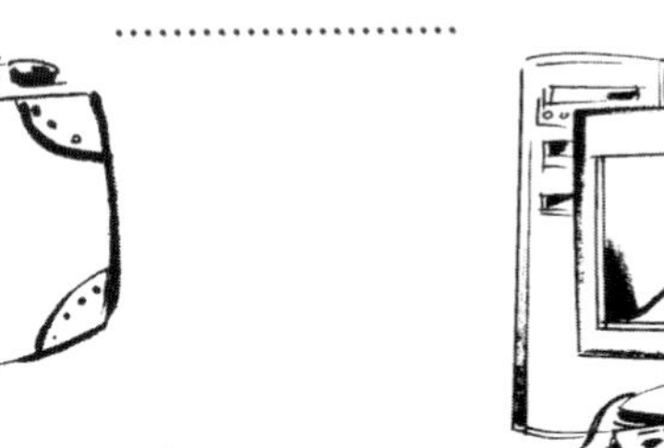

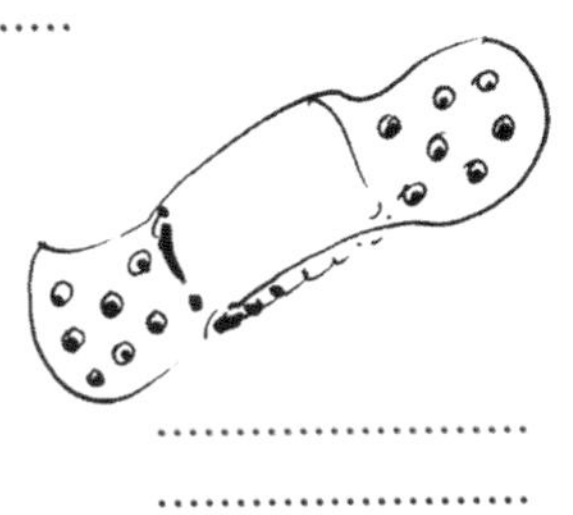

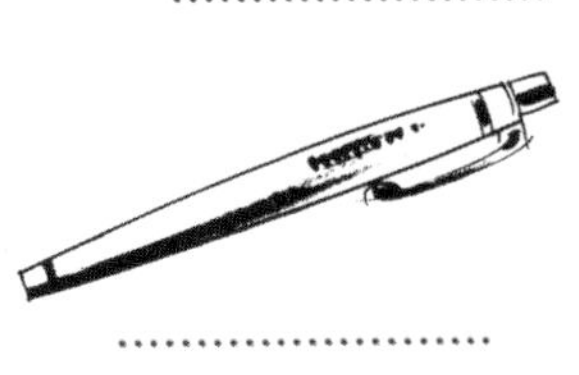

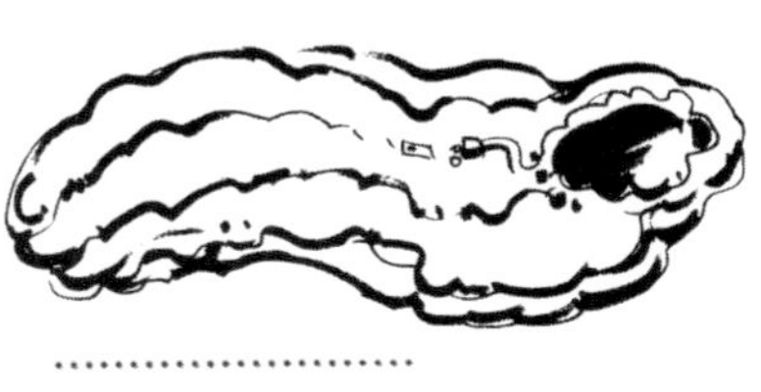

tema
4 Versión Mercosur

* El imperativo y la posición de los pronombres átonos

A. Juan: Necesito tu coche. Por favor, **préstamelo**.
Carlos: **No te lo puedo** prestar, porque tengo que visitar a un cliente.

B. Alberto: **Decime la verdad, decímela** ya mismo.
Beatriz: Amor, si sabes que siempre **te la digo**.

C. Carmen: Atiende el teléfono, **atiéndelo** antes de que corten.
María: Hoy ya lo atendí varias veces y siempre era equivocado.

D. Rita: **Devuélvele** el libro a Martín, **devuélveselo** para que no se enoje.
Miriam: Pero si ya **se lo devolví** la semana pasada.

E. Bernardo: **No le cuentes** esto a Jose. Por favor, **no se lo cuentes**.
Ricardo: Pero si **yo nunca le cuento nada**.

1. Completa el cuadro siguiente con los verbos y pronombres en negrita de los diálogos anteriores:

Imperativo		Otros tiempos
Afirmativo	Negativo	
Préstamelo		*No te lo puedo prestar*

2. Observa el cuadro que acabas de armar. ¿Qué posición ocupan los pronombres átonos en cada uno de estos casos?:

a. Cuando el verbo está en imperativo afirmativo: ....
b. Cuando el verbo está en imperativo negativo: ....
c. Cuando el verbo está en otro tiempo que no es imperativo: ....

3. Transforma las frases siguientes según el modelo:

Ejemplo: *¿Puedes pasarme la sal?*
Pásamela.

a. ¿Puedes quitarte el vestido?
b. ¿Puedes entregarle este documento al director?
c. ¿Puedes abrirle la puerta al cartero?
d. ¿Puede lavarme esta camisa?
e. ¿Puede sacar los pies de la mesa?
f. ¿Puedes entregarnos las traducciones mañana?

4. Al matrimonio González le acaban de instalar un armario nuevo en su dormitorio. Mientras tanto toda su ropa está sobre la cama. ¿Sabés cómo se llaman estas prendas en español? Ponles nombre utilizando la lista que te proporcionamos a continuación:

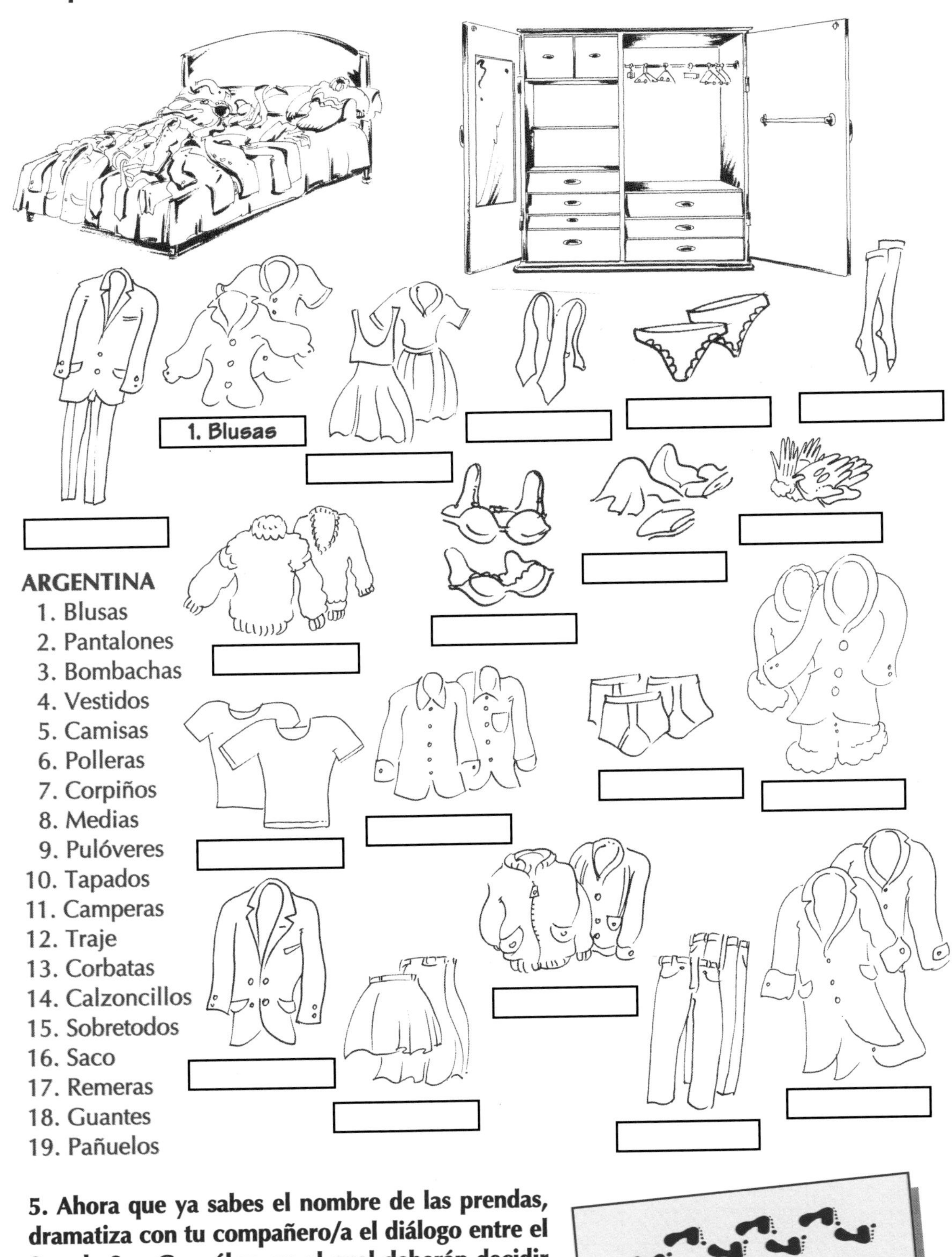

ARGENTINA

1. Blusas
2. Pantalones
3. Bombachas
4. Vestidos
5. Camisas
6. Polleras
7. Corpiños
8. Medias
9. Pulóveres
10. Tapados
11. Camperas
12. Traje
13. Corbatas
14. Calzoncillos
15. Sobretodos
16. Saco
17. Remeras
18. Guantes
19. Pañuelos

5. Ahora que ya sabes el nombre de las prendas, dramatiza con tu compañero/a el diálogo entre el Sr. y la Sra. González, en el cual deberán decidir cómo ordenar el armario.

Ejemplo:
Sr. González: Dorita, ¿dónde pongo este vestido?
Sra. González: Cuélgalo al lado de la pollera.
Sr. González: ¿Doblo las camisas?
Sra. González: No, no las dobles, porque se arrugan. Cuélgalas.

6. Aquí te presentamos algunos ejercicios para mantenerte en forma. Transforma los infinitivos en imperativo formal (usted) y evita las repeticiones innecesarias usando pronombres:

a. Acostarse en el piso. Colocar los brazos extendidos en forma de cruz y no mover los brazos en ningún momento. Flexionar las piernas sobre la barriga. Extender las piernas hasta formar un ángulo recto con el tronco, luego abrir y cerrar las piernas lentamente.
b. Ponerse de pie. Separar los pies. Tocarse los pies con las manos. Flexionar las rodillas y estirar las rodillas lentamente.
c. Sentarse en el piso. Abrir las piernas y dejar las piernas bien estiradas. Levantar los brazos. Llevar los brazos hacia la pierna izquierda. No flexionar las rodillas. Repetir el mismo movimiento hacia la derecha.

* El imperativo y la forma VOS del Río de la Plata

1. Aquí te presentamos las sugerencias de la página 105 utilizando los imperativos como en el Río de la Plata. Léelo.

1. Hacé ejercicio, dejá el coche en casa y caminá.
2. Comé equilibradamente y tomá bebidas sanas: agua, zumos...
3. Recordá las pequeñas cosas que hacen tu vida más agradable: un beso, reír, abrazar, jugar...
4. Empezá el día llenándote de energía: hacé ejercicio, pensá en ti unos minutos, etc.
5. Pensá en tu cuerpo. Cuidá tus posturas y usá correctamente el cuerpo: eso influye en tu bienestar físico y emocional.
6. Encontrá formas de controlar o superar el estrés.

2. Completa el cuadro como en el ejemplo.

Infinitivo	**Imperativo con "tú"**	**Imperativo con "vos"**
Hacer	Ejemplo: *haz*	hacé
Dejar		dejá
Caminar		caminá
Recordar		recordá
Comer		comé
Tomar		tomá
Empezar		empezá
Pensar		pensá
Cuidar		cuidá
Usar		usá
Encontrar		encontrá

3. Junto con tu compañero/a, trata de encontrar la regla de formación de la segunda persona del singular "vos" a partir del infinitivo:

....

....

4. Transcribe los ejercicios de gimnasia para mantenerte en forma usando el voseo:

a. ....

b. ....

c. ....

* Vocabulario

1. Une las palabras de ambas columnas que tengan el mismo significado:

Ejemplo: *calvo = pelado*

España	**Argentina**
1. calvo	a. flaco
2. liso	b. barriga
3. rizado	c. pollera
4. delgado	d. enrulado
5. falda	e. lacio
6. jersey	f. pelado
7. tripa	g. pulóver

2. Elige a una de las personas que ves en esta foto y descríbesela a tu compañero/a, utilizando el vocabulario del ejercicio anterior y el que ya has aprendido en esta unidad. Tu compañero/a tratará de adivinar a quién te refieres.

tema

5 Versión Mercosur

* Vocabulario

1. Después de leer esta carta, sustituye las palabras y expresiones en negrita por las que figuran en el recuadro y que son más usuales en el español rioplatense. Al mismo tiempo cambia las formas "tú" por "vos".

Querida Leonor:
No estoy pasando por una buena época. Como ya sabes hace 5 años que Mario y yo **estamos** juntos, y si bien hay cosas en las que nunca **hemos conectado, nos llevábamos bastante bien**. No sabría decirte exactamente qué es lo que me está pasando, pero actitudes que antes le toleraba, ahora **me ponen enferma**. Por ejemplo, jamás le gustó **recoger** la cocina ni **fregar los cacharros**, bueno, terminaba haciéndolo yo y no me quejaba. Pero algo debe de haber cambiado, pues ahora estas cosas me **enfadan** mucho y siempre acaban en pelea. Y cómo no acabar a gritos, si me deja a mí en la cocina y él se va a montar en moto, y vaya a saber una con quién.
En verdad te escribo para que me des algún consejo, pues no sé si estoy siendo justa con él, ya que por otro lado Mario es un chico muy majo. ¿Será esta una crisis pasajera? No lo sé, pero todo esto me pone muy triste.
Escríbeme lo antes posible. Un beso.

Sonia

P.D.: Te cuento, y en máximo secreto, que últimamente me encuentro muy a menudo con Andrés, un ex compañero de facultad. ¿Te acuerdas? No sé qué me pasa, pero cada vez que lo veo tiemblo toda y me pongo **roja como un tomate**.

enfermar	lavar los platos	ordenar
andar	enojarse	me pongo colorada
sintonizar	tener buena onda	

2. Discute con tu compañero/a qué consejos le darías a Sonia y luego, individualmente, escríbele una respuesta.

glosario

ESPAÑOL	ALEMÁN	FRANCÉS	INGLÉS	ITALIANO	PORTUGUÉS
TEMA 1	**TEMA 1**	**TEMA 1**	**TEMA 1**	**TEMA 1**	**TEMA 1**
A	**A**	**A**	**A**	**A**	**A**
Abaratar	verbilligen	Baisser le prix de	To Make Cheaper	Ribassare	Baratear, Abaratar
Abrir	eröffnen	Ouvrir	To Open	Aprire	Abrir
Abuelo/a (el, la)	Grossvater /-mutter	Grand-père	Grandfather/-mother	Nonno	Avô, Avó
Accidente (el)	Unfall	Accident	Accident	Incidente	Acidente
Acción (la)	Handlung	Action	Action	Azione	Ação
Aceite (el)	Öl	Huile	Oil	Olio	Óleo, Azeite de oliva
Acompañar	begleiten	Accompagner	To Go With	Accompagnare	Acompanhar
Acontecimiento (el)	Ereignis	Evènement	Happening	Avvenimento	Acontecimento
Acostarse	zu Bett gehen	Se coucher	To Go To Bed	Coricarsi	Deitar-se
Actividad (la)	Tätigkeit	Activité	Activity	Attivitá	Atividade
Actor/actriz (el, la)	Schauspieler	Acteur	Actor/Actress	Attore / Attrice	Ator / Atriz
Actualidad (la)	Aktualität	Actualité	Present Time	Attualitá	Atualidade
Actualmente	aktuell	Actuellement	At Present	Attualmente	Atualmente
Actuar	auftreten	Jouer	To Perform	Agire, Recitare	Atuar, Agir
Adelgazamiento (el)	Abmagerung	Amaigrissement	Slimming	Dimagrimento	Emagrecimento
Además	ausserdem	De plus	Besides	Inoltre	Além disso, Aliás
Afueras (las)	Aussenbezirke	Les alentours	Suburbs	Dintorni	Periferias
Agobio (el)	Last, Mühsal	Angoisse	Oppression	Angoscia	Agonia, Angústia, Aflição
Agricultor/-a (el, la)	Landwirt	Agriculteur	Farmer	Agricoltore	Agricultor
Agricultura (la)	Landwirtschaft	Agriculture	Agriculture	Agricoltura	Agricultura
Agua (el)	Wasser	Eau	Water	Acqua	Água
Agujero (el)	Loch	Trou	Hole	Buco	Buraco
Ahora	jetzt	Maintenant	Now	Adesso	Agora
Ahumado/a	geräuchert	Fumé	Smoked/Smoky	Affumicato	Defumado
Aire (el)	Luft	Air	Air	Aria	Ar
Ajo (el)	Knoblauch	Ail	Garlic	Aglio	Alho
Alcachofa (la)	Artischocke	Artichaud	Artichoke	Carciofo	Alcachofra
Alegre	froh	Joyeux	Happy	Allegro	Alegre
Alegría (la)	Freude	Gaieté	Happyness	Allegria	Alegria
Algo	etwas	Quelque chose	Something	Qualcosa	Algo
Alguien	jemand	Quelqu'un	Someone	Qualcuno	Alguém
Alguno/a	irgendeiner	Quelque	Some	Qualche	Algum
Alimento (el)	Speise, Nahrungsmittel	Aliment	Food	Cibo	Alimento
Allí	dort	Lá-bas	There	Lì, Là	Ali
Alrededor	um etwas herum	Autour	Around	Intorno	Ao redor de
Altamente	höchst	Hautement	Highly	Specialmente	Altamente
Alto/a	hoch	Haut	High, Tall	Alto	Alto
Amigo/a (el, la)	Freund	Ami	Friend	Amico	Amigo
Amoroso/a	Liebes...	Amoureux	Affectionate	Amoroso	Amoroso
Animal (el)	Tier	Animal	Animal	Animale	Animal
Antes	früher	Avant	Before	Prima	Antes
Antiguo/a	alt	Ancien	Ancient	Antico	Antigo
Añadir	hinzufügen	Ajouter	To Increase	Aggiungere	Acrescentar
Año (el)	Jahr	Année	Year	Anno	Ano
Aparcamiento (el)	Parkplatz	Parking	Parking	Parcheggio	Estacionamento
Aprender	lernen	Apprendre	To Learn	Imparare	Aprender
Aprovechar	nützen	Profiter	To Us, To Utilize	Aprofittare	Aproveitar
Aquí	hier	Ici	Here	Qui	Aqui
Arroz (el)	Reis	Riz	Rice	Riso	Arroz
Así	so	Ainsi	So	Così	Assim
Atracar	anlegen, vollstopfen	Attaquer	To Attack	Assaltare	Assaltar
Atún (el)	Thunfisch	Thon	Tuna	Tonno	Atum
Aunque	obwohl	Bien que	Though, Even If	Benché	Ainda que, Mesmo que
Auténtico/a	echt	Authentique	Authentic	Autentico	Autêntico
Autoabastecimiento (el)	Selbstversorgung	Autosuffisance	Self-supplying	Autorifornimento	Autoabastecimento
Avión (el)	Flugzeug	Avion	Airplane	Aereo	Avião
Ayer	gestern	Hier	Yesterday	Leri	Ontem
Ayuda (la)	Hilfe	Aide	Help	Appoggio	Ajuda
Ayudar	helfen	Aider	To Help	Aiutare	Ajudar
Ayuntamiento (el)	Rathaus	Mairie	Town Council	Municipio	Prefeitura
Azafrán (el)	Safran	Safran	Saffron	Zafferano	Açafrão
Azul	blau	Bleu	Blue	Blu	Azul
B	**B**	**B**	**B**	**B**	**B**
Bajar	fallen	Descendre	To Lower, To Let Down	Scendere	Baixar, Diminuir, Descer
Baqueta (la)	Gerte	Baguette (de tambour)	Drumstick	Bacchetta	Baqueta
Bar (el)	Kneipe	Bar	Bar	Bar	Bar
Barbaridad (la)	Barbarei	Horreur	Barbarity	Barbarità	Barbaridade
Barco (el)	Schiff	Bateau	Boat	Barca	Barco
Barrio (el)	Stadtviertel	Quartier	Quarter	Quartiere	Bairro
Base (la)	Grundlage	Base	Base	Base	Base
Basura (la)	Müll	Poubelle	Litter	Spazzatura	Lixo
Batería (la)	Schlagzeug	Batterie	Drums, Percussion	Batteria	Bateria
Beber	trinken	Boire	To Drink	Bere	Beber
Bello/a	schön	Beau	Beautiful	Bello	Belo
Berenjena (la)	Aubergine	Aubergine	Aubergine	Melanzana	Beringela
Bicicleta (la)	Fahrrad	Bicyclette	Bicycle	Bicicletta	Bicicleta
Bien	gut	Bien	Well	Bene	Bem
Billete (el)	Fahrkarte	Billet	Ticket	Biglietto	Passagem
Blanco/a	weiss	Blanche	White	Bianca	Branca
Bocadillo (el)	belegtes Brötchen	Sandwich	Sandwich	Panino	Sanduíche
Boda (la)	Hochzeit	Mariage	Wedding	Nozze	Casamento

ESPAÑOL	ALEMÁN	FRANCÉS	INGLÉS	ITALIANO	PORTUGUÉS
Bolsa (la)	Börse	Bourse	Bag	Borsa (valori)	Bolsa
Bolso (el)	Tasche	Sac	Bag	Borsetta	Bolsa
Bosque (el)	Wald	Bois	Wood	Bosco	Floresta, Bosque
Brujo/a (el, la)	Zauberer/Hexe	Sorcier	Magician,Witch	Stregone/Strega	Bruxo
Bueno/a	gut	Bon	Good	Buono	Bom/Boa
C	**C**	**C**	**C**	**C**	**C**
Cada	jeder	Chaque	Each, Every	Ogni	Cada
Calamar (el)	Tintenfisch	Calmar	Squid	Calamaro	Lula
Caldo (el)	Brühe	Bouillon	Broth, Consommé	Caldo	Caldo
Calle (la)	Strasse	Rue	Street	Strada	Rua
Cambio (el)	Änderung	Changement	Change	Cambio	Mudança, Troca
Campo (el)	Feld	Campagne	Country, Field	Campagna	Campo
Cancelar	ungültig machen	Annuler	To Cancel	Cancellare	Cancelar
Cansado/a	müde	Fatigué	Tired	Stanco	Cansado
Capital (la)	Haupt...	Capitale	Capital	Capitale	Capital
Capricho (el)	Laune	Caprice	Whim, Caprice	Capriccio	Capricho
Carácter (el)	Charakter(zug)	Caractère	Nature, Kind	Carattere	Caráter
Cargar	aufladen	Charger	To Load	Caricare	Carregar
Cariño (el)	Zärtlichkeit	Tendresse	Love, Fondness	Affetto	Carinho
Carne (la)	Fleisch	Viande	Meat	Carne	Carne
Carnet (el)	Personalausweis	Carte d'identité	Identification Card (I.D.)	Tessera	Carta de habilitação
Carrera (la)	Karriere	Les études, Carrière	University Major	Carriera	Carreira
Cartón (el)	Pappe	Carton	Cartboard	Cartone	Papelão
Casa (la)	Wohnung	Maison	House	Casa	Casa
Casarse	sich heiraten	Se marier	To Get Married	Sposarsi	Casar-se
Casi	fast	Presque	Almost, Nearly	Quasi	Quase
Caso (el)	Fall	Cas	Case, Notice	Caso	Caso
Causa (la)	Grund	Cause	Cause, Reason	Causa	Causa
Cena (la)	Abendessen	Dîner	Dinner	Cena	Jantar
Central (la)	Zentralwerk	Centrale	Head Office	Centrale	Central
Centro (el)	Stadtmitte, Zentrum	Centre	Centre, Middle	Centro	Centro
Cerca	nahe	Près de	Near, Close	Vicino	Perto, Próximo
Cerveza (la)	Bier	Bière	Beer	Birra	Cerveja
Champú (el)	Shampoo	Shampooing	Shampoo	Sciampo	Champú
Chico/a (el, la)	Junge/Mädchen	Jeune garçon/fille	Boy, Girl	Ragazzo	Garoto, Rapaz
Ciudad (la)	Stadt	Ville	City,Town	Cittá	Cidade
Ciudadano/a (el, la)	Bürger	Citoyen	Townsman/-woman	Cittadino	Cidadão
Clase (la)	Klasse	Classe	Class	Lezione	Aula
Cocer	sieden	Cuire	To Cook, To Boil	Cuocere	Cozer, Cozinhar
Coche (el)	Auto	Voiture	Car	Macchina	Carro
Cocinar	kochen	Cuisiner	To Cook	Cucinare	Cozinhar
Colegio (el)	Schule	Collège	School	Scuola	Colégio
Color (el)	Farbe	Couleur	Colour	Colore	Cor
Comer	essen	Manger	To Eat	Mangiare	Comer
Comercial	kaufmännisch	Commercial	Commercial, Business	Commerciale	Comercial
Comida (la)	Mittagessen	Repas	Food, Meal	Pranzo	Comida
Cómo	Wie	Comment	How?, Why?	Come	Como
Compañero/a (el, la)	Kamerad	Camarade	Companion/Mate	Compagno	Colega
Comparar	vergleichen	Comparer	To Compare	Paragonare	Comparar
Compartir	mitteilen	Partager	To Share (Out)	Dividere	Compartilhar, Dividir
Completar	ergänzen	Compléter	To Complete	Completare	Completar
Compra (la)	Kauf	Les courses	Purchase	Spesa	Compra
Comprar	kaufen	Acheter	To Buy	Comprare	Comprar
Conciencia (la)	Gewissen	Conscience	Moral Sense	Coscienza	Consciência
Conducir	fahren	Conduire	To Drive	Guidare	Dirigir, conduzir
Conjunto (el)	Ensemble	Ensemble	Joint, *sust*: Whole	Congiunto	Conjunto
Conocer	kennenlernen	Connaître	To Know	Conoscere	Conhecer
Considerar	für etwas halten	Considérer	To Consider	Ritenere	Considerar
Consistir	bestehen auf	Consister	To Consist	Consistere	Consistir
Constante	beständig	Constant	Constant	Costante	Constante
Construir	bilden, bauen	Construire	To Build	Costruire	Construir
Consumir	verbrauchen	Consommer	To Consume	Consumare	Consumir
Contaminación (la)	Verschmutzung	Pollution	Pollution	Inquinamento	Contaminação
Contaminante	ansteckend	Polluant	Pollutant	Inquinante	Contaminante, Poluente
Contaminar	verseuchen	Polluer	To Pollute	Inquinare	Contaminar, Poluir
Contar	erzählen	Raconter	To Count	Contare	Contar
Contenedor (el)	Container	Container	Container	Contenitore	Container, contentor
Continuación (la)	Fortsetzung	Continuation	Continuation	Continuazione	Continuação
Continuar	fortsetzen	Continuer	To Continue	Continuare	Continuar
Continuidad (la)	Stetigkeit	Continuité	Continuity	Continuitá	Continuidade
Contribuir	mitwirken	Contribuer	To Contribute	Contribuire	Contribuir
Convertir	umwandeln	Convertir	To Turn Into	Trasformare	Converter, Tornar-se
Convivencia (la)	Zusammenleben	Cohabitation	Living Together	Convivenza	Convivência
Corredor/-a (el, la)	Börsenmakler	Agent	Runner	Corridore	Corredor
Cosa (la)	Sache	Chose	Thing	Cosa	Coisa
Costa (la)	Küste	Côte	Coast	Costa	Costa
Coste (el)	Kosten	Coût	Cost	Costo	Custo
Crear	schaffen	Créer	To Create	Creare	Criar
Crecer	zunehmen	Croître	To Grow (Up)	Crescere	Crescer
Creer	glauben	Croire	To Believe	Credere	Acreditar, Crer
Cuadrado (el)	Quadrat	Carré	Square	Quadrato	Quadrado
Cuál	welche	Quel	Which	Quale	Qual
Cuando	als	Quand	When	Poiché	Quando
Cuándo	wann	Quand	When	Quando	Quando
Cuidado (el)	Vorsicht, Aufmerksamkeit	Soin	Care, Attention	Cura	Cuidado
Cultivar	anbauen	Cultiver	To Cultivate, To Farm	Coltivare	Cultivar
Cultivo (el)	Anbau	Culture	Cultivation	Coltivazione	Cultivo
Curso (el)	Vorlesung, Lehrgang	Cours	Course	Corso	Curso
D	**D**	**D**	**D**	**D**	**D**
Dato (el)	Date, Angabe	Donnée	Piece Of Information	Dato	Dado
Decidir	entscheiden	Décider	To Decide	Decidere	Decidir
Decir	sagen	Dire	To Say	Detto	Dizer
Dedicar	widmen, beschäftigen	Consacrer	To Dedicate, To Devote	Dedicare	Dedicar
Dejar	lassen	Laisser	To Leave, To Give Up	Lasciare	Deixar
Depender	abhängen	Dépendre	To Depend On	Dipendere	Depender
Depuración (la)	Reinigung	Epuration	Purification	Depurazione	Depuração
Desaparición (la)	Verschwinden	Disparition	Disappearance	Scomparsa	Desaparição
Desastre (el)	Katastrophe	Désastre	Disaster	Disastro	Desastre

ESPAÑOL	ALEMÁN	FRANCÉS	INGLÉS	ITALIANO	PORTUGUÉS
Describir	beschreiben	Décrire	To Describe	Descrivere	Descrever
Desesperado/a	verzweifelt	Désespéré	Desperate	Disperato	Desesperado
Después	nachher, später	Après	After, Later	Dopo	Depois
Día (el)	Tag	Jour	Day	Giorno	Dia
Dieta (la)	Diät	Régime	Diet	Dieta	Dieta
Diferente	verschieden	Différent	Different	Diverso	Diferente
Dinero (el)	Geld	Argent	Money	Denaro, Soldi	Dinheiro
Disco (el)	Schallplatte	Disque	Record	Disco	Disco
Disfrutar	geniessen	Profiter	To Have Fun, To Enjoy	Godere	Aproveitar, Desfrutar
Distribución (la)	Austeilung, Verteilung	Distribution	Distribution	Distribuzione	Distribuição
Donde	wo	Où	Where	Dove	Onde
Dormir	schlafen	Dormir	To Sleep	Dormire	Dormir
Ducha (la)	Dusche	Douche	Shower	Doccia	Chuveiro, Ducha
Durante	während	Pendant	During	Durante	Durante
E	E	E	E	E	E
Economía (la)	Wirtschaft	Economie	Economy	Economia	Economia
Ejemplo (el)	Beispiel	Exemple	Example	Esempio	Exemplo
Elaboración (la)	Ausarbeitung, Bearbeitung	Elaboration	Production	Elaborazione	Elaboraçao
Elegir	wählen	Choisir	To Choose	Elezione	Escolher, Eleger
Embotellar	auf Flaschen ziehen	Embouteiller	Bottle	Imbottigliare	Engarrafar
Empezar	anfangen	Commencer	To Begin, To Start	Incominciare	Começar
Empobrecimiento (el)	Verarmung	Apauvrissement	Impoverishment	Impoverimento	Empobrecimento
Empresa (la)	Betrieb	Entreprise	Company	Impresa	Empresa
Enamorado/a	verliebt	Amoureux	Lover	Innamorato	Apaixonado
Enamoramiento (el)	Verliebtheit	Amour	Infatuation	Innamoramento	Paixão
Enamorar(se)	sich verlieben	Tomber amoureux	To Fall In Love	Innamorarsi	Apaixonar
Encontrar(se)	finden, begegnen	Se rencontrer, Trouver	To Meet, To Find	Incontrarsi, Trovare	Encontrar(-se)
Endeudarse	sich in Schulden stürzen	S'endetter	To Get Into Debt	Indebitarsi	Endividar-se
Enfermedad (la)	Krankheit	Maladie	Illness	Malattia	Doença
Enfermo/a	krank	Malade	Ill, Sick	Ammalato	Doente
Ensayar	üben	Répéter	To Rehearse	Provare	Ensaiar
Enterarse	erfahren	Apprendre	To Find Out	Venire a sapere	Tomar conhecimento
Entonces	dann	Alors	Then, Well	Allora	Então
Entre	zwischen, unter	Entre	Between, Among	Tra	Entre
Envasar	einfüllen	Mettre dans un récipient	To Bottle, To Can	Invasare	Embalar
Época (la)	Epoche	Epoque	Period, Age	Epoca	Época
Equilibrado/a	ausgeglichen	Equilibré	Balanced	Equilibrato	Equilibrado
Equivocado/a	irrtümlich	Avoir tort	Wrong	Erroneo	Equivocado, Enganado
Escenario (el)	Bühne	Scène	Stage	Palcoscenico	Cenário
Escoba (la)	Besen	Balai	Brush	Scopa	Vassoura
Escribir	schreiben	Ecrire	To Write	Scrivere	Escrever
Escuela (la)	Schule	Ecole	School	Scuola	Escola
Espacio (el)	Raum	Espace	Space	Spazio	Espaço
Especial	besonders	Spécial	Special	Speciale	Especial
Estar	sein	Etre	To Be	Stare	Estar
Estricto/a	streng	Strict	Strict	Rigoroso	Estrito
Estudiar	lernen	Etudier	To Study	Studiare	Estudar
Evitar	vermeiden	Eviter	To Avoid	Evitare	Evitar
Existir	dasein, existieren	Exister	To Exist	Esistere	Existir
Explicar	erklären	Expliquer	To Explain	Spiegare	Explicar
Expresar	äussern	Exprimer	To Express	Esprimere	Expressar
Expresión (la)	Ausdruck	Expression	Expression	Espressione	Expressão
Expulsar	ausstossen	Expulser	To Expel	Espellere	Expulsar
Extranjero/a (el, la)	Ausländer	Etranger	Foreigner	Straniero	Estrangeiro
Extraterrestre (el, la)	Ausserirdisch	Extraterrestre	Extraterrestrial	Extraterrestre	Extra-terrestre
Extremo (el)	Ende, Extrem	Extrême	Extreme	Estremo	Extremo
F	F	F	F	F	F
Fácil	einfach	Facile	Easy	Facile	Fácil
Feliz	glücklich	Heureux	Happy	Felice	Feliz
Fiesta (la)	Fest	Fête	Party	Festa	Festa
Fijarse	bemerken	Observer	To Concentrate	Prestare attenzione	Prestar atenção, Fixar-se
Finalidad (la)	Zweck	Finalité	Purpose	Finalitá	Finalidade
Forma (la)	Art	Façon	Shape	Forma	Forma
Frase (la)	Satz	Phrase	Sentence	Frase	Frase
Frecuentemente	oft	Fréquemment	Frequently	Frequentemente	Freqüentemente
Freír	braten	Frire	Fry	Friggere	Fritar
Fresco/a	frisch	Frais	Fresh	Fresco	Fresco
Fruta (la)	Obst	Fruit (le)	Fruit	Frutta	Fruta
Fruto (el)	Frucht	Fruit (le)	Fruit	Frutto	Fruto
Fuego (el)	Flamme	Feu	Fire, Light	Fuoco	Fogo
Fumar	rauchen	Fumer	To Smoke	Fumare	Fumar
Fundamental	grundlegend	Fondamental	Fundamental	Fondamentale	Fundamental
Furgón (el)	Lieferwagen	Fourgon	Van	Furgone	Furgão, Van
G	G	G	G	G	G
Ganar	gewinnen, verdienen	Gagner	To Win	Guadagnare	Ganhar
Garantizar	gewährleisten	Garantir	To Guarantee	Garantire	Garantir
Gasolina (la)	Benzin	Essence	Petrol (U.K.), Gasoline	Benzina	Gasolina
Gastar	verbrauchen	Dépenser	To Spend	Spendere	Gastar
Gente (la)	Leute	Gens (les)	People	Gente	Gente
Girasol (el)	Sonnenblume	Tournesol	Sunflower	Girasole	Girassol
Gordo/a	dick	Gros	Fat	Grosso	Gordo
Grabar	aufnehmen	Enregistrer	To Record	Registrare	Gravar
Gran	gross	Grand	Big	Gran	Grande
Grasa (la)	Fett	Graisse	Grease	Grasso	Gordura
Gris	grau	Gris	Grey	Grigio	Cinza
Guapo/a	hübsch	Mignon	Handsome, Beautiful	Bello	Bonito
Gustar	gefallen	Plaire	To Like	Piacere	Gostar
H	H	H	H	H	H
Haber	haben	Avoir	To Have	Avere	Haver
Habitante (el, la)	Einwohner	Habitant	Citizen	Abitante	Habitante
Hablar	sprechen	Parler	To Speak	Parlare	Falar
Hacer	machen	Faire	To Do, To Make	Fare	Fazer
Hambre (el)	Hunger	Faim	Hunger	Fame	Fome
Harto/a	überdrüssig	En avoir assez de	Full	Stufo	Farto, Cheio
Hijo/a (el, la)	Sohn/Tochter	Fils/Fille	Son/Daughter	Figlio	Filho
Historia (la)	Geschichte	Histoire	History	Storia	História
Hogar (el)	Heim	Foyer	Home	Casa, Focolare	Lar
Hora (la)	Uhr, Stunde	Heure	Hour	Ora	Hora

ESPAÑOL	ALEMÁN	FRANCÉS	INGLÉS	ITALIANO	PORTUGUÉS
Horrible	schrecklich	Horrible	Horrible	Orribile	Horrível
Hospital (el)	Krankenhaus	Hôpital	Hospital	Ospedale	Hospital
Hostelería (la)	Gaststättengewerbe	Hôtellerie	Hotel Trade	Locanda	Hotelaria
Hoy	heute	Aujourd'hui	Today	Oggi	Hoje
Huelga (la)	Streik	Grève	Strike	Sciopero	Greve
Huerto (el)	Obstgarten	Verger	Vegetable Garden	Orto	Horta
Huevo (el)	Ei	Oeuf	Egg	Uovo	Ovo
Humanidad (la)	Menschlichkeit	Humanité	Human Race	Umanitá	Humanidade
Humano/a	menschlich	Humain	Human	Umano	Humano
I	I	I	I	I	I
Importación (la)	Import	Importation	Importation	Importazione	Importância
Importante	wichtig	Important	Important	Importante	Importante
Incorporar	einfügen	Incorporer	To Incorporate	Incorporare	Incorporar
Inestable	unbeständig	Instable	Unstable	Instabile	Instável
Información (la)	Auskunft	Information	Information	Informazione	Informação
Intentar	versuchen	Essayer	To Try	Tentare	Tentar
Interrumpir	unterbrechen	Interrompre	To Interrupt	Interrompere	Interromper
Interrupción (la)	Unterbrechung	Interruption	Interruption	Interruzione	Interrupçao
Inversión (la)	Geldanlage, Investition	Investissement	Investment	Investimento	Investimento
Invierno (el)	Winter	Hiver	Winter	Inverno	Inverno
Ir	gehen	Aller	To Go	Andare	Ir
Isla (la)	Insel	Ile	Island	Isola	Ilha
J	J	J	J	J	J
Jardín (el)	Garten	Jardin	Garden	Giardino	Jardim
Jornada (la)	Tagesablauf, Arbeitszeit	Journée	Day, Working Day	Giornata	Jornada
Junto/a	zusammen	Ensemble	Together	Unito, Insieme a	Junto
L	L	L	L	L	L
Lado (el)	Seite	Côté	Side	Lato	Lado
Lechuga (la)	Kopfsalat	Laitue	Lettuce	Lattuga	Alface
Leer	lesen	Lire	To Read	Leggere	Ler
Lento/a	langsam	Lent	Slow	Lento	Lento
Ley (la)	Gesetz	Loi	Law	Legge	Lei
Libre	frei	Libre	Free	Libero	Livre
Ligero/a	leicht	Léger	Light	Leggero	Leve
Limón (el)	Zitrone	Citron	Lemon	Limone	Limão
Limpieza (la)	Sauberkeit	Propreté	Cleaning	Pulizia	Limpeza
Limpio/a	sauber	Propre	Clean	Pulito	Limpo
Lista (la)	Verzeichnis	Liste	List	Lista	Lista
Llamar	rufen	Appeler	To Call	Chiamare	Telefonar, Ligar
Llegar	ankommen	Arriver	To Arrive	Arrivare	Chegar
Lleno/a	voll	Plein	Full	Pieno	Cheio
Llevar	tragen, bringen	Porter	To Take	Portare	Levar
Loco/a	närrisch, verrückt	Fou	Crazy	Pazzo	Louco, Maluco
Luego	später	Ensuite	Later	Dopo	Depois, Logo
Lugar (el)	Ort	Lieu	Place	Luogo	Lugar
Lujo (el)	Pracht	Luxe	Luxury	Lusso	Luxo
M	M	M	M	M	M
Machacar	zerstossen, zerkleinern	Ecraser	To Crash	Pestare, Frantumare	Amassar, Expremer
Mal	schlecht	Mal	Bad	Male	Mal
Manera (la)	Art	Manière	Way, Manner	Maniera, Modo	Maneira
Mantequilla (la)	Butter	Beurre	Butter	Burro	Manteiga
Marca (la)	Merkzeichen, Marke	Marque	Mark	Segno	Marca
Marfil (el)	Elfenbein	Ivoire	Ivory	Avorio	Marfim
Marrón	braun	Marron	Brown	Marrone	Marrom
Más	mehr	Davantage	More	Più	Mais
Mayor	grösser	Plus grand	Main	Maggiore	Maior
Médico/a (el, la)	Arzt	Médecin	Doctor	Medico, Dottore	Médico
Medida (la)	Mass, Massnahme	Mesure	Measuring	Misura	Medida
Medioambiental	Umwelt...	De l' environnement	Environmental	Medioambientale	Meio-ambiental
Mejor	besser	Meilleur	Better	Meglio/Migliore	Melhor
Menos	weniger	Moins	Less	Meno	Menos
Mes (el)	Monat	Mois	Month	Mese	Mês
Miedo (el)	Angst	Peur	Fear	Paura	Medo
Mientras	während	Pendant	While	Mentre	Enquanto
Mismo/a	selbst	Même	Same	Stesso	Mesmo
Misterioso/a	geheimnisvoll	Mystérieux	Misterious	Misterioso	Misterioso
Mitad (la)	Hälfte	Moitié	Half	Metà	Metade
Modelo (el)	Vorbild	Modèle	Model	Modello	Modelo
Molino (el)	Mühle	Moulin	Mill	Mulino	Moinho
Monasterio (el)	Kloster	Monastère	Monastery	Monastero	Mosteiro
Monetario/a	Währungs...	Monétaire	Monetary	Monetario	Monetário
Montaña (la)	Berg	Montagne	Mountain	Montagna	Montanha
Morir	sterben	Mourir	To Die	Morire	Morrer
Moverse	sich bewegen	Bouger	To Move	Muoversi	Mover-se, Mexer-se
Móvil (teléfono)	Handy	Portable	Movable	Mobile	Telefone celular
Movimiento (el)	Bewegung	Mouvement	Movement	Movimento	Movimento
Mucho/a	sehr	Beaucoup	A Lot Of	Molto, Tanto	Muito
Mujer (la)	Frau	Femme	Woman	Donna	Mulher
Mundial	Welt...	Mondial	World-Wide	Mondiale	Mundial
Mundo (el)	Welt	Monde	World	Mondo	Mundo
Muy	sehr	Très	Very	Molto	Muito
N	N	N	N	N	N
Nacer	geboren werden	Naître	To Be Born	Nascere	Nascer
Nada	nichts	Rien	Nothing	Niente	Nada
Nadie	niemand	Personne	Nobody	Nessuno	Ninguém
Naranja	Orange	Orange	Orange	Arancione	Laranja
Narrar	erzählen	Narrer	To Tell	Narrare	Narrar
Nata (la)	Sahne	Crème	Cream	Panna	Creme (de leite)
Natural	natürlich	Naturel	Natural	Naturale	Natural
Navegar	segeln	Naviguer	To Sail	Navigare	Navegar
Necesitar	benötigen, brauchen	Avoir besoin	To Need	Avere Bisogno Di	Precisar de, Necessitar de
Negocio (el)	Geschäft	Affaires	Affair	Affare	Negócio
Noche (la)	Nacht	Nuit	Night	Notte	Noite
Nocturno/a	nächtlich	Nocturne	Night	Notturno	Noturno
Novio/a (el, la)	Freund	Petit ami	Boyfriend/Girlfriend	Fidanzato	Namorado
Nuclear	Kern...	Nucléaire	Nuclear	Nucleare	Nuclear
Nuevo/a	neu	Nouveau	New	Nuovo	Novo
Nunca	nie	Jamais	Never	Mai	Nunca

ESPAÑOL	ALEMÁN	FRANCÉS	INGLÉS	ITALIANO	PORTUGUÉS
O	**O**	**O**	**O**	**O**	**O**
Objetor (el)	Wehrdienstverweigerer	Objecteur	Objector	Obiettore	Objetor
Ocupar	anfüllen	Occuper	To Occupy	Occupare	Ocupar
Ocurrir	geschehen	Arriver	To Happen	Accadere, Succedere	Ocorrer
Oído (el)	Gehör	Ouïe	Ear	Orecchia/Udito	Ouvido
Oír	hören	Ecouter	To Ear	Sentire, Udire	Ouvir
Olvidar	vergessen	Oublier	To Forget	Dimenticare	Esquecer
Optar	sich entscheiden für	Opter	To Decide	Optare Per, Decidere	Optar
Oro (el)	Gold	Or	Gold	Oro	Ouro
Otoño (el)	Herbst	Automne	Autumn	Autunno	Outono
Otro/a	ein anderer	Autre	Other	Altro	Outro
P	**P**	**P**	**P**	**P**	**P**
Padre (el)	Vater	Père	Father	Padre	Pai
País (el)	Land	Pays	Country	Nazione, Paese	País
Palabra (la)	Wort	Mot	Word	Parola	Palavra
Papel (el)	Papier	Papier	Role	Carta	Papel
Paquete (el)	Paket	Paquet	Packet	Pacchetto	Pacote
Paradisíaco/a	paradiesisch	Paradisiaque	Heavenly	Paradisiaco	Paradisíaco
Parecer	scheinen, aussehen wie	Sembler	To Seem	Sembrare	Parecer
Paro (el)	Arbeitslosigkeit	Chômage	Unemployment	Disoccupazione	Desemprego
Parte (la)	Teil, Seite	Partie	Part	Parte	Parte
Participar	teilnehmen an	Participer	To Participate	Partecipare	Participar
Pasado/a	vergangen	Passé	Past	Passato	Passado
Pasar	vergehen	Arriver	To Pass	Passare/Superare	Passar
Pasta (la)	Paste	Pâtes	Pasta	Pasta	Massa
Peatón/-a (el, la)	Fussgänger	Piéton	Pedestrian	Pedone	Pedestre
Pela (la)	*Umgangsprache:* Pesete	Peseta (fam.)	Money	Soldi	Peseta
Película (la)	Film	Film	Film	Film	Filme
Pelo (el)	Haar	Cheveux	Hair	Capelli	Cabelo
Peluquería (la)	Friseurladen	Salon de coiffure	Hairdresser's	Parrucchiere	Cabeleireiro
Pensar	denken	Penser	To Think	Pensare	Pensar
Peor	schlimmer	Pire	Worse	Peggio	Pior
Pequeño/a	klein	Petit	Little	Piccolo	Pequeno
Perdón (el)	Begnadigung	Pardon	Pardon	Perdono	Perdão
Periodo (el)	Zeitraum	Période	Period	Periodo	Período
Permitir	erlauben	Permettre	To Permit	Permettere	Permitir
Pero	aber	Mais	But	Ma, Però	Mas, Porém
Personaje (el)	Persönlichkeit	Personnage	Caracther	Personaggio	Personagem
Pescado (el)	Fisch	Poisson	Fish	Pesce	Peixe
Pescador/-a (el, la)	Fischer	Pêcheur	Fisherman/-woman	Pescatore	Pescador
Pila (la)	Batterie	Pile	Battery	Batería	Pilha
Pimiento (el)	Paprikaschotte	Poivron	Pepper, Pimiento	Peperone	Pimento, Pimentâo
Pista (la)	Spur	Piste	Track	Traccia, Pista	Pista
Plato (el)	Teller	Plat	Plate, Dish	Piatto	Prato
Plomo (el)	Blei	Plomb	Lead	Piombo	Chumbo
Población (la)	Bevölkerung	Population	Population	Popolazione	População
Poco/a	wenig	Peu	(A) Little	Poco	Pouco
Poder	können, dürfen	Pouvoir	May, Can	Potere	Poder
Pollo (el)	Hänchen	Poulet	Chicken	Pollo	Frango
Porque	weil	Parce que	Because...	Perché	Porque
Posibilidad (la)	Möglichkeit, Chance	Possibilité	Possibility	Possibilità	Possibilidade
Practicar	ausüben	Pratiquer	To Practise	Praticare	Praticar
Precio (el)	Preis	Prix	Price	Prezzo	Preço
Precocinado/a	halbgekocht	Précuisiné	Precooked	Precucinato	Pré-cozido
Preocupación (la)	Sorge	Soucis	Worry, Preoccupation	Preoccupazione	Preocupação
Presente (el)	Gegenwart	Présent	Present	Presente	Presente
Presión (la)	Druck	Pression	Pressure	Pressione	Pressão
Primavera (la)	Frühling	Printemps	Spring	Primavera	Primavera
Primero/a	erste	Premier	First	Primo	Primeiro
Príncipe/Princesa (el, la)	Prinz	Prince/Princesse	Prince/Princess	Principe /Principessa	Príncipe/Princesa
Principio (el)	Anfang	Début	Beginning	Principio	Princípio
Prisa (la)	Eile	Hâte	Hurry	Fretta	Pressa
Problema (el)	Problem	Problème	Trouble	Problema	Problema
Producir	herstellen	Produire	To Produce	Produrre	Produzir
Productor/-a (el, la)	Hersteller	Producteur	Producer	Produttore	Produtor
Profesor/-a (el, la)	Lehrer	Professeur	Teacher	Professore	Professor
Prohibido/a	verboten	Interdit	Forbidden	Proibito, Vietato	Proibido
Pronto	früh	Bientôt	Soon	Presto	Cedo
Propio/a	eigen, selbst	Propre	Own	Proprio	Próprio
Prueba (la)	Probe	Preuve	Test, Proof	Prova	Prova
Público (el)	Zuschauer	Public	Public (audience)	Pubblico	Público
Pueblo (el)	Dorf	Village	People Village	Popolo, Paese	Cidadezinha
Q	**Q**	**Q**	**Q**	**Q**	**Q**
Quedarse	bleiben	Rester	To Stay	Rimanere	Ficar
Querer	lieben, wollen	Aimer	To Want, To Love	Volere, Amare	Querer
Queso (el)	Käse	Fromage	Cheese	Formaggio	Queijo
Quiste (el)	Zyste	Kyste	Cyst	Cisti	Cisto, Quisto
R	**R**	**R**	**R**	**R**	**R**
Rápido/a	schnell	Rapide	Fast	Veloce, Rapido	Rápido
Recibir	bekommen	Recevoir	To Receive	Ricevere	Receber
Recientemente	neuerlich	Récemment	Recently	Recentemente	Recentemente
Recogida (la)	Abfuhr	Ramassage	Withdrawal, Harvest	Raccolta, Raccolto, Ritiro	Recolhida, Recolhimento
Recompensa (la)	Belohnung	Récompense	Reward	Ricompensa	Recompensa
Reconstruir	wiederaufbauen	Reconstruire	To Reconstruct	Ricostruire	Reconstruir
Recordar	erinnern	Se souvenir	To Remember	Ricordare	Recordar, Lembrar
Recuperación (la)	Zurückgewinnung	Récupération	Recovery	Recupero/Ripresa	Recuperação
Recuperar	wiedererlangen	Récupérer	To Recover	Recuperare	Recuperar
Regio/a	herrlich	Digne d'un roi	Royal	Reale	Régio, Real
Relación (la)	Beziehung	Relation	Relation(ship)	Relazione, Rapporto	Relação
Repentino/a	unerwartet	Soudain	Sudden	Repentino, Improvviso	Repentino
Repetición (la)	Wiederholung	Répétition	Repetition	Ripetizione	Repetçao
Repetir	wiederholen	Répéter	To Repeat	Ripetere	Repetir
Reposar	ruhen	Reposer	To Rest	Riposare	Repousar
Reunión (la)	Versammlung	Réunion	Meeting	Riunone	Reunio
Rico/a	reich	Riche	Rich	Ricco	Rico
Río (el)	Fluss	Fleuve	River	Fiume	Río
Rubio/a	blond	Blond	Fair (Blonde)	Biondo	Loiro

ESPAÑOL	ALEMÁN	FRANCÉS	INGLÉS	ITALIANO	PORTUGUÉS
S	**S**	**S**	**S**	**S**	**S**
Saber	wissen	Savoir	To Know	Sapere	Saber
Sal (la)	Salz	Sel	Salt	Sale	Sal
Salvar	retten	Sauver	To Save	Salvare	Salvar
Seguir	folgen	Suivre	To Follow	Seguire	Seguir
Selectivo/a	trennscharf	Sélectif	Selective	Selettivo	Seletivo
Semana (la)	Woche	Semaine	Week	Settima	Semana
Sencillo/a	einfach	Simple	Simple	Semplice	Simples
Senderismo (el)	Wandern	Randonnée	Trecking	Escursionismo, Trekking	Caminhada, Fazer trilha
Sentir	fühlen	Ressentir	To Fee, To Regret	Sentire, Dispiacere	Sentir
Separar	trennen	Séparer	To Separate	Separare	Separar
Ser	sein	Être	To Be	Essere	Ser
Servir	dienen, taugen zu	Servir	To Serve	Servire	Servir
Siempre	immer	Toujours	Always	Sempre	Sempre
Siglo (el)	Jahrhundert	Siècle	Century	Secolo	Século
Significar	heissen, bedeuten	Signifier	To Mean	Significare	Significar
Simultáneo/a	gleichzeitig	Simultané	Simultaneous	Simultaneo	Simultâneo
Situación (la)	Lage	Situation	Situation	Situazione	Situação
Social	gesellschaftlich	Social	Social	Sociale	Social
Socio/a (el, la)	Teilhaber	Membre	Member	Socio	Sócio
Soldado (el, la)	Soldat	Soldat	Soldier	Soldato	Soldado
Soler	pflegen	Avoir l'habitude de	To Do Something Habitually	Essere Solito	Costumar
Solo/a	allein	Seul	Single, Alone	Soltanto	Sozinho
Sólo	nur	Seulement	Only	Solamente	Só, Somente
Solución (la)	Lösung	Solution	Solution	Soluzione	Solução
Sonido (el)	Ton	Son	Sound	Suono	Som
Subir	steigen	Monter	To Go Up	Salire	Subir
Suceder	geschehen	Arriver	To Happen	Succedere, Accadere	Suceder
Suceso (el)	Ereignis	Evènement	Event	Fatto, Evento	Fato, Sucesso
Sueño (el)	Schlaf	Rêve	Sleep, Dream	Sogno	Sono, Sonho
Suficiente	genügend	Sufisemment	Enough	Sufficiente	Suficiente
Superar	überwinden	Surmonter	To Over	Superare	Superar
T	**T**	**T**	**T**	**T**	**T**
Tamaño (el)	Grösse	Taille	Size	Grandezza	Tamanho
También	auch	Aussi	Also	Anche	Também
Tan	so	Aussi	So	Tanto	Tão
Tanto/a	so viel	Autant	So Much	Tanto	Tanto
Tardar	*hier:* brauchen	Mettre du temps	To Take Time	Metterci (tempo)	Demorar, Tardar
Taza (la)	Tasse	Tasse	Cup	Tazza	Xícara
Tema (el)	Thema	Sujet	Theme	Tema	Tema
Tener	haben	Avoir	To Have	Avere	Ter
Tercero/a	dritter	Troisième	Third	Terzo	Terceiro
Terminar	beenden	Terminer	To Finish	Finire	Terminar
Tiempo (el)	Zeit, Wetter	Temps	Time	Tempo	Tempo
Tienda (la)	Geschäft	Boutique	Shop	Negozio	Loja
Tierra (la)	Erde	Terre	Earth, Land	Terra	Terra
Tirar	werfen	Jeter	To Throw	Tirare, Buttare Via	Lançar, Jogar, Puxar
Título (el)	Titel	Titre	Title, Certificate	Titolo, Certificato	Título
Todavía	noch	Encore	Still, Yet	Ancora	Ainda
Todo/a	alles	Tout	All, Whole	Tutto	Todo
Tomar	nehmen	Prendre	To Take	Prendere	Tomar
Tomate (el)	Tomate	Tomate	Tomato	Pomodoro	Tomate
Tonelada (la)	Tonne	Tonne	Ton	Tonnellata	Tonelada
Trabajar	arbeiten	Travailler	To Work	Lavorare	Trabalhar
Trabajo (el)	Arbeit	Travail	Work	Lavoro	Trabalho
Tráfico (el)	Verkehr	Circulation	Traffic	Traffico	Tráfico, Trânsito
Tranquilo/a	ruhig	Tranquille	Calm, Peaceful	Tranquillo	Tranqüilo
Tranvía (el)	Strassenbahn	Tramway	Tram	Tram	Bonde
Tratamiento (el)	Behandlung	Traitement	Treatment	Trattamento	Tratamento
Tren (el)	Zug	Train	Train	Treno	Trem
Trozo (el)	Stück	Morceau	Piece	Pezzo	Pedaço
U	**U**	**U**	**U**	**U**	**U**
Urbanidad (la)	Höflichkeit	Courtoisie	Courtesy	Gentilezza	Urbanidade
Usar	gebrauchen, benutzen	Utiliser	To Use	Usare	Usar
Utilizar	benutzen	Utiliser	To Make Use Of	Utilizzare	Utilizar
V	**V**	**V**	**V**	**V**	**V**
Vaca (la)	Kuh	Vache	Cow	Mucca	Vaca
Vacaciones (las)	Ferien	Vacances	Holidays	Vacanze	Férias
Variado/a	reichhaltig	Varié	Varied	Variato	Variado
Varios/as	verschieden	Différents	Several, Various	Molti, Tanti	Vários
Vegetal	pflanzlich	Végétal	Vegetable	Vegetale	Vegetal
Vender	verkaufen	Vendre	To Sell	Vendere	Vender
Venir	kommen	Venir	To Come	Venire	Vir
Ver	sehen	Voir	To See	Vedere	Ver
Verano (el)	Sommer	Eté	Summer	Estate	Verão
Verdad (la)	Wahrheit	Vérité	Truth	Verità	Verdade
Verde	grün	Vert	Green	Verde	Verde
Verdura (la)	Gemüse	Légumes verts	Vegetable	Verdura	Verdura
Vez (la)	Mal	Fois	Turn	Volta	Vez
Viajar	reisen	Voyager	To Travel	Viaggiare	Viajar
Viaje (el)	Reise	Voyage	Trip	Viaggio	Viagem
Vida (la)	Leben	Vie	Life	Vita	Vida
Vidrio (el)	Glas	Verre	Glass	Vetro	Vidro
Vino (el)	Wein	Vin	Wine	Vino	Vinho
Virtud (la)	Fähigkeit, Tugend	Vertu	Virtue	Virtù	Virtude
Vivir	leben	Vivre	To Live	Vivere	Viver
Vocabulario (el)	Wortschatz	Vocabulaire	Vocabulary	Vocabolario	Vocabulário
Volver	wieder tun	Revenir	To Turn	Ritornare	Voltar
Y	**Y**	**Y**	**Y**	**Y**	**Y**
Ya	schon	Déjà	Already, Right now	Già	Já
TEMA 2	**TEMA 2**	**TEMA 2**	**TEMA 2**	**TEMA 2**	**TEMA 2**
A	**A**	**A**	**A**	**A**	**A**
Acceso (el)	Zutritt, Zugang	Accés	Access	Accesso	Acesso
Acogedor/-a	gemütlich	Accueillant	Friendly, Warm /Cosy	Accogliente	Acolhedor
Acordar	vereinbaren	Se mettre d'accord	To Agree	Accordare	Acordar, fazer um acordo
Acuerdo (el)	Beschluss	Accord	Agreement	Accordo	Acordo
Adaptar	anpassen	Adapter	To Adapt, To Convert	Adattare	Adaptar

ESPAÑOL	ALEMÁN	FRANCÉS	INGLÉS	ITALIANO	PORTUGUÉS
Adelgazar	abnehmen	Maigrir	To Slim, To Lose Weight	Dimagrire	Emagrecer
Administración (la)	Verwaltung	Administration	Administration	Amministrazione	Administração
Aeropuerto (el)	Flughafen	Aéroport	Airport	Aeroporto	Aeroporto
Ahí	dort	Là	There	Là, Lì	Aí
Alemán/-a	Deutsche	Allemand	German	Tedesco	Alemão
Alquiler (el)	Miete	Loyer	Rent	Affitto	Aluguel
Ámbito (el)	Raum	Territoire	Scope, Field, Area	Ambito, Area	Âmbito
Ambulancia (la)	Krankenwagen	Ambulance	Ambulance	Ambulanza	Ambulância
Amplio/a	weit	Etendu/Vaste	Wide	Ampio	Amplo
Anterior	vorige	Antérieur	Previous	Precedente, Anteriore	Anterior
Anticuado/a	veraltet	Vieux, Démodé	Old-fashioned	Antiquato, Fuori Moda	Antiquado
Anuncio (el)	Anzeige	Publicité	Advertisement	Annuncio	Anúncio
Área (el)	Gebiet	Aire	Area	Area	Área
Arriba	oben	En haut	Up, Above	Su, Sopra	Acima
Arruinarse	verfallen	Se ruiner	To Lose Everything	Rovinarsi	Arruinar-se, Falir
Arte (el)	Kunst	Art	Art	Arte	Arte
Asesinar	ermorden	Assassiner	To Kill	Assassinare, Uccidere	Assassinar
Atender	*hier:* antworten	S'occuper de	To Pay Attention	Fare Attenzione	Atender
Ausencia (la)	Abwesenheit	Absence	Absence	Assenza	Ausência
B	**B**	**B**	**B**	**B**	**B**
Bailar	tanzen	Danser	To Dance	Ballare	Dançar
Bajo/a	klein, niedrig	Bas, Petit	Low, short	Basso	Baixo
Bonito/a	schön	Joli	Pretty, Nice	Bello	Bonito
Bostezar	gähnen	Bailler	To Yawn	Sbadigliare	Bocejar
Buscar	suchen	Chercher	To Look For	Cercare	Procurar, Buscar
C	**C**	**C**	**C**	**C**	**C**
Calma (la)	Stille	Tranquilité	Calm	Calma	Calma
Calzado (el)	Schuhwerk	Chaussure	Shoe	Scarpa	Calçado
Caminar	wandern	Marcher	To Walk	Camminare	Caminhar
Camioneta (la)	Lieferwagen	Camionette	Van	Furgone	Caminhonete
Camisa (la)	Hemd	Chemise	T-shirt	Camicia, Maglietta	Camisa
Canción (la)	Lied	Chanson	Song	Canzone	Canção, Música
Cartel (el)	Plakat, Wandbild	Affiche	Poster	Poster	Cartaz
Chicle (el)	Kaugummi	Chewing-Gum	Chewing Gum	Cicca da Masticare	Chiclete
Circulación (la)	Freizügigkeit	Circulation	Circulation	Circolazione	Circulação
Claro/a	klar	Clair	Clear	Chiaro	Claro
Cliente/a (el, la)	Kunde	Client	Customer	Cliente	Cliente
Cocina (la)	Küche	Cuisine	Kitchen	Cucina	Cozinha
Cocinero/a (el, la)	Koch	Cuisinier	Cook	Cuoco	Cozinheiro
Comienzo (el)	Anfang	Début	Beginning	Inizio	Começo
Cómodo/a	bequem	Pratique	Confortable	Comodo	Cômodo, Confortável
Competencia (la)	Konkurrenz	Concurrence	Competence	Concorrenza	Competência
Comprender	verstehen	Comprendre	To Understand	Capire	Compreender
Conductor/-a (el, la)	Fahrer	Conducteur	Driver	Autista	Motorista
Conocimiento (el)	Kenntnis	Connaissance	Knowledge	Conoscenza	Conhecimento
Contento/a	glücklich, zufrieden	Content	Happy	Contento	Contente
Contratar	einstellen	Engager	To Contract	Contrattare	Contratar
Contrato (el)	Vertrag	Contrat	Contract	Contratto	Contrato
Convencional	herkömmlich	Conventionnel	Conventional	Convenzionale	Convencional
Conversar	sich unterhalten	Converser	To Talk	Conversare	Conversar
Cooperativa (la)	Genossenschaft	Coopérative	Cooperative	Cooperativa	Cooperativa
Correo (el)	Post	Courrier	Mail	Posta	Correio
Correspondencia (la)	Briefwechsel	Correspondance	Correspondence	Corrispondenza	Correspondência
Criar	erzeugen	Elever	To Bring Up	Allevare	Criar
Cuaderno (el)	Heft	Cahier	Exercise Book	Quaderno	Caderno
Cuestión (la)	Frage	Question	Question	Questione, Problema	Questão
Cuidar	besorgen, pflegen	Soigner	To Look After	Avere Cura di	Cuidar
Currículum (el)	Lebenslauf	Curriculum	Curriculum Vitae	Curriculum Vitae	Currículum (vitae)
D	**D**	**D**	**D**	**D**	**D**
Deber	müssen	Devoir	To Have To	Dovere	Dever
Decisión (la)	Entscheidung	Décision	Decision	Decisione	Decisão
Demasiado/a	zuviel	Trop	Too Much, Many	Troppo	Demasiado, Muito
Departamento (el)	Abteilung	Département	Department	Dipartimento	Departamento
Deprimido/a	niedergedrückt	Déprimé	Depressed	Depresso	Deprimido
Desarrollo (el)	Entwicklung	Développement	Development	Sviluppo	Desenvolvimento
Desayuno (el)	Frühstück	Petit-déjeuner	Breakfast	Colazione	Café da manhã
Descubrir	entdecken	Découvrir	To Find Out	Scoprire	Descobrir
Despacho (el)	Büro	Bureau	Office	Ufficio	Escritório
Destinatario/a (el, la)	Empfänger	Destinataire	Addressee	Destinatario	Destinatário
Destrozar	zerreissen	Détruire	To Break	Distruggere	Despedaçar, Cansar
Dialogar	in Gesprächsform abfassen	Dialoguer	To Talk To	Dialogare	Dialogar
Diario/a	täglich	Journalier	Daily	Giornaliero	Diário
Diccionario (el)	Wörterbuch	Dictionnaire	Dictionary	Dizionario	Dicionário
Diferencia (la)	Unterschied	Différence	Difference	Differenza	Diferença
Disponer	verfügen über	Disposer	To Provide	Disporre	Dispor
Divertido/a	lustig	Amusant	Funny	Divertente	Divertido
Duro/a	hart	Dur	Hard	Duro	Duro
E	**E**	**E**	**E**	**E**	**E**
Edad (la)	Alter	Age	Age	Età	Idade
Emocionante	ergreifend, bewegend	Emouvant	Moving, Exciting	Emozionante	Emocionante
Empleado/a (el, la)	Angestellte	Employé	Employed	Impiegato	Empregado
Empleo (el)	Beschäftigung	Emploi	Employment	Impiego	Emprego
Empresarial	Betriebs...	Patronal	Business, Management	Imprenditoriale	Empresarial
Empresario/a (el, la)	Unternehmer	Chef d'entreprise	Businessman/-woman	Imprenditore/-trice	Empresário
Encantar	sehr gut gefallen	Enchanter	To Love	Piacere Molto	Encantar, Agostar muito
Enorme	ungeheuer	Enorme	Huge	Enorme	Enorme
Enseñanza (la)	Lehre	Enseignement	Teaching	Insegnamento	Ensino
Enseñar	lehren	Enseigner	To Teach	Insegnare	Ensinar
Entorno (el)	Umgebung	Entourage	Environment	Ambiente	Entorno
Envase (el)	Gefäss	Récipient	Bottle, Can	Recipiente	Embalagem
Equipamiento (el)	Ausstattung	Equipement	Equipment	Equipaggiamento	Equipamento
Estado (el)	Zustand, Staat	Etat	State, Condition	Stato, Condizione	Estado
Estancia (la)	Aufenthalt	Séjour	Stay	Soggiorno	Estadia, Estada
Estresado/a	gestresst	Stressé	Under Stress	Stressato	Estressado
Estupendo/a	fabelhaft	Formidable	Wonderful	Stupendo	Ótimo, Legal
Evocar	wachrufen	Evoquer	To Evoke	Evocare	Evocar
Examen (el)	Prüfung	Examen	Exam	Esame	Prova, Exame

ESPAÑOL	ALEMÁN	FRANCÉS	INGLÉS	ITALIANO	PORTUGUÉS
Excelente	ausgezeichnet	Excellent	Excellent	Eccellente	Excelente
Éxito (el)	Erfolg	Succès	Success	Successo	Sucesso, Êxito
F	F	F	F	F	F
Factura (la)	Rechnung	Facture	Bill, Invoice	Fattura	Fatura
Familiar	vertraut	Familial	Familiar	Famigliare	Familiar
Farmacéutico/a (el, la)	Apotheker	Pharmaceutique	Chemist	Farmacista	Farmacéutico
Favor (el)	Gefallen	Service	Favour	Favore	Favor
Favorito/a	Lieblings...	Favori	Favorite	Favorito	Favorito
Fenomenal	toll	Phénoménal	Phenomenal	Fenomenale	Fenomenal, Ótimo
Fin (el)	Ende, Ziel	Objectif/Fin	End	Fine	Fim
Final (el)	Ende	Fin	Conclusion	Finale, Conclusione	Final
Fomentar	fördern	Encourager	To Promote	Fomentare	Fomentar
Formación (la)	Ausbildung	Formation	Formation	Formazione	Formação
Formal	seriös, förmlich	Formel	Formal	Formale	Formal
Foto (la)	Aufnahme	Photo	Photo	Foto	Foto
Fuerte	stark	Fort	Strong	Forte	Forte
Funda (la)	Hülle	Housse	Cover	Fodera	Fronha
Fútbol (el)	Fussball	Football	Soccer	Calcio	Futebol
G	G	G	G	G	G
Gasto (el)	Ausgabe, Unkosten	Frais	Cost, Spending	Spesa	Gasto
General	allgemein	Général	General	Generale	Geral
Geografía (la)	Erdkunde	Géographie	Geography	Geografia	Geografia
Gestión (la)	Anwendung	Gestion	Management	Gestione	Gestão
Golpe (el)	Schlag	Coup	Hit	Colpo	Golpe
Guerra (la)	Krieg	Guerre	War	Guerra	Guerra
H	H	H	H	H	H
Hermano/a (el, la)	Bruder/Schwester	Frère	Brother/Sister	Fratello/Sorella	Irmão
Hermoso/a	schön	Beau	Beautiful	Bello	Bonito, Formoso
Hombre (el)	Mann	Homme	Man	Uomo	Homem
I	I	I	I	I	I
Iglesia (la)	Kirche	Eglise	Church	Chiesa	Igreja
Ilusión (la)	Illusion	Illusion	Dream, Hope	Speranza	Ilusão
Impersonal	unpersönlich	Impersonnel	Impersonal	Impersonale	Impessoal
Imposibilidad (la)	Unmöglichkeit	Impossibilité	Impossibility	Impossibilità	Impossibilidade
Imprenta (la)	Druckerei	Imprimerie	Printing, Press	Stampa	Imprensa
Incluir	einschliessen, beilegen	Inclure	To Include	Includere	Incluir
Inconveniente (el)	Hindernis	Inconvénient	Obstacle	Inconveniente	Inconveniente
Infancia (la)	Kindheit	Enfance	Childhood	Infanzia	Infância
Infantil	kindlich	Infantil	Infant, Child's	Infantile	Infantil
Inmediato/a	unmittelbar	Immédiat	Immediate	Inmediato/a	Imediato
Instalar	einrichten	Installer	To Install	Istallare	Instalar
Instituto (el)	Institut	Lycée, Collège	High School	Scuola Superiore	Instituto
Intercambiar	austauschen	Echanger	To Interchange	Scambiare	Intercambiar
Intercambio (el)	Austausch	Echange	Interchange	Scambio	Intercambio
Interior	innerer	Intérieur	Interior	Interno	Interior
Invertir	investieren	Intervertir	To Invert, To Invest	Investire	Investir
Investigación (la)	Forschung	Recherche	Research	Ricerca	Investigação, Pesquisa
Invitar	einladen	Inviter	To Invite	Invitare	Convidar
J	J	J	J	J	J
Jefe/a (el, la)	Chef	Chef	Boss	Capo	Chefe
Justicia (la)	Gerechtigkeit, Justiz	Justice	Justice	Giustizia	Justiça
Juvenil	jugendlich	Juvénil	Youthful	Giovanile	Juvenil
L	L	L	L	L	L
Laboral	Arbeits...	Laboral	Labour	Lavorativo	Laboral
Laboratorio (el)	Labor	Laboratoire	Laboratory	Laboratorio	Laboratório
Lata (la)	Konservendose	Conserve	Tin, Can	Lattina, Scatoletta	Lata
Lengua (la)	Sprache	Langue	Language	Lingua	Língua
Letras	Geisteswissenschaften	Lettres	Arts, Literature	Lettere	Letras
Levantarse	aufstehen	Se lever	To Get Up	Alzarsi	Levantar-se
Libro (el)	Buch	Livre	Book	Libro	Livro
Licenciado/a	Lizentiat	Diplômé	Graduated	Laureato	Formado, Graduado
Limpiar	putzen	Nettoyer	To Clean	Pulire	Limpar
Línea (la)	Linie	Ligne	Line	Linea	Linha
Llegada (la)	Ankunft	Arrivée	Arrival	Arrivo	Chegada
Llorar	weinen	Pleurer	To Cry	Piangere	Chorar
Local	örtlich, Raum	Local	Local, Place	Locale	Local
Locutor/-a (el, la)	Sprecher	Locuteur	Announcer	Locutore	Locutor
M	M	M	M	M	M
Madre (la)	Mutter	Mère	Mother	Madre	Mãe
Manejo (el)	Behandlung	Maniement	Running	Maneggio, Governo	Manejo
Mapamundi (el)	Weltkarte	Mapemonde	Globe, World Map	Mappamondo	Mapamundi
Marido (el)	Ehemann	Mari	Husband	Marito	Marido
Masticar	kauen	Mastiquer	To Chew	Masticare	Mastigar, Mascar
Mayoría (la)	Mehrheit	Majorité	Majority	Maggioranza	Maioria
Mentalidad (la)	Mentalität	Mentalité	Mentality	Mentalità	Mentalidade
Mesa (la)	Tisch	Table	Table	Tavolo	Mesa
Meter	hineinlegen	Mettre	To Put	Mettere	Meter
Mínimo/a	kleinste	Minimum	Minimum	Minimo	Mínimo
Monada (la)	Drolligkeit	Jolie chose	Cute Little Thing	Amore	Graça, Gracinha, Beleza
Moneda (la)	Münze	Monnaie	Coin	Moneta	Moeda
Mono/a	niedlich	Mignon	Pretty, Nice	Carino	Gracioso, Bonito
Municipal	städtisch	Municipal	Municipal	Municipale	Municipal
Muslo (el)	Oberschenkel	Cuisse	Thigh	Coscia	Coxa
N	N	N	N	N	N
Nariz (la)	Nase	Nez	Nose	Naso	Nariz
Nativo/a	Einheimischer	Natif	Native	Nativo	Nativo
Necesario/a	notwendig	Nécessaire	Necessary	Necessario	Necessário
Necesidad (la)	Notwendigweit	Besoin	Need	Necessità	Necessidade
Nombre (el)	Name	Nom	Name	Nome	Nome
Número (el)	Nummer	Nombre	Number	Numero	Número
O	O	O	O	O	O
Obligación (la)	Pflicht	Obligation	Obligation, Duty	Obbligo	Obrigação
Ocio (el)	Musse, Freizeit	Loisirs	Free Time, Leisure	Tempo Libero	Lazer, Tempo livre
Ojo (el)	Auge	Oeil	Eye	Occhio	Olho
Opinar	meinen	Penser	To Think	Pensare, Opinare	Opinar
Opinión (la)	Meinung	Opinion	Opinion	Opinione	Opinião
Ordenador (el)	Computer	Ordinateur	Computer	Computer	Computador

ESPAÑOL	ALEMÁN	FRANCÉS	INGLÉS	ITALIANO	PORTUGUÉS
P	**P**	**P**	**P**	**P**	**P**
Pagar	zahlen	Payer	To Pay	Pagare	Pagar
Partir	teilen, abreisen	Couper, Partir	To Leave	Partire, Tagliare	Partir
Pasión (la)	Leidenschaft	Passion	Passion	Passione	Paixão
Patio (el)	Hof	Patio	Courtyard, Playground	Cortile	Patio
Pedir	bestellen	Commander	To Ask For	Chiedere, Ordinare	Pedir
Peinado (el)	Frisur	Coiffure	Hair Style	Pettinatura	Penteado
Percibir	wahrnehmen, bemerken	Percevoir	To Perceive	Percepire	Perceber
Perfecto/a	vollkommen	Parfait	Perfect	Perfetto	Perfeito
Periódico (el)	Zeitung	Journal	Newspaper	Giornale	Jornal
Permiso (el)	Erlaubnis	Permis	Permission, Permit	Permesso	Permissão, Licença
Pertenencia (la)	Zugehörigkeit	Possession	Ownership	Appartenenza	Pertinência
Pie (el)	Fuss	Pied	Foot	Piede	Pé
Popular	volkstümlich	Populaire	Popular	Popolare	Popular
Posesivo/a	besitzergreifend	Possessif	Possesive	Possessivo	Possessivo
Posible	möglich	Possible	Possible	Possibile	Possível
Práctica (la)	Übung	Pratique	Practice	Pratica	Prática, Estágio
Precioso/a	reizend, nett	Beau	Precious, Pretty	Prezioso, Carino	Precioso, Lindo
Precisamente	genau	Précisément	Precisely, Exactly	Precisamente, Proprio	Precisamente
Preferencia (la)	Vorliebe	Préférence	Preference	Preferenza	Preferência
Preparar	vorbereiten	Préparer	To Prepare	Preparare	Preparar
Presentación (la)	Vorstellung, Präsentation	Présentation	Presentation	Presentazione	Apresentação
Presupuesto (el)	Kostenvoranschlag	Budget	Budget	Preventivo	Orçamento
Primaria (la)	Grundschulunterricht	Primaire	Primary	Primaria	Primário
Principal	hauptsächlich	Principal	Principal	Principale	Principal
Probar	prüfen	Goûter	To Demonstrate, To Try	Dimostrare, Assaggiare	Provar
Profesional	Berufs...	Professionnel	Professional	Professionale	Profissional
Prohibición (la)	Verbot	Interdiction	Prohibition	Divieto	Proibição
Promoción (la)	Beförderung	Promotion	Promotion	Promozione	Promoção
Proponer	vorschlagen	Proposer	To Propose, To Suggest	Proporre, Suggerire	Propor
Propuesta (la)	Vorschlag	Proposition	Proposal	Proposta	Proposta
Protección (la)	Schutz	Protection	Protection	Protezione	Proteção
Publicidad (la)	Werbung	Publicité	Publicity, Advertising	Pubblicità	Publicidade
Puesto (el)	Stelle	Poste	Place, Position, Post	Posto	Posto, Cargo de trabalho
Punto (el)	Punkt	Point	Point	Punto	Ponto
Q	**Q**	**Q**	**Q**	**Q**	**Q**
Quejarse	sich beklagen	Se plaindre	To Complain	Lamentarsi	Queixar-se
R	**R**	**R**	**R**	**R**	**R**
Realidad (la)	Wirklichkeit	Réalité	Reality	Realtà	Realidade
Receta (la)	Rezept	Recette	Recipe, Prescription	Ricetta	Receita
Recoger	einholen, sammeln	Ramasser	To Pick Up, To Gather	Raccogliere	Recolher
Recorrer	durchlaufen	Parcourir	To Go Over	Percorrere	Percorrer
Red (la)	Netz	Réseau	Net	Rete	Rede
Reducir	reduzieren	Réduire	To Reduce	Ridurre	Reduzir
Referente	bezüglich	En rapport avec	Relating To, About	Relativo	Referente
Regalo (el)	Geschenk	Cadeau	Present, Gift	Regalo	Presente
Regla (la)	Regel	Règle	Rule	Regola	Regra
Regresar	zurückkehren	Retourner	To Come Back	Ritornare	Regressar, Voltar
Relajarse	sich entspannen	Se relaxer	To Relax	Rilassarsi	Relaxar-se, Descansar
Rentable	rentabel	Rentable	Profitable	Redditizio	Rentável
Repartir	verteilen	Distribuer	To Distribute	Suddividere, Distribuire	Repartir
Representante (el, la)	Vertreter	Représentant	Representative	Rappresentante	Representante
Residencia (la)	Studentenheim	Résidence	Residence	Residenza	Residência
Residuo (el)	Abfall	Résidu	Residue	Residuo	Residuo
Respectivo/a	entsprechend	Respectif	Respective	Rispettivo	Respectivo
Reunirse	sich treffen	Se rassembler	To Join	Riunirsi	Reunir-se
S	**S**	**S**	**S**	**S**	**S**
Salario (el)	Lohn	Salaire	Salary	Stipendio	Salário
Salir	ausgehen	Sortir	To Go Out	Uscire	Sair
Salud (la)	Gesundheit	Santé	Health	Salute	Saúde
Secundario/a	nebensächlich	Secondaire	Secondary	Secondario	Secundário
Seguridad (la)	Sicherheit	Sécurité	Security	Sicurezza	Segurança
Seguro/a	sicher	Sûr	Safe	Sicuro	Seguro
Señor/-a (el, la)	Herr/Frau	Monsieur/Madame	Mister/Mistress	Signore	Senhor
Sincero/a	aufrichtig	Sincère	Sincere	Sincero	Sincero
Situar	stellen	Situer	To Place	Collocare	Situar
Sobrino/a (el, la)	Neffe/Nichte	Neveu/Nièce	Nephew/Niece	Nipote	Sobrinho
Solicitar	beantragen	Demander	To Ask For, To Request	Richiedere	Solicitar
Soltero/a	ledig	Célibataire	Unmarried	Celibe/Nubile	Solteiro
Subvención (la)	Subvention	Subvention	Subsidy	Sovvenzione	Subvenção
Sueco/a	Schwede	Suédois	Swedish	Svedese	Sueco
Sueldo (el)	Gehalt	Salaire	Pay, Salary	Stipendio	Sálario
Suelo (el)	Boden	Sol	Earth	Suolo	Solo, Chão
Suerte (la)	Glück	Chance	Luck	Fortuna	Sorte
T	**T**	**T**	**T**	**T**	**T**
Tampoco	auch nicht	Non plus	Neither	Neanche	Também não, Tampouco
Televisión (la)	Fernseher	Télévision	Television	Televisione	Televisão
Temporal	zeitlich	Temporaire	Temporary	Temporaneo	Temporal
Totalmente	ganz	Totalement	Completely	Totalmente	Totalmente
Tratado (el)	Abhandlung, Vertrag	Traité	Treaty	Trattato	Tratado, Acordo
U	**U**	**U**	**U**	**U**	**U**
Único/a	einmalig	Unique	Only, Sole	Unico	Único
Universitario/a (el, la)	Akademiker	Universitaire	University	Universitario	Universitário
V	**V**	**V**	**V**	**V**	**V**
Vaqueros (los)	Jeans	Jeans	Jeans	Jeans	Calça jeans
Ventaja (la)	Vorteil	Avantage	Advantage	Vantaggio	Vantagem
Visitar	besuchen	Visiter	To Visit	Visitare	Visitar
Vista (la)	Sehen	Vue	Sight	Vista	Vista
Voz (la)	Stimme	Voix	Voice	Voce	Voz
Z	**Z**	**Z**	**Z**	**Z**	**Z**
Zapato (el)	Schuh	Chaussure	Shoe	Scarpa	Sapato

TEMA 3

ESPAÑOL	ALEMÁN	FRANCÉS	INGLÉS	ITALIANO	PORTUGUÉS
A	**A**	**A**	**A**	**A**	**A**
Abrazar	umarmen	Embrasser	To Embrace	Abbracciare	Abraçar
Abrazo (el)	Umarmung	Etreinte	Embrace	Abbraccio	Abraço
Aburrido/a	langweilig	Ennuyeux	Boring	Noioso	Entediado, Cansativo

ESPAÑOL	ALEMÁN	FRANCÉS	INGLÉS	ITALIANO	PORTUGUÉS
Acceder	ankommen	Acceder	To Enter	Accedere	Aceder, Chegar
Accesorio (el)	Zubehör	Accessoire	Accessory	Accesorio	Acessório
Aceptar	akzeptieren	Accepter	To Accept	Accettare	Aceitar
Acompañante (el, la)	Begleiter	Accompagnateur	Companion	Accompagnante	Acompanhante
Activo/a	tätig	Actif	Active	Attivo	Ativo
Acudir	herbeieilen	Assister	To Come, To Turn Up	Andare, Accorrere	Vir, Comparecer
Afectivo/a	Gemüts...	Affectif	Affective, Emotional	Affettivo	Afetivo
Agencia (la) (de viajes)	(Reise)büro	Agence	Travel Agency	Agenzia (di viaggi)	Agência (de viagens)
Agenda (la)	Terminkalender	Agenda	Diary	Agenda, Diario	Agenda
Alojamiento (el)	Unterkunft	Logement	Lodging(s)	Alloggio	Alojamento
Alquilar	mieten	Louer	To Rent	Affittare	Alugar
Altiplano (el)	Hochland	Haut plateau	High Plateau	Altopiano	Planalto
Amable	liebenswürdig	Aimable	Lovable, Kind	Gentile	Amável
Amar	lieben	Aimer	To Love	Amare	Amar
Anciano/a (el, la)	Greis	Vieil homme	Old Man/Woman	Anziano	Ancião, Idoso
Andar	gehen	Marcher	To Walk	Camminare	Andar
Antimosquitos (el)	Mückenschutz	Anti-moustiques	Antimosquitos	Antizanzare	Repelente
Aparecer	erscheinen	Apparaître	To Appear	Apparir	Aparecer
Apartamento (el)	Appartement	Appartement	Flat	Appartamento	Apartamento
Apetecer	auf etwas Lust haben	Avoir envie de	To Long For	Aver Voglia di	Querer
Aproximado/a	annähernd	Approximatif	Approximate	Approssimativo	Aproximado
Arreglar	reparieren	Arranger	To Mend, To Repair	Aggiustare	Consertar, Reparar
Asamblea (la)	Versammlung	Assamblée	Assembly	Assemblea	Assembléia
Ascenso (el)	Steigung	Montée	Promotion	Ascesa	Subida, Ascensão
Asentamiento (el)	Festsetzung	Installation	Township	Insediamento	Assentamento
Asustar	erschrecken	Faire peur	To Frighten	Spaventare	Assustar
Atención (la)	Aufmerksamkeit	Attention	Attention	Attenzione	Atenção
B	**B**	**B**	**B**	**B**	**B**
Banda (la) (musical)	Musikkapelle	Fanfare	Band	Banda	Banda
Bañador (el)	Badeanzug	Maillot de bain	Swimsuit	Costume (da bagno)	Roupa de banho
Baño (el)	Bade	Bain	Bath	Bagno	Banho
Barato/a	billig	Bon marché	Cheap	Economico	Barato
Besar	küssen	Embrasser	To Kiss	Baciare	Beijar
Beso (el)	Kuss	Baiser	Kiss	Bacio	Beijo
Bisabuelo/a (el, la)	Urgrossvater/-mutter	Arrière grand-père	Grand Father/Mother	Bisnonno	Bisavô, Bisavó
Bolígrafo (el)	Kugelschreiber	Stylo	Pen	Biro, Penna	Caneta
Brazo (el)	Arm	Bras	Arm	Braccio	Braço
Brusco/a	barsch	Brusque	Sharp	Brusco	Brusco
Bucear	tauchen	Plonger	To Dive	Fare le Immersioni	Mergulhar
Buceo (el)	Tauchen	Plongée	Diving	Immersione	Mergulho
C	**C**	**C**	**C**	**C**	**C**
Cabeza (la)	Kopf	Tête	Head	Testa	Cabeça
Cabildo (el)	Ratsaal	Hôtel de ville	Town Council	Giunta, Comune	Conselho municipal
Caja (la)	Schachtel	Caisse	Box, Fund	Cassa, Scatola	Caixa
Cajero (automático) (el)	(Geld) Automat	Distributeur automatique	Cashdispenser	Bancomat	Caixa eletrônico
Calcular	rechnen	Calculer	To Calculate	Calcolare	Calcular
Caliente	heiss	Chaud	Hot	Caldo	Quente
Calor (el)	Wärme	Chaleur	Heat	Caldo	Calor
Camarero/a (el, la)	Ober	Serveur	Waiter/-tress	Cameriere	Garçom, Garçonete
Camino (el)	Weg	Chemin	Way	Cammino	Caminho
Camión (el)	Lastwagen	Camion	Truck, Lorry	Camion	Caminhão
Camiseta (la)	T-Shirt	T-Shirt	T-Shirt	Maglietta	Camiseta
Cantar	singen	Chanter	To Sing	Cantare	Cantar
Cantidad (la)	Anzahl, Menge	Quantité	Quantity	Quantità	Quantidade
Cantimplora (la)	Feldflasche	Gourde	Water Bottle, Canteen	Borraccia	Cantil
Cara (la)	Gesicht	Visage	Face	Faccia	Cara, Rosto
Caramelo (el)	Bonbon	Bombon	Candy, Sweet	Caramella	Bala, Caramelo
Cariñoso/a	zärtlich	Affectueux	Loving	Affettuoso	Carinhoso
Carta (la)	Brief	Lettre	Letter	Lettera	Carta
Catedral (la)	Dom	Cathédrale	Cathedral	Duomo, Cattedralel	Catedral
Célebre	berühmt	Célèbre	Famous	Famoso	Célebre
Cerilla (la)	Streichholz	Allumette	Match	Fiammifero, Cerino	Fósforo
Chocar	anstossen, *hier*: wundern	Surprendre	To Shock	Sorprendere, Scioccare	Chocar, Surpreender
Coger	nehmen	Prendre	To Catch	Prendere	Pegar
Cola (la)	Schlange	Queue	Cola	Cola	Fila
Comenzar	anfangen	Commencer	To Begin	Cominciare	Começar
Composición (la)	Zusammensetzung	Composition	Composition	Composizione	Composição, Conjunto
Condición (la)	Bedingung	Condition	Condition, Nature	Condizione	Condição
Configurar	gestalten	Configurer	To Shape, To Form	Configurare	Configurar
Conquistar	erobern	Conquérir	To Conquer	Conquistare	Conquistar
Continente (el)	Erdteil	Continent	Continent	Continente	Continente
Contra	gegen	Contre	Against	Contro	Contra
Correr	laufen	Courir	To Run	Correre	Correr
Costero/a	Küsten...	Côtier	Coastal	Costiero	Costeiro
Costumbre (la)	Gewohnheit	Habitude	Custom, Habit	Usanza, Abitudine	Costume
Cristal (el)	Glas	Vitre	Glass	Vetro	Vidro
Cuánto	wieviel	Combien	How Much	Quanto	Quanto
Cuento (el)	Erzählung	Conte	Tale, Story	Favola	Conto
Cuerpo (el)	Körper	Corps	Body	Corpo	Corpo
Cumpleaños (el)	Geburtstag	Anniversaire	Birthday	Compleanno	Aniversário
Cuna (la)	Wiege	Berceau	Cradle	Culla	Berço
D	**D**	**D**	**D**	**D**	**D**
Dado (el)	Würfel	Dé	Die	Dado	Dado
Daño (el)	Schaden	Dommage	Damage, Hurt	Danno	Dano, prejuízo
Delgado/a	dünn	Mince	Thin, Slim	Magro	Magro
Denso/a	dicht	Dense	Dense, Compact	Denso	Denso
Dependiente/a (el, la)	Angestellte	Employé	Clerk: Employee	Commesso	Atendente de loja
Desarrollar	entwickeln	Développer	To Develop	Sviluppare	Desenvolver
Descenso (el)	Heruntersteigen	Baisse	Descent	Discesa	Descenso, Descensão
Desconocer	nicht kennen	Ne pas connaître	Not to Know	Ignorare	Desconhecer
Descripción (la)	Beschreibung	Description	Description	Descrizione	Descrição
Desértico/a	öde	Désertique	Desert-like, Arid	Desertico	Desértico
Desierto (el)	Wüste	Désert	Desert	Deserto	Deserto
Desmayarse	ohnmächtig werden	S'évanouir	To Faint	Svenire	Desmaiar-se
Dibujar	zeichnen	Dessiner	To Drow	Disegnare	Desenhar
Dios/-a (el, la)	Gott	Dieu/Déesse	God/Goddess	Dio/Dea	Deus/Deusa
Dirección (la)	Richtung	Direction	Direction	Direzione	Direção
Distinto/a	verschieden	Différent	Different	Distinto, Diverso	Diferente

ESPAÑOL	ALEMÁN	FRANCÉS	INGLÉS	ITALIANO	PORTUGUÉS
Documental (el)	Kulturfilm	Documentaire	Documentary	Documentario	Documentário
Doler	schmerzen, weh tun	Avoir mal à	To Hurt, To Pain	Dolere, Far Male	Doer
E	**E**	**E**	**E**	**E**	**E**
Edificio (el)	Gebäude	Edifice	Building	Edificio	Edifício
Embarazada	schwanger	Enceinte	Pregnant	Incinta	Grávida
Emoción (la)	Gemütsbewegung	Emotion	Emotion	Emozione	Emoção
Empedrar	pflastern	Paver	To Pave	Lastricare	Empedrar
Enemigo/a (el, la)	Feind	Ennemi	Enemy	Nemico	Inimigo
Enfadarse	sich ärgern	Se fâcher	To Get Angry	Arrabbiarsi	Chatear-se, Ficar bravo
Enigmático/a	rätselhaft	Enigmatique	Enigmatic	Enigmatico	Enigmático
Entender	verstehen	Comprendre	To Understand	Capire	Entender
Entrar	eintreten	Entrer	To Go In, To Enter	Entrare	Entrar
Equipaje (el)	Gepäck	Bagage	Baggage, Luggage	Bagaglio	Bagagem
Era (la)	Zeitalter	Aire	Age	Era	Era
Error (el)	Fehler	Erreur	Error	Errore	Erro
Esconderse	sich verstecken	Se cacher	To Hide	Nascondersi	Esconder-se
Estación (la)	Haltestelle	Station	Station	Fermata	Estação
Estantería (la)	Regal	Etagère	Shelf	Scaffale	Estante
Estrecho/a	eng	Etroit	Narrow	Stretto	Estreito
Estructurar	gestalten	Structurer	To Construct	Struttare	Estruturar
Exacto/a	genau	Exact	Exact, Right	Esatto	Exato
Excedencia (la)	Wartestand	Disponibilité	Leave of Absence	Aspettativa	Excedência
Excursión (la)	Ausflug	Excursion	Escursion	Gita	Excursão
Experiencia (la)	Erfahrung	Expérience	Experience	Esperienza	Experiência
Explorar	erforschen	Explorer	To Explore	Esplorare	Explorar
Exponente (el)	Exponent	Représentant	Exponent	Esponente	Exponente
F	**F**	**F**	**F**	**F**	**F**
Falta (la)	Mangel	Manque	Lack	Mancanza	Falta, Carência
Famoso/a	berühmt	Célèbre	Famous	Famoso/a	Famoso
Fecha (la)	Datum	Date	Date	Data	Data
Ficha (la)	Karteikarte	Fiche	Form, Card	Scheda, Tessera	Ficha (dados)
Figura (la)	Figur	Silhouette	Figure	Figura	Figura
Firma (la)	Unterschrift	Signature	Signature	Firma	Assinatura
Flaco/a	mager	Maigre	Slim	Magro	Magro
Flotante	schwebend	Flotant	Floating	Fluttante, Galleggiante	Flutuante
Formar	sich bilden	Former	To Form, To Shape	Formare	Formar
Frío (el)	Kälte	Froid	Cold	Freddo	Frio
Fuente (la)	Quelle	Plat	Spring, Fountain	Fonte	Fonte
G	**G**	**G**	**G**	**G**	**G**
Gafas (las)	Brille	Lunettes	Glasses	Occhiali	Óculos
Ganas (las)	Lust	Envie	Wish	Voglia di	Vontade
Gobernación (la)	Statthalterschaft	Gouvernement	Governing, Government	Governo	Governo
Goma (la)	Gummi	Gomme	Gum, Rubber	Gomma	Borracha
Gracias (las) (dar)	danken	Remercier	To Thank: Thanks	Ringraziare, Grazie	Agradecer
Guía (la)	Reiseführerin	Guide	Guide	Guida	Guia
H	**H**	**H**	**H**	**H**	**H**
Habitación (la)	Zimmer	Chambre	Room	Camera	Quarto
Habitar	wohnen	Habiter	To Live	Abitare	Habitar, Morar
Homologar	gleichstellen	Homologuer	To Standardize	Omologare	Homologar
Honor (el)	Ehre	Honneur	Honour	Onore	Honra
Hospitalario/a	gastlich	Hospitalier	Hospitable	Ospitale	Hospitaleiro
Hospitalidad (la)	Gastfreundschaft	Hospitalité	Hospitality	Ospitalità	Hospitalidade
Hoz (la)	Sichel	Faucille	Sickle	Falce, Gola	Foice
I	**I**	**I**	**I**	**I**	**I**
Idioma (el)	Sprache	Langue	Language	Lingua	Idioma
Igual	gleich	Egal	Same, Equal	Uguale	Igual
Imaginar	vorstellen	Imaginer	To Immagine	Immaginare	Imaginar
Imitar	nachahmen	Imiter	To Imitate	Imitare	Imitar
Impermeable (el)	Regenmantel	Imperméable	Raincoat	Impermeabile	Impermeável
Importar	wichtig sein	Importer	To Be Important	Importare	Importar
Increíble	unglaublich	Incroyable	Incredible	Incredibile	Incrível
Indicar	zeigen	Indiquer	To Indicate, To Show	Indicare	Indicar
Indígena (el, la)	Eingeborene(r)	Indigène	Native	Indigeno	Indígena, Índio
Inmensidad (la)	ungeheure Menge	Immensité	Immensity	Immensità	Imensidão
Inmenso/a	unermesslich	Immense	Immense, Huge	Immenso	Imenso
Inminente	nahe bevorstehend	Imminent	Imminent	Imminente	
Insólito/a	ungewöhnlich	Insolite	Unusual	Insolito	Insólito
Instalación (la)	Einrichtung	Installation	Installation	Impianto, Installazione	Instalação
Intacto/a	unberührt	Intact	Intact, Whole	Intatto	Intacto
Integrar	erstatten	Intégrer	To Integrate	Integrare	Integrar
Intento (el)	Versuch	Essai	Attempt	Tentativo	Tentativa
Intrépido/a	unerschrocken, verwegen	Intrépide	Intrepid	Intrepido	Intrépido
Itinerario (el)	Strecke	Itinéraire	Itinerary, Route	Itinerario	Itinerário
J	**J**	**J**	**J**	**J**	**J**
Jabón (el)	Seife	Savon	Soap	Sapone	Sabonete
Joya (la)	Juwel	Bijou	Jewel	Gioiello	Jóia
Jugar	spielen	Jouer	To Play	Giocare	Brincar, Joga
Jungla (la)	Dschungel	Jungle	Jungle	Giungla	Selva
L	**L**	**L**	**L**	**L**	**L**
Lagarto/a (el, la)	Eidechse	Lézard	Lizard	Lucertola	Lagarto
Lago (el)	See	Lac	Lake	Lago	Lago
Laguna (la)	Lagune	Lagune	Pool	Laguna	Lagoa
Lancha (la)	Boot	Barque	Launch	Lancia, Scialuppa	Lancha
Llamada (la)	Anruf	Appel	Call	Chiamata	Ligação telefônica
Llave (la)	Schlüssel	Clé	Key	Chiave	Chave
Lluvia (la)	Regen	Pluie	Rain	Pioggia	Chuva
Luna (la)	Mond	Lune	Moon	Luna	Lua
M	**M**	**M**	**M**	**M**	**M**
Maleducado/a	schlecht erzogen	Mal élevé	Ill-mannered	Maleducato	Mal-educado
Maleta (la)	Koffer	Valise	Suitcase	Valigia	Mala
Mano (la)	Hand	Main	Hand	Mano	Mão
Mantener	behalten	Entretenir	To Suppor, To Maintain	Mantenere, Tenere	Manter
Mapa (el)	Landkarte	Plan	Map	Cartina, Mappa	Mapa
Mar (el)	Meer	Mer	Sea	Mare	Mar
Matrimonio (el)	Ehe	Mariage	Marriage	Matrimonio	Casamento, Casal
Mechero (el)	Feuerzeug	Briquet	Ligther	Accendino	Isqueiro
Medicamento (el)	Arzneimittel	Médicament	Medicin	Medicina	Medicamento
Mercado (el)	Markt	Marché	Market	Mercato	Mercado

ESPAÑOL	ALEMÁN	FRANCÉS	INGLÉS	ITALIANO	PORTUGUÉS
Mirar	ansehen	Regarder	To Look At	Guardare	Olhar
Mochila (la)	Rucksack	Sac à dos	Rucksack	Zaino	Mochila
Modo (el)	Art	Façon	Way	Modo, Maniera	Modo
Montañoso/a	bergig	Montagneux	Mountainous	Montagnoso	Montanhoso
Monumento (el)	Denkmal	Monument	Monument	Monumento	Monumento
Mosquito (el)	Stechmücke	Moustique	Mosquito, Gnat	Zanzara	Mosquito
Mostrar	zeigen	Montrer	To Show	Mostrare	Mostrar
Motivo (el)	Grund	Motif	Reason, Cause	Motivo	Motivo
Muerto/a	tot	Mort	Dead	Morto	Morto
Multicolor	mehrfarbig	Multicolor	Multicolour	Multicolore	Multicor
N	N	N	N	N	N
Navaja (la)	Taschenmesser	Poignard	Clasp-knife	Rasoio	Navalha
Negar	verneinen, ablehnen	Nier	To Deny	Negare	Negar
Nieve (la)	Schnee	Neige	Snow	Neve	Neve
Niño/a (el, la)	Kind	Enfant	Child	Bambino	Menino, a Criança
Nombrar	nennen	Nommer	To Name	Nominare	Nomear
Noticia (la)	Nachricht	Information	Piece of News	Notizia	Notícia
O	O	O	O	O	O
Observar	beobachten	Observer	To Observe	Osservare	Observar
Ofrecer	anbieten	Offrir	To Offer	Offrire	Oferecer
Olla (la)	Topf	Marmite	Pot, Pan, Kettle	Pentola	Panela
Órbita (la)	Planetenbahn	Orbite	Orbit	Orbita	Órbita
Orden (el)	Ordnung	Ordre	Orden	Ordine	Ordem
Orilla (la)	Ufer	Rive	Bank, Shore	Riva	Orla
P	P	P	P	P	P
Paisaje (el)	Landschaft	Paysage	Landscape	Paesaggio	Paisagem
Palacio (el)	Palast	Palais	Palace, Mansion	Palazzo	Palácio
Parábola (la)	Gleichnis, Parabel	Parabole	Parable	Parabola	Parábola
Paraguas (el)	Regenschirm	Parapluie	Umbrella	Ombrello	Guarda-chuva
Pareja (la)	Partner	Couple	Partner	Compagno	Parceiro
Pasaporte (el)	Reisepass	Passeport	Passport	Passaporto	Passaporte
Pascua (la)	Ostern	Pacques	Easter	Pasqua	Páscoa
Pastel (el)	Kuchen	Gâteau	Pastry	Pasta, Pasticcino	Bolo
Pastelería (la)	Konditorei	Pâtisserie	Pastry Shop	Pasticceria	Confeitaria, Pastelaria
Pastilla (la)	Pastille	Cachet	Tablet, Pastille	Pastiglia	Pastilha
Pedir	bitten	Commander	To Ask for, To Request	Chiedere	Pedir
Pelota (la)	Ball	Balle	Ball	Palla	Bola
Pendientes (los)	Ohrringe	Boucles d'oreilles	Earrings	Orecchini	Brincos
Perder	verlieren	Perdre	To Lose	Perdere	Perder
Piedra (la)	Stein	Pierre	Stone	Pietra	Pedra
Pintoresco/a	malerisch	Pittoresque	Picturesque	Pittoresco	Pitoresco
Piragua (la)	Kanu	Pirogue	Canoe	Canoa	Canoa
Piragüismo (el)	Kanusport	Faire du kayac	Canoeing	Canottaggio	Canoagem
Piscina (la)	Schwimmbad	Piscine	Swimmingpool	Piscina	Piscina
Placentero/a	gemütlich, behaglich	Agréable	Pleasant	Piacevole	Placentero
Plano (el)	Landkarte	Plan	Flat, Plane, Smooth	Piano, Piatto	Plano
Playa (la)	Strand	Plage	Beach	Spiaggia	Praia
Plaza (la)	Platz	Place	Square	Piazza	Praça
Polvos (los)	Puder	Poudre	Dust	Polvere	Pó (s)
Portero/a (el, la)	Pförtner, Hausmeister	Concierge	Porter, Doorman	Portinaio	Porteiro
Posición (la)	Stellung, Lage, Haltung	Situation	Position	Posizione	Posição
Preguntar	fragen	Demander	To Ask	Chiedere	Perguntar
Presentar	vorstellen, präsentieren	Présenter	To Present	Presentare	Apresentar
Prestar	leihen	Prêter	To Lend	Prestare	Emprestar
Primo/a (el, la)	Vetter/Kusine	Cousin	Cousin	Cugino	Primo
Protector/-a	Schutz...	Protecteur	Protective	Protettore/-trice	Protetor
Puente (el)	Brücke	Pont	Bridge	Ponte	Ponte
Puerto (el)	Hafen	Port	Harbour	Porto	Porto
Pues	also, dann	Puisque	Then, Well	Allora, Ebbene	Pois
Purificar	reinigen	Purifier	To Purify	Purificare	Purificar
Q	Q	Q	Q	Q	Q
Quinto/a	fünfte	Cinquième	Fifth	Quinto	Quinto
Quitar	wegnehmen	Enlever	To Take Away, To Remove	Togliere	Tirar
R	R	R	R	R	R
Racional	vernünftig	Rationnel	Rational	Razionale	Racional
Razón (la)	Vernunft	Raison	Reason	Ragione	Razão
Realizar	verwirklichen	Réaliser	To Realize	Realizzare	Realizar
Rechazar	ablehnen	Refuser	To Push Back, To Reject	Rifiutare	Recusar, Rechaçar
Recorrido (el)	Strecke	Parcours	Run, Route	Percorso	Percurso
Refresco (el)	kaltes Getränk	Rafraichissement	Cool Drink	Bibita	Refrigerante
Refugio (el)	Schutzraum	Refuge	Refuge, Shelter	Rifugio	Refúgio
Regalar	schenken	Offrir	To Give, To Present	Regalare	Presentear
Región (la)	Gegend, Region	Région	Region	Regione	Região
Regreso (el)	Rückkehr	Retour	Return	Ritorno	Regresso, Volta
Relato (el)	Erzählung	Récit	Report	Relazione	Relato
Reloj (el)	Uhr	Montre	Watch	Orologio	Relógio
Rollo (el)	Gequatsche	Ennui	Bore, Boring	Noia	Chatice, Amolação
Romper	zerbrechen	Casser	To Break	Rompere	Quebrar
Ropa (la)	Kleidung	Vêtements	Clothes	Vestiti	Roupa
Ruido (el)	Lärm	Bruit	Noise	Rumore	Ruído, Barulho
Ruina (la)	Ruine	Ruine	Ruin	Rovina	Ruína
Ruta (la)	Route	Route	Route, Course	Rotta, Percorso	Rota
S	S	S	S	S	S
Sacapuntas (el)	Bleistiftanspitzer	Taille-crayons	Pencil Sharpener	Temperino	Apontador
Sacar	herausholen	Tirer	To Take Out	Tirar Fuori	Tirar
Saco (el)	(Schlaf)sack	Sac de couchage	Sleeping Bag	Sacco a Pelo	Saco de dormir
Sagrado/a	heilig	Sacré	Holy, Sacred	Sacro	Sagrado
Salida (la)	Ausgang	Sortie	Exit	Uscita	Saída
Sandalia (la)	Sandale	Sandale	Sandal	Sandali	Sandália
Satisfactorio/a	befriedigend	Satisfaisant	Satisfactory	Soddisfacente	Satisfatório
Secreto (el)	Geheimnis	Secret	Secret	Segreto	Segredo
Selva (la)	Wald	Jungle	Wood	Giungla	Selva
Semejante	ähnlich	Semblable	Similar	Somigliante	Semelhante
Sentarse	sich setzen	S'asseoir	To Sit	Sedersi	Sentar-se
Serio/a	ernst(haft)	Sérieux	Serious	Serio	Sério
Sierra (la)	Bergkette	Montagne	Mountains	Montagna	Serra
Significado (el)	Bedeutung, Sinn	Sens	Meaning	Significato	Significado

ESPAÑOL	ALEMÁN	FRANCÉS	INGLÉS	ITALIANO	PORTUGUÉS
Similar	gleichartig, ähnlich	Similaire	Similar	Simile	Similar
Similitud (la)	Ähnlichkeit	Similitude	Similitude, Similarity	Similitudine	Semelhança
Sobrevolar	überfliegen	Survoler	To Fly Over, To Overfly	Sorvolare	Sobrevoar
Sol (el)	Sonne	Soleil	Sun	Sole	Sol
Soledad (la)	Einsamkeit	Solitude	Loneliness, Solitude	Solitudine	Solidão
Sorpresa (la)	Überraschung	Surprise	Surprise	Sorpresa	Surpresa
Sulfuroso/a	schwefelhaltig	Sulfureux	Sulphurous	Solforoso	Sulfuroso
T	T	T	T	T	T
Taladradora (la)	Bohrmaschine	Perçeuse	Drill	Trapano	Furadeira
Tarde (la)	Nachmittag, Abend	Après-midi	Afternoon, Evening	Pomeriggio, Sera	Tarde
Tarjeta (la)	Karte	Carte	Card	Tessera	Cartão
Tío/a (el, la)	Onkel/Tante	Oncle	Uncle/Aunt	Zio	Tio
Tirita (la)	Wundpflaster	Pansement	Plaster	Cerotto	Band-aid, Curativo
Toalla (la)	Badetuch	Serviette de toilette	Towel	Asciugamano	Toalha
Traer	bringen	Apporter	To Bring	Portare	Trazer
Traslado (el)	Umzug	Mutation	Move, Change	Trasferimento	Translado
U	U	U	U	U	U
Último/a	letzte	Dernier	Last	Ultimo	Último
Unirse	sich anschliessen	S'unir	To Join Together	Unirsi	Unir-se
V	V	V	V	V	V
Vacuna (la)	Impfstoff	Vaccin	Vaccine	Vaccino	Vacina
Valle (el)	Tal	Vallée	Valley	Valle	Vale
Valor (el)	Mut, Wert	Valeur	Value, Courage	Coraggio, Valore	Valor
Valorar	bewerten	Valoriser	To Value	Valutare, Stimare	Valorizar
Variedad (la)	Vielfältigkeit	Variété	Variety	Varietà	Variedade
Vaso (el)	Glas	Verre	Glass	Bicchiere	Copo
Vergüenza (la)	Scham	Honte	Shame	Vergogna	Vergonha
Vestigio (el)	Spur	Vestige	Trace, Sign	Vestigio, Traccia	Vestígio
Viajero/a (el, la)	Reisende(r)	Voyageur	Traveller	Viaggiatore/-trice	Viajante
Viejo/a	alt	Vieux	Old	Vecchio	Velho
Virgen	rein, unberührt	Vierge	Virgin	Vergine	Virgem
Visado (el)	Visum	Visa	Visa, Permit	Visto	Visto
Visita (la)	Besuch	Visite	Visit	Visita	Visita
Vuelo (el)	Flug	Vol	Flight	Volo	Vôo
Z	Z	Z	Z	Z	Z
Zona (la)	Gebiet	Zone	Zone, Area	Zona	Zona
TEMA 4	**TEMA 4**	**TEMA 4**	**TEMA 4**	**TEMA 4**	**TEMA 4**
A	A	A	A	A	A
Abrigo (el)	Mantel	Manteau	Overcoat	Cappotto	Casaco
Acabar	beenden	Finir	To Finish	Finire	Acabar
Ácido/a	sauer	Acide	Acid	Acido	Ácido
Adivinanza (la)	Rätsel	Devinette	Riddle	Indovinello	Adivinhação
Adolescente (el, la)	Jugendlicher	Adolescent	Teenager, Adolescent	Adolescente	Adolescentea
Afeitarse	sich rasieren	Se raser	To Shave	Radersi	Barbear-se
Afirmativo/a	bejahend	Affirmatif	Positive	Affermativo	Afirmativo
Agotado/a	erschöpft	Epuisé	To Be Exhausted	Stanco Morto	Esgotado, Cansado
Agradable	angenehm	Agréable	Pleasant	Gradevole	Agradável
Alejarse	sich entfernen	S'éloigner	To Go Away	Allontanarsi	Afastar-se
Alimentación (la)	Nahrung	Alimentation	Nourishment	Alimentazione	Alimentação
Alma (el)	Seele	Âme	Soul	Anima	Alma
Amenazar	drohen	Menacer	To Threaten	Minacciare	Ameaçar
Amor (el)	Liebe	Amour	Love	Amore	Amor
Analgésico (el)	schmerzstillend	Analgésique	Analgesic	Analgesico	Analgésico
Ánimo (el)	Mut	Courage	Courage	Coraggio	Ânimo
Antebrazo (el)	Unterarm	Avant-bras	Forearm	Avambraccio	Ante-braço
Aparcar	parken	Se garer	To Park	Parcheggiare	Estacionar
Apellidarse	heissen	Se nommer	To Be Called	Chiamarsi di Cognome	Ter o sobrenome
Apellido (el)	Familienname	Nom	Surname	Cognome	Sobrenome
Aplicar	anlegen	Appliquer	To Apply	Applicare	Aplicar, Pôr
Auxilio (el)	Hilfe	Secours	Help	Aiuto	Auxílio, Ajuda
Ayudante (el, la)	Mitarbeiter	Assistant	Assistant	Aiutante	Ajudante
B	B	B	B	B	B
Barba (la)	Bart	Barbe	Beard	Barba	Barba
Bebida (la)	Getränk	Boisson	Drink	Bibita	Bebida
Bibliotecario/a (el, la)	Bibliothekar	Bibliothécaire	Librarian	Bibliotecario	Bibliotecário
Bienestar (el)	Wohlstand	Bien-être	Welfare	Benessere	Bem-estar
Bigote (el)	Schnurrbart	Moustache	Moustache	Baffi	Bigode
Blusa (la)	Bluse	Chemisier	Blouse	Camicetta	Blusa
Boca (la)	Mund	Bouche	Mouth	Bocca	Boca
C	C	C	C	C	C
Calvo/a	kahlköpfig	Chauve	Bald	Calvo	Calvo, Careca
Canoso/a	grauhaarig	Grisonant	Grey-Haired	Canuto	Grisalho
Cansancio (el)	Müdigkeit, Erschöpfung	Fatigue	Tiredness	Stanchezza	Cansaço
Cápsula (la)	Kapsel	Capsule	Capsule	Capsula	Cápsula
Caracterizar	kennzeichnen	Caractériser	Characterize	Caratterizzare	Caracterizar
Castaño/a	Kastanienbraun	Châtain	Brown	Castano	Castanho
Cebra (la)	Zebra	Zèbre	Crosswalk	Passaggio Pedonale	Faixa de pedestres
Cerrar	zuschliessen	Fermer	To Close	Chiudere	Fechar
Chaqueta (la)	Jacke	Veste	Jacket	Giacca	Blaiser, Paletó, Jaqueta
Colilla (la)	(Zigarren)Stummel	Mégot	Butt	Mozzicone	Ponta de cigarro
Consejo (el)	Rat	Conseil	Hint, Piece of Advice	Consiglio	Conselho
Constipado/a	erkältet	Rhume	To Have a Cold	Raffreddato	Resfriado
Consultar	befragen	Consulter	To Consult	Consultare	Consultar
Contestar	antworten	Répondre	To Answer	Rispondere	Responder
Contraportada (la)	Gegentitelblatt	Quatrième de couverture	Inside Cover	Ultima Pagina	Contra-capa
Conveniente	angebracht	Convenable	Suitable	Conveniente	Conveniente
Convenir	angebracht sein	Convenir	To Agree, To Suit	Convenire, Concordare	Convir
Correcto/a	richtig	Correct	Correct, Right	Corretto	Correto
Corto/a	kurz	Court	Short	Corto	Curto
Cuadro (el)	Bild	Tableau	Picture, Painting	Quadro	Quadro
Cuello (el)	Hals	Cou	Neck	Collo	Pescoço
D	D	D	D	D	D
Dar	geben	Donner	To Give	Dare	Dar
Debajo	unten	En dessous de	Below	Sotto	Debaixo
Débil	schwach	Faible	Weak	Debole	Debilitado, Fraco

ESPAÑOL	ALEMÁN	FRANCÉS	INGLÉS	ITALIANO	PORTUGUÉS
Dedo (el)	Finger	Doigt	Finger	Dito	Dedo
Descalzo/a	barfüssig	Pieds nus	Shoeless	Scalzo	Descalço
Devolver	zurückgeben	Rendre	To Give Back	Restituire	Devolver, Vomitar
Diente (el)	Zahn	Dent	Tooth	Dente	Dente
Distraer	ablenken	Distraire	To Distract	Distrarre	Distrair
Dolor (el)	Schmerz	Douleur	Pain	Dolore	Dor
Dulce (el)	Süssigkeit	Sucrerie	Sweet, Candy	Dolce	Doce
E	E	E	E	E	E
Ejercicio (el)	Übung	Exercice	Exercise	Esercizio	Exercício
Emocional	Gefühls...	Emotionnel	Emotional	Emotivo	Emocional
Encuentro (el)	Begegnung, Treffen	Rencontre	Meeting, Encounter	Incontro	Encontro
Equilibrio (el)	Gleichgewicht	Equilibre	Balance	Equilibrio	Equilíbrio
Escritor/-a (el, la)	Schriftsteller	Ecrivain	Writer	Scrittore/-trice	Escritor
Escuchar	zuhören	Ecouter	To Listen To	Ascoltare	Escutar
Espalda (la)	Rücken	Dos	Back, Shoulder	Schiena	Costas
Estómago (el)	Magen	Estomac	Stomach	Stomaco	Estômago
Estreñimiento (el)	Verstopfung	Constipation	Constipation	Stitichezza	Prisão de ventre
Excesivo/a	übermässig	Excessif	Excessive	Eccessivo	Excessivo
Excitar	aufregen	Exciter	To Excite	Eccitare	Excitar
Explicación (la)	Erklärung	Explication	Explanation	Spiegazione	Explicação
F	F	F	F	F	F
Falda (la)	Rock	Jupe	Skirt	Gonna	Saia
Feo/a	hässlich	Laid	Ugly	Brutto	Feio
Fibra (la)	Faser	Fibre	Fibre	Fibbra	Fibra
Fiebre (la)	Fieber	Fièvre	Fever	Febbre	Febre
Frasco (el)	Flakon	Flacon	Bottle	Bottiglia, Flacone	Frasco
Frecuencia (la)	Häufigkeit	Fréquence	Frequency	Frequenza	Freqüência
G	G	G	G	G	G
Garganta (la)	Kehle, Gurgel	Gorge	Throat	Gola	Garganta
Generar	erzeugen	Générer	To Generate	Generare	Gerar
Graduado/a	graduiert	Gradué	Graduate	Laureato	Graduado
Gripe (la)	Grippe	Grippe	Flu	Influenza	Gripe
Gritar	schreien	Crier	To Shout	Gridare	Gritar
H	H	H	H	H	H
Hemisferio (el)	Halbkugel	Hémisphère	Hemisphere	Emisfero	Hemisfério
Hemofilia (la)	Bluterkrankheit	Hémophilie	Haemophilia	Emofilia	Hemofilia
Hepático/a	Leber...	Hépathique	Hepatic	Epatico	Hepático
Hidroterapia (la)	Wasserheilkunde	Hydrotérapie	Hydrotherapy	Idroterapia	Hidroterapia
I	I	I	I	I	I
Incertidumbre (la)	Ungewissheit	Incertitude	Uncertainty	Incertezza	Incerteza
Indigestión (la)	Verdauungsstörung	Indigestion	Indigestion	Indigestione	Indigestão
Influir	beeinflussen	Influer	To Influence	Influire	Influenciar
Informal	locker, unzuverlässig	Informel	Informal	Informale	Informal
Insuficiencia (la)	Unzulänglichkeit	Insuffisance	Failure	Insufficienza	Insuficiência
Introducir	einführen	Introduire	To Introduce	Introdurre	Introduzir
Inyección (la)	Spritze	Injection	Inyection	Iniezione	Injeção
J	J	J	J	J	J
Jersey (el)	Pullover	Pull-over	Jersey	Maglione	Suéter, Pulôver
Juego (el)	Spiel	Jeu	Play	Gioco	Jogo, Brincadeira
L	L	L	L	L	L
Largo/a	lang	Grand	Long	Lungo	Longo, Comprido
Lavarse	sich waschen	Se laver	To Wash	Lavarsi	Lavar-se
Laxante (el)	Abführmittel	Laxatif	Laxative	Lassativo	Laxante
Lentilla (la)	Kontaktlinse	Lentille	Contact-lenses	Lente a Contatto	Lente de contato
Letargo (el)	Schlafsucht	Léthargie	Lethargy	Letargo	Letargia
Liso/a	glatt	Lisse	Smooth	Liscio	Liso
Listo/a	schlau	Prêt	Ready	Pronto	Pronto, Preparado
Llenar	füllen	Remplir	To Fill	Riempire	Encher
M	M	M	M	M	M
Majo/a	hübsch	Sympathique	Nice	Carino, Simpatico	Legal, Simpático
Malestar (el)	Unwohlsein	Malaise	Indisposition	Malessere	Mal-estar
Marearse	schwindelig werden	Se sentir mal	To Feel Sick	Venire la Nausea	Enjoar-se
Medicarse	sich Arznei verabreichen	Prendre des médicaments	To Be on a Cure	Medicarsi	Medicar-se
Meta (la)	Ziel	But	Goal	Meta	Meta
Molestar	stören	Géner	To Annoy	Molestare	Incomodar
Moreno/a	dunkelhaarig	Brun	Dark, Black	Moro, Bruno	Cabelo escuro ou preto
Muerte (la)	Tod	Mort	Death	Morte	Morte
N	N	N	N	N	N
Náusea (la)	Übelkeit	Nausée	Nausea	Nausea	Naúsea, Enjôo
Novela (la)	Roman	Roman	Novel	Romanzo	Romance
O	O	O	O	O	O
Obra (la)	Werk	Oeuvre	(Piece of) Work	Opera	Obra
Ocular	Augen...	Oculaire	Ocular	Oculare	Ocular
Ondulado/a	onduliert	Ondulé	Wavy	Ondulato	Ondulado
Oreja (la)	Ohr	Oreille	Ear	Orecchia	Orelha
P	P	P	P	P	P
Pantalones (los)	Hosen	Pantalons	Trousers	Pantaloni	Calça-comprida
Pantorrilla (la)	Wade	Mollet	Calf	Polpaccio	Pantorrilha
Pañuelo (el)	Handtuch	Mouchoir	Handkerchief	Foulard	Lenço
Pared (la)	Wand	Mur	Wall	Parete	Parede
Pasear	spazieren	Promener	To Walk	Passeggiare	Passear
Pecho (el)	Brust	Poitrine	Chest, Breast	Petto	Peito
Pegar	schlagen	Frapper	To Hit	Picchiare	Bater (em alguém)
Pelirrojo/a	rothaarig	Roux	Red-haired	Dai Capelli Rossi	Ruivo
Peluca (la)	Perücke	Perruque	Wig	Parrucca	Peruca
Perro/a (el, la)	Hund	Chien	Dog	Cane, Cagna	Cachorro, Cão/Cadela
Pierna (la)	Bein	Jambe	Leg	Gamba	Perna
Pitar	hupen, pfeifen	Klaxoner	To Sound one's Horn	Suonare il Clacson	Buzinar
Postizo/a	künstlich	Postiche	False	Finto	Postiço
Postura (la)	Haltung	Position	Position	Posizione	Postura
Precaución (la)	Vorsicht	Précaution	Precaution	Precauzione	Precaução
Pregunta (la)	Frage	Question	Question	Domanda	Pergunta
Preocuparse	sich kümmern um	Se préoccuper	To Worry	Preoccuparsi	Preocupar-se
Prodigioso/a	wunderbar	Prodigieux	Prodigious	Prodigioso	Prodigioso
Profesión (la)	Beruf	Profession	Profession	Professione	Profissião
R	R	R	R	R	R
Rasgo (el)	Charakterzug	Trait	Characteristic, Feature	Lineamento, Tratto	Traço, Característica
Reaccionar	Reagieren	Réagir	To React	Reagire	Reagir

ESPAÑOL	ALEMÁN	FRANCÉS	INGLÉS	ITALIANO	PORTUGUÉS
Real	wirklich	Réel	Real	Reale	Real, Verdadeiro
Regular	regelmässig	Habituel	Usual	Regolare, Normale	Regular, Habitual
Reír	lachen	Rire	To Laugh	Ridere	Rir
Remedio (el)	Heilmittel	Remède	Remedy, Cure	Cura	Remédio
Renal	Nieren...	Reinal	Renal	Renale	Renal
Responsabilidad (la)	Verantwortung	Responsabilité	Responsibility	Responsabilità	Responsabilidade
Rey/Reina (el, la)	König	Roi/Reine	King/Queen	Re/Regina	Rei/Rainha
Rizado/a	kraus	Frisé	Curly	Riccio	Enrolado, Crespo
Rizarse	kräuseln	Se friser	To Perm one's Hair	Arricciarsi	Enrolar o cabelo
S	S	S	S	S	S
Salón (el)	Saal	Salon	Lounge, Hall	Sala, Salone	Salão
Sano/a	gesund	Sain	Healty	Sano	Sano, Saudável
Señal (la)	Zeichen	Panneau	Sign	Segno	Sinal (de trânsito)
Sitio (el)	Lage, Ort	Lieu	Place	Posto	Lugar
Solucionar	lösen	Solutionner	To Resolve	Risolvere	Solucionar
Sombra (la)	Schatten	Ombre	Shadow	Ombra	Sombra
Sufrir	leiden	Souffrir	To Suffer	Soffrire	Sofrer
Sugerir	vorschlagen, nahelegen	Suggérer	To Suggest	Suggerire	Sugerir
T	T	T	T	T	T
Tarea (la)	Aufgabe	Tâche	Taste	Compito, Lavoro	Tarefa
Tensión (la)	Spannung	Tension	Tension	Pressione, Tensione	Tensão
Teñir	färben	Teindre	To Dye	Tingere	Tingir, Pintar
Terrible	schrecklich, furchtbar	Terrible	Terrible	Terribile	Terrível
Tontería (la)	Dummheit, Blödigkeit	Bêtise	Stupidity	Sciocchezza	Besteira
Toser	husten	Tousser	To Cough	Tossire	Tossir
Traje (el)	Anzug	Tailleur	Dress, Suit	Vestito, Completo	Terno
Trenza (la)	Zopf	Tresse	Ponytail	Treccia	Trança
Tripa (la)	Darm	Ventre	Belly	Pancia, Trippa	Tripa, Barriga
Tubo (el)	Röhre	Tube	Tube	Tubo	Tubo
Tumbarse	sich hinlegen	Se coucher	To Lie Down	Sdraiarsi	Deitar-se
U	U	U	U	U	U
Úlcera (la)	Geschür	Ulcère	Ulcer	Ulcera	Úlcera
Unidad (la)	Einheit	Unité	Unity	Unità	Unidade
V	V	V	V	V	V
Varicela (la)	Windpocken	Varicelle	Chickenpox	Varicella	Catapora, Varicela
Ventana (la)	Fenster	Fenêtre	Window	Finestra, Finestrino	Janela
Ventanilla (la)	Schalter	Petite fenêtre	Window	Sportello	Guichê, Bilheteria
Vertical	senkrecht	Vertical	Vertical	Verticale	Vertical
Vómito (el)	Brechen	Vomi	Vomit	Vomito	Vômito
Z	Z	Z	Z	Z	Z
Zorro/a (el, la)	Fuchs	Renard	Fox	Volpe	Raposa
Zumo (el)	Saft	Jus	Juice	Succo	Suco
TEMA 5	**TEMA 5**	**TEMA 5**	**TEMA 5**	**TEMA 5**	**TEMA 5**
A	A	A	A	A	A
Aburrimiento (el)	Langeweile	Ennui	Boredome	Noia	Tédio
Aburrirse	sich langweilen	S'ennuyer	To Get Bored	Annoiarsi	Entediar-se
Acercarse	sich nähern	S'approcher	To Approach	Avvicinarsi	Aproximar-se
Acierto (el)	Treffen	Réussite	Success, Skill	Riuscita, Abilità	Acerto
Adicto/a	süchtig, abhängig von	Attaché	Adict	Seguace	Adepto
Afición (la)	Zuneigung	Goût	Fondness, Inclination	Simpatia, Inclinazione	Hobby, Gosto
Alegrar	erfreuen	Réjouir	To Cheer Up	Rallegrare	Alegrar
Aliento (el)	Hauch	Haleine	Breath	Alito	Hálito
Árbol (el)	Baum	Arbre	Tree	Albero	Árvore
Ardor (el)	Eifer	Ardeur	Heat	Ardore	Ardor, Ardência
Aroma (el)	Duft	Arôme	Aroma, Scent	Aroma	Aroma
Astro (el)	Gestirn	Astre	Star	Astro	Astro
Aurora (la)	Morgenröte	Aurore	Dawn	Aurora	Aurora
B	B	B	B	B	B
Bastante	ziemlich, genug	Assez	Enough	Abbastanza	Bastante
Blanquear	weissen, bleichen	Blanchir	To Whiten	Imbiancare	Branquear
Borrar	verwischen	Effacer	To Cancel	Cancellare	Apagar
C	C	C	C	C	C
Cacharro (el)	Topf	Pot	Pot, Crock	Recipiente	Utensílio, Cacareco
Caer (bien, mal)	gefallen	Apprécier	To Like (or not) a Person	Essere Simpatico/Antipatico	Cair (bem, mal)
Cama (la)	Bett	Lit	Bed	Letto	Cama
Cegador/-a	erblindeter	Aveuglant	Blinding	Accecante	Cegador
Cenar	zu Abend essen	Dîner	To Have Dinner	Cenare	Jantar
Cielo (el)	Himmel	Ciel	Sky	Cielo	Céu
Compañía (la)	Gesellschaft	Entreprise	Company	Compagnia	Companhia
Complacer	gefällig sein	Plaire	To Please	Compiacere	Comprazer, Satisfazer
Completamente	völlig	Complètement	Totally	Completamente	Completamente
Componente (el)	Bestandteil, Mitglied	Composant	Component	Componente	Componente
Compromiso (el)	Verpflichtung	Engagement	Obligation, Date	Impegno	Compromisso
Común	gemeinsam	Commun	Common	Comune	Comúm
Conectar	verbinden	Connecter	To Connect	Connettere, Collegare	Conectar
Copa (la)	Pokal	Verre	Glass, Cup	Bicchiere, Coppa	Taça
Coquetear	kokettieren	Flirter	To Flirt	Civettare	Paquerar
Corazón (el)	Herz	Coeur	Heart	Cuore	Coração
D	D	D	D	D	D
Depresivo/a	niederdrückend	Dépressif	Depressive	Depressivo	Depressivo
Desamor (el)	Lieblosigkeit	Manque d'affection	Dislike	Disamore	Desamor
Desear	wünschen	Désirer	To Wish	Desiderare	Desejar
Deseo (el)	Wunsch	Désir	Wish	Desiderio	Desejo
Desigualdad (la)	Ungleichheit	Inégalité	Inequality	Disuguaglianza	Desigualdade
Desordenado/a	unordentlich	Désordonné	Untidy	Disordinato	Desordenado
Diferencia (la)	Verschiedenheit	Différence	Difference	Differenza	Diferença
Difícil	schwierig	Difficile	Difficult	Difficile	Difícil
Difunto/a (el, la)	Verstorbener	Défunt	Dead Person	Defunto	Defunto, Morto
Disparo (el)	Schuss	Tir	Shot	Sparo	Disparo, Tiro
Divorciado/a	geschieden	Divorcé	Divorced	Divorziato	Divorciado
E	E	E	E	E	E
Encantador/-a	bezaubernd	Charmant	Charming	Incantevole	Encantador
Encanto (el)	wunderbar (sein)	Adorable	Charming	Incanto, Meraviglia	Encanto
Ensuciar	beschmützen	Salir	To Dirty	Sporcare	Sujar
Entero/a	ganz	Entier	Whole	Intero	Inteiro

ESPAÑOL	ALEMÁN	FRANCÉS	INGLÉS	ITALIANO	PORTUGUÉS
Entrevista (la)	Interview	Entretien	Interview	Intervista, Colloquio	Entrevista
Entrevistador/-a (el, la)	Interviewer	Enterviewer	Interviewer	Intervistatore	Entrevistador
Entusiasmar	begeistern	Enthousiasmé	To Fill with Enthusiasm	Entusiasmare	Entusiasmar
Equivocación (la)	Irrtum	Erreur	Mistake	Equivoco, Sbaglio	Equívoco, Engano, Erro
Estrella (la)	Stern	Etoile	Star	Stella	Estrela
F	F	F	F	F	F
Fatal	unselig	Fatal	Fatal, Awful	Fatale, Male	Fatal
Fijo/a	fest	Fixe	Steady, Fix	Fisso	Fixo
Firme	sicher	Ferme	Firm, Secure	Sicuro	Firme
Flor (la)	Blume	Fleur	Flower	Fiore	Flor
Fregar	spülen	Nettoyer	To Wash, To Wash Up	Lavare	Lavar a louça, Esfregar
Furor (el)	Begeisterung	Fureur	Fury	Furore	Furor
Futuro (el)	Zukunft	Futur	Future	Futuro	Futuro
G	G	G	G	G	G
Garra (la)	Klaue	Griffe	Claw, Talon, Paw	Artiglio, Zampa	Garra
Gato/a (el, la)	Kater/Katze	Chat	Cat	Gatto	Gato
Generoso/a	grosszügig	Généreux	Generous	Generoso	Generoso
Girar	drehen	Tourner	To Turn Round	Girare	Girar, Rodar, Virar
Gloria (la)	Seligkeit	Gloire	Glory	Gloria	Glória
Gobierno (el)	Regierung	Gouvernement	Government	Governo	Governo
Gracioso/a	witzig	Amusant	Graceful, Amusing	Spiritoso, Carino	Engraçado, Divertido
Grito (el)	Schrei	Cri	Shout	Grido	Grito
Guardar	aufbewahren	Garder	To Put Away	Mettere Via	Guardar
Gusto (el)	Geschmack, Vorliebe	Goût	Taste	Gusto	Gosto
H	H	H	H	H	H
Hoja (la)	Blatt	Feuille	Leaf	Foglia	Folha
Hola	Hallo	Salut	Hello	Ciao	Oi, Olá
Humor (el)	Laune	Humeur	Humor, Mood	Umore, Comicità	Humor
I	I	I	I	I	I
Imbécil	blödsinnig	Imbécile	Idiot	Imbecille	Imbecil, Idiota
Independiente	unabhängig, selbständig	Indépendant	Independent	Indipendente	Independente
Indiferente	gleichgültig	Indifférent	Indifferent	Indifferente	Indiferente
Infinito/a	unendlich	Infini	Endless	Infinito	Infinito
Injusticia (la)	Ungerechtigkeit	Injustice	Injustice	Ingiustizia	Injustiça
Insultar	beleidigen	Insulter	To Insult	Insultare	Insultar, Xingar
Introvertido/a	zurückhaltend	Introverti	Introverted	Introverso	Introvertido
J	J	J	J	J	J
Jardinería (la)	Gärtnerei	Jardinnerie	Gardening	Giardinaggio	Jardinagem
L	L	L	L	L	L
Lectura (la)	Lesen	Lecture	Reading	Lettura	Leitura
Lejos	weit weg, fern	Loin	Far Away	Lontano	Longe
Ligón/-a (el, la)	Anmacher	Dragueur	Flirtatious Man/Woman	Don Giovanni	Namorador, Namoradeira
Luz (la)	Licht	Lumière	Light	Luce	Luz
M	M	M	M	M	M
Machismo (el)	Machismus	Machisme	Male Chauvinism	Maschilismo	Machismo
Maduro/a	reif	Mûr	Ripe, Madure	Maturo	Maduro
Maltratar	misshandeln	Maltraiter	To Maltreat	Maltrattare	Maltratar
Manchar	beschmutzen	Tâcher	To Soil	Macchiare	Manchar
Manualidad (la)	Handaufgabe	Travail manuel	Manual Craft	Manualità	Manualidade
Maravilloso/a	wunderbar	Merveilleux	Marvellous	Meraviglioso	Maravilhoso
Marcar	zeichnen	Marquer	To Mark	Marcare, Segnare	Marcar
Matar	töten	Tuer	To Kill	Uccidere	Matar
Mente (la)	Geist	Esprit	Mind	Mente	Mente
Milagro (el)	Wunder	Miracle	Miracle	Miracolo	Milagre
Mina (la)	Bergwerk	Mine	Miniera, Mine	Mina, Miniera	Mina
Mirada (la)	Blick	Regard	Look	Sguardo	Olhar
N	N	N	N	N	N
Negro/a	schwarz	Noir	Black	Negro	Negro
Nervioso/a	nervös, unruhig	Nerveux	Nervous	Nervoso	Nervoso
Nostalgia (la)	Sehnsucht	Nostalgie	Nostalgia	Nostalgia	Nostalgia
Nota (la)	Anmerkung	Note	Nota, Mark	Voto, Nota	Nota
Núcleo (el)	Kern	Noyau	Nucleus	Nucleo	Núcleo
O	O	O	O	O	O
Oculto/a	verborgen	Caché	Hidden	Occulto, Nascosto	Oculto
Ocupación (la)	Beschäftigung	Occupation	Occupation	Occupazione	Ocupação
Ojalá	hoffentlich	Pourvu que	I Wish..., If Only...	Magari	Tomara
Oler	riechen	Sentir	Smell	Odorare, Annusare	Cheirar
Olor (el)	Geruch	Odeur	Smell	Odore	Cheiro
Olvido (el)	Vergessenheit	Oubli	Oblivion	Dimenticanza	Esquecimento
Ordenar	ordnen	Ordonner	To Order, to Arrange	Ordinare	Ordenar
P	P	P	P	P	P
Pájaro/a (el, la)	Vogel	Oiseau	Bird	Uccello	Pássaro
Palomo/a (el, la)	Taube	Pigeon	Pigeon	Colombo, Piccione	Pombo
Partido (el)	Spiel	Match	Game, Match	Partita	Partida
Pasto (el)	Futter	Pâturage	Food	Pasto, Cibo	Pasto
Pelear	streiten	Se battre	To Fight	Lottare, Litigare	Brigar
Pena (la)	Leid	Peine	Sorrow	Pena	Pena
Perdición (la)	Verderben	Perdition	Perdition	Perdizione	Perdição
Pintura (la)	Malerei	Peinture	Painting	Pittura	Pintura
Pizarra (la)	Tafel	Tableau	Blackboard	Lavagna	Lousa, Quadro negro
Poema (el)	Gedicht	Poème	Poem	Poema	Poema
Poeta (el, la)	Dichter	Poète	Poet	Poeta/-tessa	Poeta
Preferir	bevorzugen	Préférer	To Prefer	Preferire	Preferir
Prejuicio (el)	Vorurteil	Préjugé	Prejudice	Pregiudizio	Preconceito
Profundo/a	tief	Profond	Deep	Profondo	Profundo
R	R	R	R	R	R
Raro/a	seltsam	Bizarre	Rare	Raro	Raro, Diferente
Ratón/Rata (el, la)	Maus/Ratte	Souris	Mouse	Topo, Ratto	Rato, Ratazana
Recibo (el)	Quittung, Beleg	Reçu	Receipt	Ricevuta	Recibo
Rencor (el)	Groll	Rancoeur	Rancour	Rancore	Rancor
Reparto (el)	Verteilung	Répartition	Cast, Distribution	Distribuzione	Divisão, Distribuição
Respirar	atmen	Respirer	To Breath	Respirare	Respirar
Responsable	verantwortlich	Responsable	Responsible	Responsabile	Responsável
Resultar	gelingen	Résulter	To Prove, To Turn Out	Risultare, Diventare	Resultar, Ser
Resurrección (la)	Auferstehung	Résurrection	Resurrection	Resurrezione	Ressurreição
Retener	behalten	Retenir	Retain	Ritenere, Trattenere	Reter
Rocío (el)	Tau	Rosée	Dew	Rugiada	Orvalho
Rojo/a	rot	Rouge	Red	Rosso	Vermelho

ESPAÑOL	ALEMÁN	FRANCÉS	INGLÉS	ITALIANO	PORTUGUÉS
S	S	S	S	S	S
Sabor (el)	Geschmack	Goût, Saveur	Flavour, Taste	Sapore	Sabor
Sensación (la)	Empfindung	Sensation	Sensation	Sensazione	Sensação
Sensato/a	vernünftig	Sensé	Sensible	Sensato	Sensato
Sentido (el)	Sinn	Sens	Mean	Significato, Senso	Sentido
Sentimiento (el)	Gefühl	Sentiment	Feeling, Emotion	Sentimento	Sentimento
Serenidad (la)	Gemütsruhe	Sérénité	Peacefulness	Serenità	Serenidade
Serpiente (la)	Schlange	Serpent	Snake	Serpente	Serpente
Sonrisa (la)	Lächeln	Sourire	Smile	Sorriso	Sorriso
Soportar	ertragen, erdulden	Supporter	To Bear, To Stand	Sopportare	Suportar
Sorprender	überraschen	Surprendre	To Surprise	Sorprendere	Surpreender
T	T	T	T	T	T
Temblar	zittern	Trembler	To Tremble, To Shiver	Tremare	Tremer
Tiritar	frösteln	Grelotter	To Shiver	Tremare dal Freddo	Tremer
Trabajador/-a	fleissig	Travailleur	Worker	Lavoratore/-trice	Trabalhador
Tranquilidad (la)	Ruhe	Tranquilité	Tranquillity	Tranquillità	Tranqüilidade
Transformar	verwandeln	Transformer	To Transform	Trasformare	Transformar
Tras	hinter	Derrière	Behind, After	Dietro, Dopo	Depois
Triste	traurig	Triste	Sad	Triste	Triste
Tristeza (la)	Traurigkeit	Tristesse	Sadness	Tristezza	Tristeza
Turno (el)	Reihenfolge	Tour	Turn, Shift	Turno	Turno
V	V	V	V	V	V
Vecino/a (el, la)	Nachbar	Voisin	Neighbour	Vicino	Vizinho
Vestir	bekleiden	Habiller	To Wear, To Dress	Vestire, Indossare	Vestir
Viento (el)	Wind	Vent	Wind	Vento	Vento
Violento/a	gewaltätig sein	Violent	Violent	Violento	Violento
Viudo/a	verwitwet	Veuf	Widower	Vedovo	Viúvo
Vivienda (la)	Wohnung	Logement	Housing	Casa, Alloggio	Casa, Moradia, Habitação

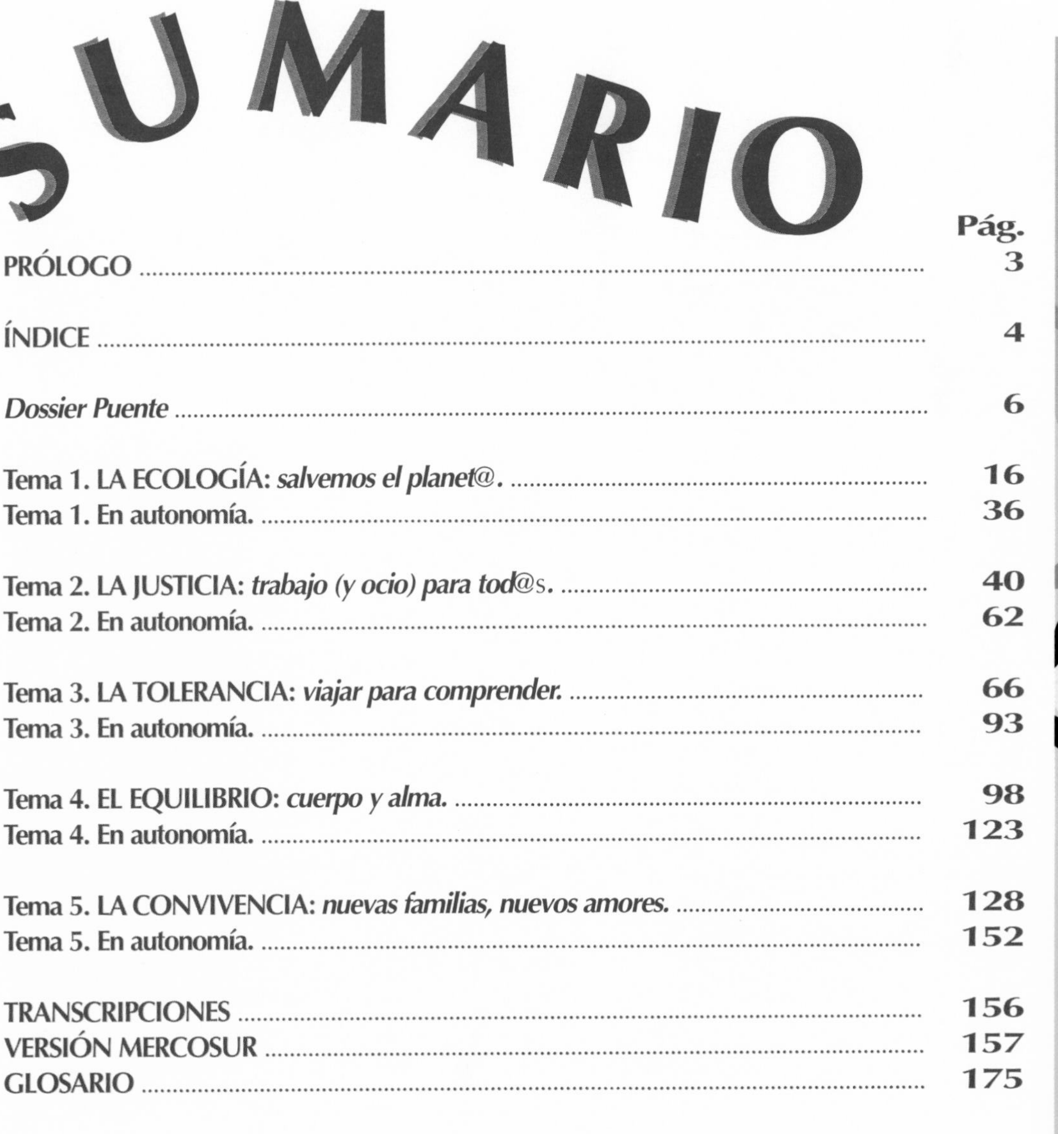

SUMARIO